TRABAJO SOCIAL FORENSE:

UNA PRÁCTICA BASADA EN EVIDENCIA, RETO PARA LA PROFESIÓN

Dra. Ana M. López Beltrán, MTS, Ph.D.

ISBN: 978-1-61887-386-6

Impreso en Puerto Rico por:
BiblioGráficas
205 Calle Federico Costa Ste 109
San Juan, PR 00918-1356
Tel. 787-753-3704
info@bibliograficas.com

Contenido

DEDICATORIA

A mí querido padre, Ramón, que siempre me hizo sentir amada y protegida, lo que infundó en mí la confianza para alcanzar mis sueños y superar las adversidades de la vida con fe y optimismo. También a mi Padre Celestial por hacerme sentir ese amor y protección a lo largo de mi vida.

RECONOCIMIENTOS

Con una meta más alcanzada, quiero primeramente agradecer a Dios por darme la fuerza de voluntad para perseverar en este proyecto que tomó muchas horas de investigación, lectura y análisis. Mi agradecimiento especial a mis amigas que no dudaron en aceptar mi solicitud para la revisión del escrito y ofrecer sus observaciones. A todas ellas doy reconocimiento por su capacidad intelectual, así como, por sus cualidades como ser humano. Me siento muy honrada por tener amigas como ellas, por su apoyo y amistad. Primeramente a mi querida amiga Rita Córdova, reconocida Trabajadora Social en el área Clínica y Forense, que aún con su agenda ocupada sacó tiempo para darme sus primeras impresiones y recomendaciones del borrador original. Ella también fue mi gran colaboradora en mi primer libro. Gracias, Rita. A la también, amiga y colega, Dra. Milagros Colón, quién hizo una revisión concienzuda de todo el escrito y nos brindó sus recomendaciones y observaciones para mejorarlo y ampliar aspectos que consideraba requerían mayor explicación. Contamos también en este proceso de revisión con la colaboración de otra gran amiga, Hon. Mirinda Vicenty, quien actualmente se desempeña como jueza del Tribunal de Apelaciones. Consideramos esta revisión de suma importancia por haber sido ésta, juez de una Sala de Familia y Menores por muchos años, conocer la función de los trabajadores/as sociales de los tribunales, así como los de otras agencias, y reconocer y apoyar nuestra profesión. Reconocemos la colaboración de otra gran amiga, Leonor González, quien nos ayudó en la revisión y corrección gramatical del documento y ofreció comentarios y sugerencias que nos sirvieron para ampliar o clarificar conceptos

Distinguimos a la Directora Administrativa de los Tribunales, Hon. Sonia Ivette Vélez Colón, por permitirnos el acceso a los funcionarios de la Directoria de Programas Judiciales, quienes nos brindaron la información requerida sobre los proyectos especiales, así también, por haber autorizado y facilitado la distribución del cuestionario de opinión a los jueces/zas de las Salas de Familia y Menores. Agradecemos a los jueces y juezas que sacaron de su tiempo para contestar el cuestionario. Sus observaciones y sugerencias resultarán de gran utilidad para los trabajadores y trabajadoras sociales que realizan peritaje para los Tribunales.

A la Sra. Hayrines Calderón Fradera, Especialista en Asuntos Éticos y Comisiones del Colegio e Profesionales del Trabajo Social de Puerto Rico, agradezco su orientación sobre los procedimientos que se siguen en las querellas por conducta anti ética o impericia y la nueva ley de Colegiación.

Quiero agradecer también a mi querido esposo Sam, por su apoyo, colaboración y observaciones sobre algunos de los temas elaborados. También por preocuparse por mi bienestar y procurar siempre que estuviera lo más cómoda posible durante las horas dedicadas a este trabajo. Gracias por su comprensión y amor. Finalmente, a mi padre, a mis hijos/a y nietos, por ser parte importante en mi vida y por sentir siempre su amor incondicional.

Ana María López Beltrán, MTS, PhD

Septiembre 2013

PRÓLOGO

"Hay dos clases de escritores geniales: los que piensan y los que hacen pensar".
Joseph Roux, moralista y literato francés

Un prólogo (del griego πρόλογος prólogos, de pro: 'antes y hacia' (en favor de), y lógos: 'palabra, discurso') es la parte situada al principio de una obra, que sirven a su autor para justificar el haberla compuesto y al lector para orientarse en la lectura o disfrute de la misma. El prólogo es además el discurso que, en el teatro griego y romano, precedía a la representación de la obra y en el cual se narraba el argumento y se pedía la indulgencia del público.

No pretendo escribir un discurso sobre "Trabajo Social Forense: Una práctica basada en Evidencia, Reto para la Profesión" porque no lo necesita, pero les pido su indulgencia, estimado lector para poder expresarle en estas pocas líneas la satisfacción de presentarles esta obra.

Si en el primer libro de la Dra. López introduce al trabajador(a) social forense al escenario que representa el sistema judicial de Puerto Rico, a los procedimientos llevados a cabo en las Salas de Menores y Familia, con el objetivo de que se conociera no sólo los conceptos legales que se trabajan día a día sino lo que significaba ser un testigo pericial y cómo prepararse para enfrentarse a la silla de testigos. En esta obra confronta al trabajador social forense consigo mismo.

Temas como la Equidad, la Objetividad, Ética y los Valores de Justicia Social como elementos indispensables en el proceso de análisis obliga al trabajador social activar "los filtros" como dice la Dra. López para poder realizar una intervención libre de los propios prejuicios, valores e ideas.

En esta obra se nos presenta herramientas necesarias para poder realizar un mejor análisis tales como las teorías del comportamiento humano de mayor uso, cómo poder identificar nuestro propio estilo de comunicación cuando entrevistamos, o simplemente cómo podemos determinar si nos están mintiendo. Finalmente, la Dra. López pone al servicio de todos, sus 29 años de experiencia en Trabajo Social, pero sobretodo de sabiduría, cuando incluye la discusiones de distintos casos, donde analiza la integración de las teorías a los hallazgos de investigación. Donde pone a la disposición del lector el correcto análisis de un informe social para poder identificar entre otros; metodología, falta de objetividad, parcialidad y sobre todo si las recomendaciones sociales están sustentadas por los hallazgos identificados.

No tengo duda que cualquier profesional de la conducta humana podrá beneficiarse de la lectura de esta obra para el mejoramiento propio como profesional y perito, pero no menos los abogados y abogadas, jueces y juezas que trabajamos diariamente y mano a mano con los trabajadores sociales. De esta obra aprenderemos a conocer si el informe social que tenemos ante nosotros es uno adecuado, fundamentado correctamente y libre de cualquier "contaminación" personal del perito.

Gracias Dra. López por pensar en todos nosotros, los actores en el escenario legal a realizar esta obra de práctica forense diaria en nuestros tribunales y gracias por hacerme pensar cuando leía el mismo sobre mi "actuación dentro de ese escenario."

Mirinda Y. Vicenty Nazario

Jueza de Apelaciones de PR
Septiembre 2013

PRÓLOGO

La práctica basada en evidencia no es un elemento nuevo en la profesión de trabajo social pero sí cobra mayor importancia a partir de 2008 en adelante. Organizaciones como el Council on Social Work Education (CSWE, por sus siglas en inglés) y la National Association of Social Workers (NASW, por sus siglas en inglés) han validado esta práctica en sus estándares y documentos relacionados con el ejercicio del trabajo social, en Estados Unidos y Puerto Rico.

La Dra. Ana López Beltrán en este libro que ha titulado Trabajo Social Forense: una práctica basada en evidencia, reto para la profesión, desarrolla un análisis de lo que significa este concepto en las metodologías de intervención profesional. Cabe pensar que la lógica dicta el mismo como una acción obligada, en la medida en que el campo forense este tipo de evidencia suele ser la única aceptada en las determinaciones que se lleven a cabo, relacionadas con un caso judicial, así como en las conclusiones y recomendaciones que se deriven de los datos presentados.

La Dra. López Beltrán, quien además de ser practicante de la profesión, directora de la Oficina de Trabajo Social en la Administración de Tribunales de Puerto Rico y profesora de este quehacer profesional en el nivel universitario, se impone la tarea en este libro de elaborar tres áreas obligadas de conocimiento. En el área académica da inicio en el punto en que se parte en la misión de la enseñanza: las definiciones. Comienza definiendo lo que es trabajo social forense, algo de lo cual muchos(as) colegas tienen un alto grado de confusión. De su rol de practicante de la profesión, la Dra. Ana López Beltrán plantea con toda claridad lo imperativo de partir de los principios que nos rigen a los profesionales de la conducta que luchan por la justicia social. Además menciona y explica las funciones que a tenor con esto, son la guía para la acción cuando se trata de la práctica basada en la evidencia. Como ex - administradora en la dirección de los servicios de trabajo social, hace hincapié, en la necesidad de entender la importancia de este modo de intervenir y documentar, ya que es precisamente la evidencia recopilada lo que sustenta cada caso y sus determinaciones y por otra parte es el eje que sostiene el sistema de tribunales, sus procesos y decisiones.

En la dimensión práctica del uso de este concepto y después de llevarnos por datos históricos que nos colocan en perspectiva acerca de los factores relacionados con el surgimiento de la misma, la autora va conduciendo al lector o lectora por los pasos específicos de la aplicación de la práctica basada en evidencia (llamada en lo sucesivo PBE). Esto lo repite en diferentes secciones del libro donde se hace alusión a distintos marcos teóricos o modelos. Podemos asegurar que tanto quienes ejercen el trabajo social como los estudiantes que están en formación agradecerán esta labor educativa que la autora se impuso, nos imaginamos que influenciada por su rol de académica. Esta labor llevada a cabo en el primer capítulo es complementada por la autora al explicar las funciones del trabajo social forense por medio de siete pasos que se desarrollan en la intervención profesional con la persona que se enfrenta al tribunal. No cabe duda de que en nuestra profesión, todo lo que tome la forma de un modelo para guiar su ejercicio, cumple un gran cometido con quienes practican la misma.

En el segundo capítulo, la Dra. López Beltrán describe y explica lo que ella llama la transformación del sistema judicial. Esta se identifica por la inclusión de los aspectos psicológicos y sociales que inciden en la vida del ser humano intervenido por el sistema, elemento que en antaño no se manifestaba. Además, esta transformación supone la participación del juez o jueza como alguien que va mucho más allá de una labor de arbitraje. Se añade a ello una labor de concienciación de la responsabilidad de los jueces en la protección de los derechos de los intervenidos.

La autora indica que la misión del tribunal de promover la verdad trasciende la mera adjudicación de la controversia porque sigue a su meta de mantener un orden social estable. Sin embargo, en esta parte la autora también estimula el pensamiento crítico al citar al Honorable José Alberto Morales, juez del Tribunal Apelativo, quien afirma que la consecución de la verdad no pasa de ser un ideal en el sistema judicial. Definitivamente, el conocimiento que adviene de los casos conocidos en y fuera de Puerto Rico no deja mucho lugar para pensar que la transparencia de los procesos judiciales pueda ser una realidad. Más bien se tienen razones para creer que cuando median las variables de la clase social y la raza, la justicia trata de hacerse paso entre los prejuicios, lográndolo solo algunas veces, en nuestra opinión, las menos. No podemos evitar pensar en el caso del niño Lorenzo y de la señora Carmen Paredes, ambos asesinados sin que hasta el día de hoy se hayan adjudicado responsabilidad a los responsables de estas muertes.

Algo similar sucede con la justicia terapéutica, concepto que la Dra. López Beltrán logra explicar con un alto grado de claridad. De acuerdo con la autora, la justicia tradicional ha dado paso a una cuyo fin va dirigido a ofrecer no solo las sanciones legales por una conducta desviada sino aquellos remedios que puedan resultar en la reivindicación de la persona acusada o convicta. Recurre a piezas literarias que refieren sobre un trato de castigo y suplicio y cita a Foucault cuando dice: "En este nuevo sistema penal un proceso global ha conducido a los jueces a juzgar otra cosa que los delitos; han sido conducidos en sus sentencias a hacer otra cosa que juzgar; y el poder de juzgar ha sido transferido, por una parte, a otras instancias que los jueces de la infracción".

En esta dimensión, la experiencia y conocimiento de la autora acerca de los cambios en el sistema judicial le proveen autoridad para afirmar una transición del mismo hacia un carácter terapéutico. Es un área en la cual la Dra. López Beltrán nos educa a quienes somos legos en esta materia. La justicia terapéutica es para ella "una realidad de nuestra época".

Uno de los ejemplos más ilustrativos acerca de la justicia terapéutica según la autora son las Cortes de Drogas. El mismo, iniciado en 1996 y todavía vigente, tiene como propósito ofrecer una opción razonable a las personas cuyas convicciones se relacionan directamente con el uso y abuso de drogas prohibidas. De esta manera, se intenta hacer justicia cuando la causa del acto criminal radica en un comportamiento adictivo. Un trabajo coordinado con las agencias concernidas ofrece un futuro distinto a quien ha violentado la ley por una condición patológica de adicción.

En todo este proceso que dio a luz un sistema judicial diferente, señala la autora que los jueces han venido a ser entes importantes de cambio, los cuales con su gestión hacen esfuerzos por promover la auto eficacia y la modificación de la conducta en las personas que acuden a las cortes de drogas. Estos dos términos revelan una tendencia a resaltar el aprendizaje social y el conductismo en un sistema que transformó su meta principal en una encaminada hacia la rehabilitación. Por otra parte, es lógico pensar que no son todos los jueces y juezas las que posee esta visión de justicia terapéutica, aunque no cabe duda de que el hecho de que el concepto esté presente en algunos tribunales es un adelanto para la administración de la justicia.

A través de todo el libro pero de manera específica en los capítulos del tres al cinco, la Dra. López Beltrán diserta con respecto a los valores indispensables para que se produzca una verdadera justicia terapéutica. Comienza con la equidad, y continúa con la objetividad y la congruencia entre lo que se piensa, se dice y se hace. La autora logra explicar claramente lo que significa la equidad, concepto menos entendido de lo que se cree, al establecer que el trato equitativo no es equivalente a trato igual. La equidad parte del principio de que las diferencias constituyen lo que nos define como seres humanos. Por lo tanto, partir de la igualdad para adjudicar controversias tanto como para colaborar en el tratamiento, resultaría discriminatorio.

La objetividad por su parte resulta difícil de lograr ya que se cuestiona su existencia cuando de seres humanos se trata. Sin embargo y de acuerdo con lo que la autora plantea, en todas las disciplinas pero particularmente en aquellas que manejan el comportamiento humano, son indispensables los esfuerzos dirigidos a obtener el mayor grado de objetividad que se pueda, aun cuando no suele ser la cualidad que mayormente nos distinga.

Con una cita de Confucio, la Dra. López Beltrán desarrolla una reflexión en torno a las contradicciones e incoherencias inadvertidas y por ende, más perjudiciales del comportamiento humano: el abismo entre pensamiento, palabra y acción. Con frecuencia hemos afirmado que de no haber estas inconsistencias en la conducta humana, quienes abrazamos una profesión de servicio social no tendríamos trabajo.

Con el fin de ilustrar lo que significan estas inconsistencias para todos y todas, pero principalmente para los profesionales del trabajo social, la autora acude nuevamente a la literatura, esta vez a citas del afamado novelista puertorriqueño, Enrique Laguerre. A continuación la cita:

"¿Me guió alguna voz interior? Porque todos deben saber-y les consta a muchas personas – que ejerzo con profunda dedicación mis funciones comunales. Realizo genuinos y persistentes esfuerzos en beneficio de las personas- particularmente niños y madres pobres- de los caseríos y arrabales. No importa donde tengo que meterme y donde acudir, para realizar con amor mis funciones. Parezco otra persona y quien pensaría que la Alejandra M. Vargas, de las frivolidades y disipaciones fuese la señorita o la

'Alexia' adorada y objeto de confianza de los necesitados".

Esta cita entre otras, expresa las contradicciones internas de uno de los personajes que encarna a una trabajadora social, capaz de hacer nobles gestiones por la comunidad pero a la vez, albergando sentimientos nefastos de rencor y resentimiento. Esto viene a ser algo común a todos los seres humanos: las contradicciones entre lo que queremos ser, lo que aparentamos y lo que realmente somos.

El capítulo 6 ilustra al lector o lectora algo que se conoce pero que no suele admitirse con frecuencia: la gente miente, lo que puede traducirse en la afirmación de que todos y todas mentimos. La autora orienta acerca de las diferentes maneras en que las personas mentimos así como las causas para ello. Por lo general se miente para salir de un aprieto por no querer afrontar una consecuencia negativa. La Dra. Beltrán logra explicar la importancia de que quienes son profesionales de servicio aprendan estrategias para identificar las mentiras en cualquier entrevista. La verdad es que no siempre es posible dicha gestión pero es fundamental comprender cómo funciona en la dimensión neurolingüística la producción y sostenimiento de una mentira (o muchas). Esto es especialmente importante en el área forense.

Los estilos de comunicación constituyen el tema del capítulo 7 en el cual la autora describe cada uno de los cuatro: analítico, controlador, amistoso y expresivo. Cada uno de éstos responde a diversas personalidades y propósitos. En el manejo de conducta criminal esto cobra mayor trascendencia ya que, junto con la mentira, las personas acusadas de algún delito o falta pueden adoptar un estilo u otro para ganar ventajas en sus procesos judiciales. La autora se da a la tarea de elaborar explicaciones amplias de cada uno de estos estilos, ilustrándolos con diagramas que permiten al lector o lectora conocer cómo se desarrolla cada uno.

La Dra. López Beltrán hace uso de preguntas reflexivas para conducir al lector o lectora por el mundo de los valores éticos de las profesiones de servicio. Al disertar sobre los cambios en las prioridades valorativas de las sociedades modernas o post modernas, la autora brinda un necesario énfasis a la existencia de una ética profesional fundamentada en el bienestar de la persona y sociedad a la cual se sirve. Toma como documento de referencia el Código de Ética que rige el comportamiento de los trabajadores y trabajadoras sociales así como el de la National Association of Social Workers. La autora ofrece al lector(a) los criterios necesarios para aquellos mecanismos de consulta que deben preceder la solución de un dilema ético. Esto constituye otra gran aportación del libro. A esto le añade el tema de la impericia profesional lo que sin duda suele ser una conducta anti ética demasiado frecuente en las profesiones de servicio. A renglón seguido, enumera posibles conductas anti éticas, las maneras de prevenirlas y los procedimientos para someter querellas a la comisión de ética del Colegio de Profesionales del Trabajo Social de Puerto Rico.

Sin poder evitar su función de educadora, la Dra. López Beltrán ofrece casos (protegiendo la confidencialidad) para que los(as) trabajadores(as) sociales puedan aplicar los conceptos desarrollados en cada uno de ellos. No cabe duda de que en la profesión de trabajo social las decisiones suelen tornarse difíciles, sobre todo en cuanto a ética se refiere. Con los casos presentados, los(as) colegas pueden aplicar el pensamiento analítico que les permita trabajar situaciones similares. Además, pueden utilizarlos como punto de partida para reuniones de equipo o como una guía para dirigir su intervención. La presentación de cada caso es seguida de una serie de preguntas que sirven de guía para su discusión. Este elemento se convierte en una estrategia didáctica de gran valor lo que seguramente agradecerán los(a) estudiantes y practicante del trabajo social.

El capítulo 9 responde a una de las inquietudes básicas de quienes hemos ejercido la docencia en el trabajo social: encontrar un gran vacío teórico en las decisiones que toman los colegas en nuestra profesión. Es como si los marcos teóricos solo sirvieran para aprobar los exámenes y una vez en el ejercicio profesional, se echaran al olvido. En este sentido la Dra. López Beltrán hace una reseña de las teorías más utilizadas en este quehacer profesional, desde las de fundamento sociológico y macro sistémico hasta las que intentan explicar el desarrollo humano. Incluye también la teoría de indefensión aprendida (Seligman) la cual explica gran parte del comportamiento de las víctimas de maltrato.

En esta sección del libro, la autora provee un bufet de marcos teóricos los cuales no son necesariamente armónicos entre sí. Por ejemplo, la Teoría de Sistemas versus el Paradigma del Conflicto; la Teoría Psicodinámica versus el Construccionismo Social. Pocas veces se encuentra en la literatura la oportunidad de conocer los principios y conceptos de diversas teorías y los criterios que han de utilizarse para seleccionar entre ellas al momento de planificar las intervenciones.

Este proceso de integración de la teoría y la praxis es trabajado por la Dra. López Beltrán en el capítulo 10. La autora describe el proceso de pensamiento que se debe seguir en la integración de una o más teorías que resultan ser la base de lo que será el plan de acción para hacer la diferencia en la vida de las personas a las cuales se sirve. Nuevamente, hace uso de la metodología del caso para ilustrar el proceso de integración que de por sí acarrea mucha deliberación y análisis.

Por último, en el capítulo 12, la Dra. López Beltrán presenta los datos de un estudio llevado a cabo con el propósito de recoger las opiniones de jueces y juezas de las salas de familia con relación a diferentes aspectos del proceso judicial. Entre estos aspectos se encuentran las cualificaciones que según los(as) participantes del estudio debe tener un testigo experto. Se incluyen también sus recomendaciones para los trabajadores y trabajadoras sociales que en un momento dado tengan que ofrecer testimonio pericial. En esto incluye las reacciones que pueden invalidar un testimonio y las características de un mal testigo. Esta sección constituye una guía certera para quienes ejerzan como testigos periciales a los fines de que sean exitosos(as) en su gestión y favorezcan la verdad de los casos.

En palabras de la autora: "Podemos concluir que las observaciones y recomendaciones que hacen los jueces y las juezas sobre la función de los/las trabajador/as sociales como asesores del tribunal, responden a lo que el Código de Ética nos exige como parte nuestro deber y responsabilidad de mantener una práctica profesional que cumpla con la población a la que sirve".

El libro Trabajo Social Forense: una práctica basada en evidencia, reto para la profesión, ha cumplido a nuestro juicio la difícil gesta de brindar a la comunidad profesional del trabajo social así como de otras profesiones de ayuda, un documento que integra los fundamentos teórico conceptuales de lo que es el ejercicio en tan dura disciplina. Los tribunales son el terreno en el cual se debaten los hechos para llegar a la verdad. Suelen ser intimidantes y hostiles. Por esta razón, la carencia de las estrategias y técnicas adecuadas pueden echar al ruedo las mejores intenciones para el logro de la justicia. La Dra. López Beltrán ha hecho una gran parte del trabajo que se necesita para obtener una referencia confiable. Toca a todos nosotros(as) hacer la nuestra.

Milagros Colón Castillo, M.T.S.; Ed.D.
Septiembre 2013

INTRODUCCIÓN:

La práctica del trabajo social forense se da en el escenario legal y requiere de profesionales con basto conocimiento en la conducta humana. Para lograr ser efectivos y eficientes en su rol de perito en los tribunales el trabajador(a) social deberá hacer uso de las teorías y el conocimiento actualizado en el área de su especialidad. La Práctica Basada en Evidencia (EBP, por sus siglas en inglés), nos da la guía para usar efectivamente un marco de conocimientos actualizados basado en la aplicación de las teorías y los resultados de investigaciones que mejor expliquen a la conducta de la persona o familia evaluada. Como es sabido, ninguna teoría explica todo, por lo que el profesional deberá usar sus destrezas y conocimientos para utilizar la teoría que mejor se ajuste a la realidad que tiene ante sí. Ejercer una práctica competente, basada en conocimientos actualizados y con el mayor grado de objetividad posible deberá guiar todo el proceso.

La Asociación Nacional de Trabajadores Sociales en su definición de la profesión señala que el trabajo social existe para proveer servicios sociales efectivos y humanos a los individuos, familias, grupos, comunidad y sociedad, de manera que puedan restablecer el funcionamiento y mejorar su calidad de vida. Los principios éticos y valores de la profesión como la prestación de servicios de calidad; respeto a la dignidad humana; la justicia social y el reconocimiento de la importancia de las relaciones humanas para promover y restaurar el bienestar de las personas servidas; son fundamentales para lograr una práctica efectiva.

Desde sus orígenes la profesión ha estado orientada y dirigida hacia el servicio a la gente; en su inicio asociada al trabajo voluntario y filantrópico basado en la caridad y amor al prójimo, y posteriormente se desarrolla y fortalece como profesión. El Trabajo Social es reconocido como una profesión de la conducta humana dirigida a ayudar a reestablecer el funcionamiento social y las condiciones de vida de los individuos dentro de la sociedad. De acuerdo a Greenwood (1957), una profesión tiene que tener ciertos atributos: (1) cuerpo sistemático de teorías, (2) autoridad profesional, (3) sanción de la comunidad, (4) un código de ética, y (5) una base de cultura profesional (citado en Gambrill, 1997). La profesión de trabajo social cumple con estos atributos en el ejercicio de la práctica.

En un mundo cambiante y complejo donde imperan los problemas sociales, y la complejidad social, la profesión de trabajo social asume un rol importante por su aportación a la solución de estos problemas. Es por ello que en la actualidad la profesión de trabajo social es reconocida y validada por sus aportaciones a la sociedad.

Trabajar con las personas o familias hacia el logro de sus metas de vida en aras de restaurar o promover su funcionamiento social óptimo es una gran responsabilidad para los profesionales de la conducta humana. Este proceso de labrar en conjunto con las personas un curso de acción ha de ser lo más objetiva posible, partiendo desde una perspectiva empática que esté libre de prejuicios o de juicios valorativos, para que pueda alcanzar los resultados terapéuticos en las personas que impacta. Tal actitud unida al dominio del conocimiento teórico le capacitará para ser más efectivo en el proceso de trabajar hacia la recuperación.

A base del análisis anterior, podemos concluir que el Trabajo Social implica:

- Sentir indignación ante las injusticias sociales y actuar para promover el cambio.

- Tener sensibilidad por el dolor ajeno; ser empático de manera que poniéndonos en el lugar del otro logremos entender las razones que explican su conducta para acompañarle en su proceso de cambio, de manera que logre alcanzar el funcionamiento social y emocional óptimo.

- Regocijarse y sentir satisfacción por los logros alcanzados por nuestros participantes, estimulando su libre determinación en lugar de imponer nuestras visiones de mundo ni nuestros esquemas mentales como soluciones.

- Ser conscientes de nuestros prejuicios e ideas de contenido por clase social, ideología política, de género, preferencia sexual, étnia o religión para no imponer nuestro filtro cognitivo o visión subjetiva, en nuestro proceso de análisis y de trabajo.

- Mantener una actitud científica, lo que implica una mente abierta, capacidad de interrogar, admirarse, relacionar y asociar diferentes ideas.

En este libro pretendemos concienciar sobre la importancia de hacer un proceso reflexivo (autocrítica) para identificar nuestros prejuicios y así alcanzar la mayor objetividad posible en el proceso evaluativo utilizando conocimientos actualizados sobre conducta humana y las mejores prácticas basadas en evidencia (EBP, por sus siglas en inglés). Para lograr conceptualizar el caso o la situación que tenemos ante nuestra consideración es necesario recoger los datos y la evidencia que validen las hipótesis formuladas inicialmente, siempre haciendo un proceso reflexivo que nos ayude a no contaminar la información con nuestros prejuicios, ideas y valores; consultar la literatura sobre las investigaciones más reciente en torno a la conducta humana, y utilizar el método científico en la investigación. Al establecer las posibles causas del comportamiento o hipótesis nos facilitará el proceso de investigación, evaluando los hechos de manera objetiva. Esto implica, no hacer juicios llegando a conclusiones antes de tener acceso a la evidencia sobre los hechos. Es esencial saber identificar cuál o cuáles son los elementos básicos a investigar y consultar la literatura e investigación reciente que mejor aplique a la situación evaluada, lo cual guiará y facilitará el proceso analítico final. Sólo de este modo podremos realizar un trabajo eficiente y lograr el reconocimiento de un trabajo objetivo y libre de prejuicios. De igual modo se logrará el objetivo final, "fortalecer a o las personas para que puedan alcanzar sus metas o restablecer su funcionamiento y mejorar su calidad de vida".

CAPITULO 1

Trabajo Social Forense: Práctica Basada en Evidencia

"¿Qué es un maestro? Yo te respondo: no es aquél que enseña algo, sino quien inspira al alumno a dar lo mejor de sí para descubrir un conocimiento que ya tiene en el alma" Pablo Coelho, "Camino del arco"

1.1 ¿Trabajo Social Forense, Para Qué y Por Qué?

La Organización Nacional de Trabajo Social Forense (NOFSW, por sus siglas en inglés), ha definido el trabajo social forense como la aplicación del trabajo social a preguntas y asuntos relacionados a la ley y al sistema legal. Se establece que esta especialidad de la profesión va más allá de la evaluación y tratamiento del acusado criminal recluidos en clínicas y hospitales psiquiátricos, relacionadas a su competencia y responsabilidad. En su definición más amplia se incluye cualquier práctica de trabajo social que de alguna manera esté relacionada a asuntos legales y litigación, tanto criminal como civil, Caen es esta definición asuntos como: custodia de niños, separación o terminación de la relación de pareja, divorcio, negligencia, terminación de los derechos paternos; implicación del maltrato de niños(as) o esposas(os); sistema de justicia juvenil o de adultos; corrección y tratamientos mandatorio (Journal of Forensic Social Work, 2012).

El Diccionario de Trabajo Social define el trabajo social forense como la práctica especializada que focaliza en la ley, asuntos legales, litigación criminal y civil que incluye asuntos relacionados a custodia de niños, divorcio, delincuencia juvenil, asistencia social a niños, derecho de asistencia social, tratamiento mandatorio y competencia legal (Baker, 1999).

De manera más simple, Barren & Branson (2002), la definen como: "la práctica especializada que focaliza en la interrelación de los aspectos legales y el sistema de servicios sociales en controversias que deben ser resueltas en los tribunales".

En resumen, esta especialización se da en el escenario legal, donde el objetivo principal es asesorar al juez(a) para que pueda tomar una decisión informada en la controversia que tiene ante sí. Bajo esta perspectiva se requiere de profesionales que reconozcan la importancia del trabajo colaborativo e interdisciplinario, así como la necesidad de mantener sus conocimientos actualizados en el campo de su competencia, aplicando las teorías y hallazgos de investigaciones empíricas válidas; y en un lenguaje sencillo interpretar, predecir y hacer recomendaciones sobre las posibles causas del funcionamiento o disfuncionamiento social de los individuos y familias que vienen a la atención del tribunal.

La especialidad de trabajo social forense nos provee las herramientas para ofrecer testimonio pericial; investigaciones de casos de posible conducta criminal; asesorar a los profesionales del campo legal relacionadas a determinaciones post divorcio, delincuencia, pensiones alimentarias, aspectos relacionados a la salud mental, maltrato de menores, adopción, violencia familiar, entre otras (López, 2009).

Además de estas funciones básicas, de acuerdo a la Organización Nacional de Trabajo Social Forense (NOFSW), el trabajador social forense puede realizar las siguientes tareas:

Proveer consulta, educación o adiestramiento a:

- Sistema criminal, juvenil, y correccional
- Legisladores
- Personal policial
- Abogados, estudiantes de leyes, y paralegales
- Miembros del público

Diagnóstico, tratamiento y recomendaciones:

- Diagnosticar, evaluar, y tratar a la población juvenil y criminal
- Diagnosticar, tratar, o hacer recomendaciones sobre la condición mental, bienestar de niño/a, incapacidad o inhabilidad para testificar
- Servir como testigo pericial
- Evaluar o adiestrar a personal policial u otro personal del sistema de justicia criminal

Otras funciones como:

- Desarrollo de políticas y programas

- Mediación. defensa, y arbitraje
- Enseñar, adiestrar, y supervisar

1.2 Práctica Basada en Evidencia:

El acercamiento de la Práctica Basada en Evidencia surge inicialmente en el campo de la medicina como "Evidence Base Medicine" (EBM). El término "basado en evidencia" como aplica a las profesiones de ayuda es acuñado por un grupo de médicos canadienses de la Universidad Mc Master en Hamilton Ontario (Evidence Based Medicine Working Group, 1992, en Shlonsky & Gibbs, 2006). Bajo este concepto se define "EBM" como la integración de la mejor evidencia obtenida como resultado de investigaciones, con la experiencia del profesional y los valores del cliente. Entre 1993 al 2000 se publica una serie de artículos en el Journal of American Medical Association con el propósito de que sirviera de guía a los usuarios. Posteriormente en el 2002 se publicó el libro "User Guide to the Medical Literature", que incluía 33 artículos compilados por los doctores Gordon H. Guyatt y Drummond Runni, cuyo objetivo era mejorar la toma de decisión clínica a través de un proceso consciente y sistemático en la revisión de la literatura, y una evaluación crítica y su aplicación a problemas particulares del paciente (Roberts, Yeager & Regehr, 2006).

El concepto es aplicado a otras profesiones de ayuda como la psicología y el trabajo social, y se expande a áreas tan diversas como, enfermería, educación administración y política. Al igual que en la medicina, inicialmente hubo resistencia y criticas al uso de este acercamiento por considerarlo reduccionista y una medida para cortar costos de los servicios; se decía que ignoraba la experiencia, restando importancia al juicio del profesional; además de no existir suficiente investigación en la mayoría de las preguntas formuladas por los practicantes. Se señalaba que la investigación disponible era poco usada debido a que muchos estudios científicos eran conducidos en un contexto con poca relación para las situaciones reales de la práctica. Adicional a esto, existió y aún existe gran resistencia de los profesionales a leer y a aplicar los hallazgos a sus investigaciones y tratamientos, todo lo cual atrasó el abordaje y enseñanza de esta modalidad de intervención. En el Siglo XXI esta resistencia inicial ha ido disminuyendo, teniendo en la actualidad, este acercamiento basado en evidencia (EBP) una amplia aceptación. Se le considera una herramienta esencial para sustentar y validar recomendaciones, tratamientos o intervención con individuos, familias o grupos, que han demostrado ser efectivos.

La Práctica Basada en Evidencia (de aquí en adelante PBE por sus siglas en español), ha sido definida como el uso minucioso, explícito y juicioso de la mejor evidencia científica disponible para la toma de la decisión profesional (Sackett and all, 1997, citado en Robert y otros, 2006). En su forma más simple, es el uso de tratamiento para el cual existe suficiente evidencia persuasiva para apoyar su efectividad en lograr los resultados deseados (Rosen & Proctor, 2002, en Rosen & Procter, 2006, p. 93). Basados en las definiciones existentes sobre la PBE, estos enfatizan en tres atributos de este acercamiento:

a. decisiones de intervención apoyadas en investigaciones empíricas;

b. evaluación critica de las intervenciones apoyadas empíricamente para determinar que se ajuste apropiadamente a la situación que se tiene a la mano y que debe ser suplementada o modificada de acuerdo a la experiencia y conocimientos del profesional

c. seguimiento y revisión regular del curso del tratamiento basados en los resultados de la evaluación.

Modelo PBE

De acuerdo a Mullen, Shlonsky, Beldsoe y Bellamy (2005), el modelo a continuación, muestra lo que ellos definen como la "combinación sinérgica de la mejor evidencia, los valores y expectativas del cliente y la experiencia clínica del profesional"; todo ello necesario para buscar y obtener la información que mejor aplique al problema o situación evaluada. De acuerdo a éstos, ninguno de los elementos presentados en la gráfica, por si solo, puede funcionar; se requiere de los tres en conjunto, en unión a las destrezas del profesional, que le permitirán desarrollar para el participante un plan de caso sensitivo utilizando intervenciones que hayan demostrado ser efectivas (Shlonsky & Gibbs, 2006).

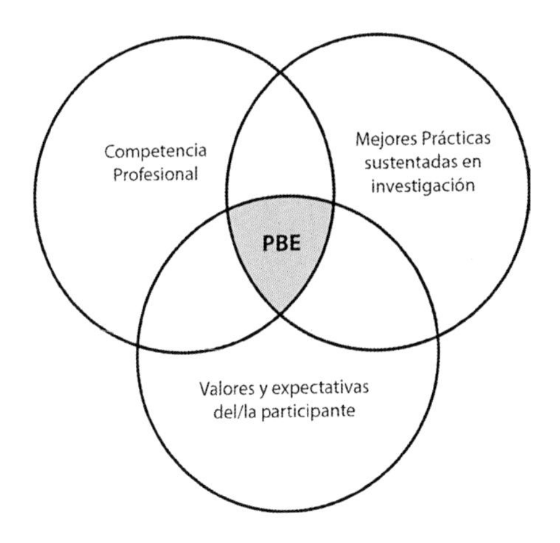

1.3 Trayectoria Histórica de la Práctica Basada en Evidencia en Trabajo Social:

En la profesión de trabajo social esta práctica basada en evidencia no es nueva, en los EEUU, se remonta a los años 70 con los trabajos de Mullen and Dumpson, "Evaluation of Social Intervention" (1972), en el que se examinaba el efecto de la intervención de trabajo social en las áreas de casos, grupos y comunidad y se incluían todos los experimentos conocidos hasta el 1971; Fisher "Is Casework Effective?: A Review" (1973), en el que destaca la importancia crítica de conducir investigación cuidadosa para determinar si es o no efectivo el trabajo de casos; y Jayaratne and Levy (1979), proveyeron una descripción de la práctica clínica empírica en la que los autores promueven que los practicantes busquen la evidencia, midan el progreso de los clientes, y documenten los resultados del tratamiento para lograr objetividad en el proceso, en lugar de guiar la práctica clínica en datos subjetivos (Roberts, Yeager y otros, 2006).

La base en evidencia en trabajo social dicta que las decisiones profesionales y el comportamiento debe ser guiado por dos principios distintos pero interdependientes, (1) Siempre que sea posible la práctica debe ser basada en los hallazgos que demuestren empíricamente que ciertas acciones realizadas con un tipo particular de cliente o sistema cliente (familia, grupo o comunidad) es probable que produzca resultados predecibles, beneficiosos y efectivos; (2) Cada sistema cliente con el tiempo debe ser evaluado individualmente para determinar el grado en que los resultados predecibles han sido como consecuencia de la acción del profesional (Cournoyer & Powers, 2002, en Roberts y otros, 2006, p. 7).

Los académicos en trabajo social han sugerido que al usar la metodología de PBE el trabajador social ha de buscar y considerar fuentes de conocimiento multidimensional, incluyendo: estudios cuantitativos y cualitativos; sentido común o sabiduría del consumidor, y sabiduría del profesional (Petr & Walter, 2005, ibíd., 2006, p. 8). Se ha sugerido que el proceso de establecer la PBE en trabajo social envuelve los siguientes pasos:

1. Convertir el problema en preguntas que puedan ser contestadas.
2. Localizar las mejores evidencias disponibles que puedan responder las preguntas.
3. Junto al participante evaluar la evidencia.
4. Usar el juicio clínico y las preferencias del partici-

pante para aplicar la evidencia a las circunstancias presentes.

5. Evaluar los resultados de la intervención de acuerdo a los objetivos que se trazaron junto al participante (Barber, 2005, Ibid, 2006, p.8).

En resumen podemos concluir que la práctica basada en evidencia en trabajo social se da mayormente en la práctica clínica, siendo su objetivo uno terapéutico, dirigido a alcanzar resultados efectivos, eficientes, predecibles y medibles, aplicando los hallazgos de investigaciones empíricas confiables al tratamiento de los usuarios o participantes. La adopción de esta metodología en la práctica requiere de trabajadores sociales comprometidos con el estudio, mediante la lectura y la revisión de literatura y los hallazgos de las investigaciones que hayan probado ser efectivos, como mejores prácticas; y basándose en un análisis crítico y su juicio profesional ponderar la evidencia y aplicar la misma al caso en particular siguiendo los mejores intereses del o los participante/s.

1.4 Aplicación de la Práctica Basada en Evidencia al Trabajo Social Forense:

Debido a la sociedad contenciosa en que vivimos muchos de los trabajadores sociales que trabajan ejerciendo la práctica directa en escenarios tan diversos como Departamento de la Familia, Administración de Servicios de Salud Mental y contra la Adicción (ASSMCA), Administración de Corrección, Departamento de Educación, hogares para mujeres maltratadas o centros de tratamiento para agresores, y muchas otras instituciones tanto públicas como de base comunitaria, pueden en algún momento ser citados al tribunal en relación a uno de sus casos para servir de testigo experto u ofrecer recomendaciones sobre el tratamiento a seguir. En sus respectivos escenarios estos trabajadores/as sociales realizan una práctica clínica, donde el cliente primario es el usuario de los servicios, no obstante, cuando son citados al tribunal como peritos, debe recordar que su función es de asesorar al juez/a en la toma de decisión del caso, siendo este/a su cliente primario, en el ámbito legal. En estos casos el trabajador social debe ofrecer un asesoramiento que sea de utilidad y redactado en un lenguaje que pueda entender el juez/a o funcionarios del área legal.

Aun cuando la metodología de PBE como hemos señalado antes, en sus inicios fue dirigida a la práctica clínica, con el objetivo de desarrollar las mejores prácticas de tratamiento basados en evidencia, posteriormente su metodología ha sido aplicada a diversos campos profesionales. La definición que ofrece Sackett (1997), sobre PBE como el uso minucioso, explícito y juicioso de la mejor evidencia científica disponible para la toma de la decisión profesional, nos lleva a concluir que el uso de esta metodología sirve a los propósitos de garantizar una práctica forense de mayor calidad y confiabilidad en el asesoramiento a los funcionarios del campo legal que tienen la responsabilidad final en la toma de decisión de los casos ante sí. Podemos aplicar los pasos de la PBE en la investigación en el área de evaluaciones de casos de familia en controversias post separación o divorcio, relacionados a custodia, relaciones filiales, patria potestad, maltrato o abuso de menores; entre otros, en la identificación del problema, diagnóstico y recomendaciones. Esta metodología será de gran ayuda en el foro legal, para exponer con claridad y efectividad los hallazgos y recomendaciones, sustentados en una metodología científica y conocimientos actualizados.

Tanto en su modalidad de práctica privada o independiente, como en escenarios de agencias públicas, el trabajador social en su rol de perito del tribunal deberá estar consciente de la responsabilidad que implica el asesorar a jueces/zas en la toma de decisión del caso. Es por ello de suma importancia que mantenga sus conocimientos actualizados en su área de competencia, así como de las leyes y jurisprudencia que apliquen en el caso que tiene ante sí, de manera que pueda ser de utilidad su aportación al tribunal.

La National Organization of Forensic Social Work nos señala que el trabajo social forense debe ser ejercido por profesionales que tengan un conocimiento especializado de los principios establecidos y su aplicación; con conocimiento de la ley; la evaluación que realizan debe ser minuciosa; y usar criterios objetivos relacionados al tratamiento y sus resultados. Para que puedan ejercer sus funciones eficientemente, también deberá estar relacionado con el funcionamiento del escenario legal, sus procedimientos y normas que aplican, así como el rol que ejerce cada uno de los profesionales en este ámbito legal.

1.5 Recursos o fuentes de información disponibles: ¿Dónde y cómo buscar?

La aceptación y expansión de la metodología de la Práctica Basada en Evidencia se ha facilitado por el uso de la redes de información a través del Internet. Los resultados de estudios e investigaciones en todos los campos del conocimiento están hoy día más accesibles que en el pasado. La "Internet" ha resultado ser una herramienta valiosa tanto para difundir la información como para acceder a la misma. Sin embargo, para el profesional que utiliza esta herramienta es esencial saber dónde buscar para obtener la mejor información disponible, de mayor utilidad y validez, que pueda ser aplicado al caso en particular que tiene ante sí.

El reto que implica la aplicación de la PBE para los profesionales de la conducta, no es solo el estudio sistemático e identificación de la información que mejor aplique a su caso, sino también, el tiempo disponible para realizar las investigaciones y la redacción de los informes forenses. Pero el mayor reto lo representa la formulación de las preguntas que guiarán la investigación. Establecer las hipótesis e identificar el problema son esenciales para la formulación de las preguntas. Sin ello no se podrá dirigir la investigación adecuadamente y se fallará en la obtención de la evidencia que mejor aplique en el caso. Lo cual a nuestro juicio sólo podrá ser superado con la práctica de la metodología y con la identificación de las fuentes de información confiables. Corcoran & Vandiver (2006), nos sugieren tres fuentes generales para ejercer la PBE y obtener información confiable:

1. Revisión sistemática

    - Cochrane Library, contiene más de 1,500 revisiones sistemáticas en procedimientos médicos, de enfermería y salud. (http://www.cochrane.org)

- Campbell Collaboration, provee una revisión sistemática en áreas del crimen, delincuencia, educación y bienestar social. (http://www.campbellcollaboration.org/)

- Revistas Profesionales y artículos publicados: Eje. Journal of Forensic Social Work, Journal of Social Work, Journal of Clinical Psychology, Psychiatry Journal, Social Work Abstracts (SWAB) publicado por NASW.

2. Guías de la práctica: Manuales de normas y procedimientos que son utilizados para el adiestramiento del personal y han sido preparadas por los expertos en el área, protocolos de intervención; libros de textos referentes a la práctica.

3. Guías de consenso de expertos: Son desarrolladas por un amplio panel de expertos. Generalmente producidas y comercializadas por organizaciones profesionales. La página web www.psychguides.com ofrece guías para una serie de condiciones psiquiátricas.

¿Cuándo se recomienda la utilización de estos recursos?

En el desarrollo de un plan de tratamiento basado en evidencia se identifican siete pasos que se indican a continuación y las áreas donde se recomienda el uso de los recursos para ejercer una PBE (Corcoran, Vandiver, 2006, p. 63).

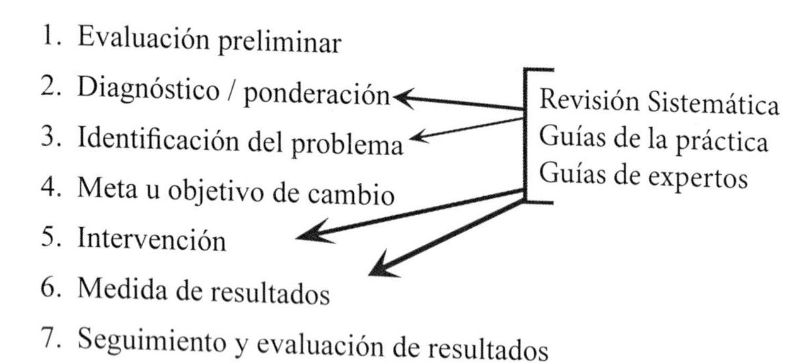

Sugerimos la revisión de otras fuentes de información relacionadas a nuestra profesión:

- "International Network on Therapeutic Jurisprudence" www.therapeuticjurisprudence.org. En ésta se publican trabajos e investigaciones relacionadas al sistema de justicia a nivel internacional.

- National Institute on Drug Abuse (NIDA) www.nida.org

- Substance Abuse Research (NIDA) www.rwjf.org/New-Public-Health

- Asociación Nacional de Trabajadores Sociales

www.socialwokers.org

- Colegio de Profesionales de Trabajo Social de Puerto Rico www.cptspr.org

La Organización Nacional de Trabajo Social Forense (NOFSW, por sus siglas en inglés) publica la Revista de Trabajo Social Forense "Journal of Forensic Social Work", el cual es una guía para los profesionales e investigadores involucrados en la práctica de los asuntos relacionados al sistema legal. La revista tiene como principal objetivo aumentar la base general de conocimientos, promover la práctica basada en evidencia y la práctica éticamente informada, proveer servicios para las víctimas y ofensores criminales y establecer guías y estándares para el ofrecimiento de servicios en el área de salud mental forense. La revista publica artículos originales que tienen base teórica y empírica o basada en una revisión exhaustiva de la literatura. La revista cubre los siguientes tópicos de interés para los profesionales que ejercen la práctica forense:

- Familia y violencia doméstica
- Custodias
- Evidencia criminal y procedimientos
- Políticas de justicia criminal
- Servicios a víctimas
- Tratamiento para ofensores
- Maltrato a menores y bienestar del niño
- Testigo experto

La amplia gama de funciones que puede realizar el trabajador social forense implica una gran responsabilidad para estos profesionales. Para poder ejecutar efectiva y eficientemente sus funciones, tanto en el área de investigación, evaluación y asesoramiento a jueces y personal legal, así como en las funciones de enseñanza y adiestramiento, deberá mantener sus conocimientos actualizados en el área de su especialidad. La utilización de la metodología de la práctica basada en evidencia nos provee las herramientas para actualizar los conocimientos y ejercer una práctica objetiva guiada por los principios de la investigación científica. Sin embargo, para poder aplicar los principios de la PBE es necesario desarrollar las destrezas para la formulación de las preguntas que guiarán la búsqueda sistemática de la información que requiere cada caso para el diagnóstico, identificación del problema, y recomendaciones. Es imperativo adiestrar a los profesionales y estudiantes de trabajo social para que puedan hacer uso de este recurso de forma efectiva y eficiente y que redunde en mejores servicios tanto para los usuarios de servicios directos, así como para el asesoramiento a funcionarios del área legal cuando se ejerza la función de perito forense.

CAPITULO 2

Transformación del Sistema de Justicia:

> "La justicia, que es la esencia misma del Derecho, para ser plena e integral, ha de ir acompañada de la equidad, y ésta no se concibe sin un sentido de humanidad" (Castan Tobeñas, 1962: 128).

La práctica especializada en trabajo social forense está dirigida a asesorar a los profesionales del campo legal (jueces, abogados, procuradores o fiscales) en los aspectos sociales que inciden en la conducta de los individuos que llegan al sistema legal. Esta intervención se centra en controversias que interrelacionan aspectos legales y del sistema de servicios sociales que por su naturaleza tienen que ser resueltas en los tribunales.

Dado que esta especialización se da en el contexto legal y como señalamos anteriormente, su objetivo final es el asesoramiento a jueces, abogado de partes o fiscales; es necesario que todo trabajador social que desee especializarse en esta área conozca cómo funciona el Sistema de Justicia y los cambios que se han venido operando hasta el presente. Cambios que han hecho posible un acercamiento más humanista en el proceso de hacer justicia, propiciando una mayor participación de los especialistas en conducta humana, entre ellos los trabajadores sociales. Es por ello que se requiere de profesionales preparados, comprometidos con la actualización de sus conocimientos, analíticos y reflexivos que puedan ayudar en la toma de decisiones a aquellos que les corresponde adjudicar las controversias.

Para poder conocer y entender la relevancia de esta transformación del sistema de justicia, comenzaremos este trabajo exponiendo como se ha ido transformando el escenario legal desde el modelo tradicional adversativo a uno con una visión y misión terapéutica.

2.1 El Sistema de Justicia:

El Sistema de Justicia al igual que otras instituciones de la sociedad contemporánea enfrenta cambios que reestructuran el modo en que conceptualizamos la aplicación de la justicia. Esta transformación es una respuesta a las demandas sociales, especialmente a la necesidad de buscar soluciones más duraderas dirigidas a atender la raíz de los problemas como una forma de contribuir a la paz social. De esta manera el derecho investido de un sentido de humanismo se convierte en un instrumento que busca la solución a diversos problemas sociales (López, 2004).

La creación de las cortes especiales con enfoque terapéutico han impulsado cambios sustanciales en los procedimientos de estas cortes, contribuyendo al cambio de paradigma en la aplicación de la justicia. A continuación expondremos como estos cambios han ido operando a través de los años especialmente durante las últimas dos décadas del Siglo XX y principios del Siglo XXI.

El Sistema Judicial de Puerto Rico está basado en el modelo adversativo de solución de disputa norteamericano, adoptado luego del cambio de soberanía en 1898. En este modelo de tipo litigioso las partes adversas presentan su prueba y argumentos ante un juez "imparcial" que decidirá cuál de las partes tiene la razón y adjudicará la controversia declarando a una parte "victoriosa" y a otra "perdidosa". (Morales, 1983: 78)

El Lcdo. José Alberto Morales (1983, 2001), actualmente juez del Tribunal de Apelaciones, en un análisis sobre este modelo de adjudicación de disputas, el cual llama bipolar adversativo, señalaba que en éste sólo se contemplan los aspectos jurídicos de la controversia y no los aspectos psicológicos, que subyacen en la causa del problema, lo que impide la solución integral de la controversia. Aunque reconocía que la jurisprudencia puertorriqueña no es igual que en el pasado, ya que ha ido transformándose para ser más responsivo a las realidades concretas que presenta la sociedad actual. Para éste la nueva forma de ver el derecho como instrumento de justicia o como una estructura de posibles soluciones a diversos problemas sociales, cambia sustancial y fundamentalmente el proceso judicial y afecta el modelo y las formas que ha utilizado dicho proceso.

Respecto a la concepción del juez como mero árbitro entre las partes, el Tribunal Supremo en la decisión del caso Pabón v. Pabón, 102 DPR 436, 440, (1974), expresó lo siguiente:

> El juez no es un simple árbitro de un torneo medieval entre la defensa y el Ministerio Público o el retraído moderador de un debate. El juez es partícipe y actor principal en el esclarecimiento de la verdad y en la determinación de lo que es justo. El juez puede y debe ser en

> casos visto con o sin jurado, aunque con mayor libertad en los segundos, participante activo en la búsqueda de la justicia, siempre que no vulnere la imparcialidad que su alto oficio reclama. Puede el juzgador en consecuencia requerir la declaración de determinados testigos o interrogar a los que las partes ofrezcan, siempre que su conducta se mantenga dentro de las normas de sobriedad y equilibrio que impiden que el juez sustituya, en vez que complemente, la labor del fiscal o del defensor (Resumil, 1990: 66) .

Las Naciones Unidas recoge en el "Protocolo de Estambul", Manual para la investigación y documentación eficaces de la tortura y otros tratos o penas crueles, inhumanas o denigrantes; lo siguiente sobre la ética de la profesión jurídica:

> "Como árbitros últimos de la justicia, a los jueces les incumbe una misión especial en la protección de los derechos de los ciudadanos. Las normas internacionales atribuyen a los jueces el deber ético de asegurar la protección de los derechos de los individuos. El principio 6 de los Principios básicos de las Naciones Unidas relativos a la independencia de la judicatura, "el principio de la independencia de la judicatura autoriza y obliga a la judicatura a garantizar que el procedimiento judicial se desarrolle conforme a derecho, así como el respeto de los derechos de las partes" (2004: 21).

Para la Lcda. Olga Resumil, Catedrática de la Escuela de Derecho de la Universidad de Puerto Rico y autora de varios textos sobre Derecho en Puerto Rico, el proceso penal no puede ser concebido como un mero conjunto de normas estructurales, sino como un mecanismo dinámico basado en la resolución de conflicto entre el Estado y el ciudadano infractor del orden social. Ésta señala:

> "A través del ordenamiento jurídico penal se pretende proteger el interés de la sociedad en preservar el orden y la convivencia pacífica y con estos propósitos se reglamenta la conducta humana como tutela de los valores que rigen en la comunidad. ... Frente al interés de la sociedad que exige la represión rápida y certera, se encuentra el interés del individuo a ser juzgado a quien deben garantizársele una serie de derechos. Por lo tanto, el procedimiento penal que debe defender a la sociedad tiene igualmente que garantizar las libertades del individuo y los derechos de la defensa sin los cuales no se tendrá jamás una verdadera justicia" (1990: 7).

Tomando de base la Constitución la Lda. Resumil, puntualiza: "El sistema deberá enmarcarse en la protección del ciudadano, poniendo sus garantías por encima de las exigencias sustantivas de responsabilidad, lo cual debe ceder ante cualquier acto invasivo del Estado". Concluye que el proceso legal no es una instrumentación de la ley procesal, sino la instrumentación de los derechos civiles con la que el Estado garantiza al pueblo su debido proceso de ley (Formato electrónico: 2003).

Respecto a la función del sistema legal de preservar el orden social y la convivencia pacífica, Paul Ricoeur (1999: 177), reconocido filósofo francés que ha dedicado varios años a la reflexión sobre la ley y la justicia, señala, que el acto de juzgar tiene como meta a corto plazo decidir un conflicto, lo que implica, poner fin a la incertidumbre;

mientras que a largo plazo es contribuir a la paz social, esto es, contribuir finalmente a la consolidación de la sociedad como una empresa cooperativa. Resumiendo los dos aspectos del acto de juzgar, puntualiza:

> "...por un lado zanjar, poner fin a la incertidumbre, establecer las partes: por otro, lograr que cada cual reconozca el grado en que el otro participe en la misma sociedad, en virtud de lo cual podría estimarse que el ganador y el perdedor del proceso han obtenido cada uno su justa parte en este esquema de cooperación que es la sociedad" (Ibíd. 182).

Para Ricoeur la virtud de la justicia está basada en una relación de distancia con los otros. "Consiste en establecer una justa distancia entre la infracción que desencadena la cólera privada y pública y el castigo infligido por la institución judicial". Es de esta manera que el proceso judicial contribuye a distanciar el deseo de venganza y violencia restaurando la paz social.

Para este filósofo es precisamente en la figura del juez que la justicia se reconoce como la primera virtud de las instituciones sociales. La institución del tribunal está encarnada en la persona del juez quien funciona como una tercera parte entre las dos partes en conflicto. Es éste quien marca la distancia entre las partes en conflicto.

La imparcialidad de la justicia, encarnada en la figura del juez es resaltada en el icono que representa la justicia como una mujer alta, esbelta, ataviada con una túnica, con los ojos vendados y cargando una balanza. La venda en los ojos simboliza la neutralidad e imparcialidad que debe tener el juzgador para garantizar una decisión justa y sabia. Para muchos críticos e inconformes con el sistema, esta venda en los ojos, más que imparcialidad representa insensibilidad y distancia del juez. Muchos jocosamente sugieren que la justicia es ciega.

Para el hoy juez. José Alberto Morales, esta idea de imparcialidad del juez es sólo un ideal, ya que en el fondo los prejuicios morales, las ideas predilectas personales, tienen mayor peso en los juicios emitidos que las leyes mismas. Para éste el requisito de imparcialidad del juez limita el proceso de resolver disputas, ya que excluye la mediación amistosa de quien conoce el problema completo y el entendimiento de los planteamientos dando paso a criterio idiosincrático. Además propicia que las partes vuelvan al tribunal a buscar la participación de un "tercero imparcial" que le ayude a resolver sus disputas.

Es a partir del 1987, con la introducción de ideas reformistas en la manera de administrar la justicia bajo las conocidas cortes especializadas dirigidas a la solución de problemas o de enfoques jurídico terapéutico donde esta concepción del juez como mero adjudicador de la controversia se trasforma en un ente activo. Esto, al utilizar su autoridad judicial para motivar la aceptación de servicios, y ofrecer seguimiento para evaluar resultados del tratamiento y que se presten los servicios que requieren los participantes para su rehabilitación.

2.2 De la Justicia Tradicional a la Justicia Terapéutica

> "No basta con humanizar la ciencia jurídica, ni con humanizar las leyes. La idea de humanizar ha de ser no solo factor legislativo, sino también jurisprudencial y judicial. Es necesario contar con la humanidad del magistrado, pues el Derecho, por muy perfecto que fuese en teoría, caería por tierra si no se le aplicase justamente y en sentido humano" (Castan Tobeñas, 1962:128).

En los albores del Siglo XXI el Sistema de Justicia Criminal se encuentra en proceso de redefinición y restructuración por la influencia de varias perspectivas como el de la rehabilitación y la justicia restaurativa. En el modelo de rehabilitación actual se combina la meta tradicional de la protección del público con el tratamiento al ofensor dirigido a mejorar su estilo de vida para evitar la reincidencia. Este modelo incorpora el concepto tradicional de castigo y sanción haciendo responsable al ofensor por sus actos y pidiéndole que rinda cuentas por éstos, pero al mismo tiempo propicia una intervención individualizada dirigida a su rehabilitación. Bajo este acercamiento se evalúan los factores de riesgo presentes en la conducta del ofensor y se provee una gama de intervención dirigidas a ayudarle a aumentar su habilidad para controlar su comportamiento y reducir el riesgo de futuros actos criminales.

Para poder entender esta transformación del Sistema de Justicia Penal, tenemos que ver en el contexto histórico como ha operado este sistema. El filósofo, Michael Foucault (1976), en su análisis del sistema penitenciario que recoge en su libro Vigilar y Castigar, se remonta al siglo XVIII para hablarnos de la Época del Suplicio, donde se veía al cuerpo como blanco mayor de la represión penal. En esta época el castigo se convertía en un espectáculo público, para ejemplo y disuasión de los demás. Se usaba como instrumentos de castigo la horca, la picota, el patíbulo, el látigo, la rueda, para desmembrar, descuartizar o marcar el cuerpo supliciado.

En la novela "La Letra Escarlata" de Nathaniel Hawthorn, publicada en 1850, se nos presenta un ejemplo de lo que es el castigo como escarnio público, en la Nueva Inglaterra de principios del siglo XVII. El autor relata la historia de una mujer acusada de adulterio a la cual se le condena a llevar en su pecho la letra A; símbolo de adultera. Esta es aislada y rechazada por la sociedad.

> "De tal modo que los que habían conocido familiarmente a Ester Prynne experimentaban la sensación que ahora la veían por vez primera-, era la Letra Escarlata tan bordada e iluminada que tenía cosida al cuerpo de su vestido. Era su efecto el de un amuleto mágico, que separaba a aquella mujer del resto del género humano y la ponía aparte, en un mundo que le era peculiar". … cada paso que daba en medio de aquella muchedumbre hostil era para ella un dolor indecible. Se diría que su corazón había sido arrojado a la calle para que la gente lo escarneciera y lo pisoteara".

En relación al cadalso y a su uso se señala: "…con continente casi sereno sufrió Ester esta parte de su castigo, y llegó a un pequeño tablado que se levantaba en la extremidad occidental de la plaza del mercado, cerca de la iglesia más antigua de Boston, como si formara parte de la misma. En efecto, este cadalso constituía una parte de la maquinaria penal de aquel tiempo…, se consideraba entonces un agente eficaz para la conservación de las buenas costumbres de los ciudadanos, como se consideró más tarde la guillotina entre los terroristas de la Francia revolucionaria. Era, en una palabra, el tablado en que estaba la picota: sobre él se levantaba el armazón de aquel instrumento de disciplina, de tal modo construido que sujetando en un agujero la cabeza de una persona, la exponía a la vista del público. En aquel armazón de hierro y madera se hallaba encarnado el verdadero ideal de la ignominia; porque no creo que pueda hacerse mayor ultraje a la naturaleza humana, cualesquiera que sean las faltas del individuo, como impedirle que oculte el rostro por un sentimiento de vergüenza, haciendo de esa imposibilidad la esencia del castigo".

Durante la segunda mitad del siglo VIII las protestas y denuncias de filósofos, teóricos del derecho (juristas, curiales y parlamentarios), plantean que hay que castigar de otro modo, y proponen un castigo sin suplicio. Estos reformadores proponen que la justicia criminal en lugar de vengarse, castigue, y se use la "humanidad" como medida. Citamos:

"Esta necesidad de un castigo sin suplicio se formula en primer lugar como un grito del corazón o de la naturaleza indignada: en el peor de los asesinos, una cosa al menos es de respetar cuando se castiga: su "humanidad" (Ibíd. 78).

Esta "benignidad" en la que se propone que el castigo debe tener la "humanidad" como medida, tiene su nacimiento en el siglo VIII, aunque no se le dio un sentido definitivo a este principio, de acuerdo a Foucault. Es a finales del siglo XVIII y principios del XIX que surge un cambio en el proceso penal. Según Foucault el castigo dejó de ser teatro y se convierte en la parte más oculta del proceso penal.

> "El sufrimiento físico, el dolor del cuerpo mismo no son ya elementos constitutivos de la pena. ...es la certidumbre de ser castigado, y no ya el teatro abominable, lo que debe apartar del crimen; la mecánica ejemplar del castigo cambia sus engranajes" (Ibíd. 17).

Para Michael Foucault las penas del sistema correccional moderno como: la prisión, la reclusión, los trabajos forzados, el presidio, la interdicción de residencia, la deportación son realmente penas físicas, porque recaen sobre el cuerpo, al igual que en el suplicio. En éstas al individuo se le priva de la libertad, lo cual es considerado como un derecho y un bien. "El castigo ha pasado de un arte de las sensaciones insoportables a una economía de los derechos suspendidos" (Ibíd. 18). El nuevo sistema no va dirigido a castigar el cuerpo, sino el alma. El castigo debe actuar sobre el corazón, el pensamiento, la voluntad, las disposiciones. La pena no está destinada a sancionar las infracciones, sino a controlar al individuo, a neutralizar su estado peligroso, a modificar sus disposiciones delictuosas y a no cesar hasta obtener el cambio.

Haciendo una crítica al sistema carcelario, Foucault señala:

"Lo que ha remplazado el suplicio no es un encierro masivo, es un dispositivo disciplinario cuidadosamente articulado. Porque inmediatamente la prisión, en su realidad y sus efectos visibles, ha sido denunciada como gran fracaso de la justicia penal. … Las prisiones no disminuyen la tasa de la criminalidad: se puede muy bien extenderla, multiplicarlas o transformarlas, y la cantidad de crímenes se mantiene estable o, lo que es peor, aumenta. … La detención provoca la reincidencia. … La prisión fabrica también delincuentes al imponer a los detenidos coacciones violentas; está destinada a aplicar las leyes y a enseñar a respetarla; ahora bien, todo su funcionamiento se desarrolla sobre el modo de abuso de poder…. La prisión hace posible, más aún, favorece la organización de un medio de delincuentes solidarios los unos de los otros, jerarquizados, dispuestos a todas las complicidades futuras…. En fin, la prisión fabrica indirectamente delincuentes al hacer caer en la miseria a la familia del detenido" (Ibíd. 269-273).

Referente a la función de los jueces Foucault señala:

"En este nuevo sistema penal un proceso global ha conducido a los jueces a juzgar otra cosa que los delitos; han sido conducidos en sus sentencias a hacer otra cosa que juzgar; y el poder de juzgar ha sido transferido, por una parte, a otras instancias que los jueces de la infracción. La operación penal entera se ha cargado de elementos y de personajes extrajurídicos... Pero hay algo singular en la justicia-penal moderna: que si se carga tanto de elementos extrajurídicos, no es para poderlos calificar jurídicamente e integrarlos poco a poco al estricto poder de castigar, es por lo contrario, para poder hacerlos funcionar en el interior de la operación penal como elementos no jurídicos; es para evitar que esta operación sea pura y simplemente un castigo legal, es para disculpar al juez de ser pura y simplemente el que castiga" (Ibíd. 17-29).

Es así que en este sistema se distancia el proceso de la sentencia de la misión de castigar y se establecen mecanismos autónomos para administrar el sistema de prisiones, descargando así a los jueces de la "fea misión de castigar". Se señala que la misión de los jueces en este sistema es el de corregir, reformar o curar.

En la actualidad existen dos escuelas de pensamiento en la discusión del tema de la prevención del crimen. Una, pro castigo, que postula que es a través del castigo que se previene la criminalidad, mientras que la filosofía positivista (pro- tratamiento) sugiere que en cierta manera la conducta del ofensor es determinada por factores, como enfermedad mental, que son difíciles de controlar por este, por lo que un tratamiento individualizado y efectivo puede prevenir la conducta criminal (NASW, 2010).

Durante los pasados años el Sistema de Justicia Criminal tanto en EEUU como en Puerto Rico ha enfatizado en el modelo punitivo, lo cual ha dado como resultado el aumento en la población encarcelada, así como en el número de cárceles e instituciones habilitadas para estos propósitos. De acuerdo al informe "Criminal Justice Social Work in the United States: Adapting to New Challenges", (NASW, 2010), en el 1975 y durante los 50 años previos, la tasa de encarcelamiento se mantuvo en 100 prisioneros por cada 100,000 habitantes, comparable con muchos países europeos. Cifra que aumentó durante los pasados 35 años, alcanzando aproximadamente una población de 700 prisioneros por cada 100,000, superando a todos los otros países. Este aumento ha sido atribuido a las medidas de castigo, como la imposición de sentencias mandatorias mínimas, suspensión o restricción de la libertad condicional y la adopción de la ley conocida como "three strikes", que establece prisión de por vida a la comisión de la tercera ofensa o delito.

Esta dicotomía en el modo de atender el problema de la criminalidad ha dado como resultado que el sistema de justicia criminal se mueva en dos direcciones, por un lado el modelo de castigo y por el otro, el modelo de prevención. En el Siglo XXI, la co- existencia de estos dos acercamientos ha promovido cambios en el Sistema de Justicia Criminal por la influencia de varias perspectivas como el de la rehabilitación y la justicia restaurativa, Se reconoce la importancia de que el sistema de justicia establezca políticas y programas dirigidos a balancear la aplicación de la sanción de manera que se asegure, la protección pública y al mismo tiempo se provea para abordar las necesidades biopsicosociales del ofensor con el objetivo de prevenir o reducir la reincidencia criminal. En resumen, los cambios operados combinan la meta tradicional de la protección del público (castigo y sanción, haciendo responsable al ofensor por sus actos y pidiéndole que rinda cuentas por éstos), con el tratamiento al ofensor dirigido a mejorar su estilo de vida para evitar la reincidencia.

2.3 El Enfoque Terapéutico en la Aplicación de la Justicia

"Tanto si ha de castigarse como si ha de tratar con dulzura, debe mirar a los hombres humanamente" (Goethe).

José Castán Tobeñas, nos señala, "Si humanismo en general es tanto como admitir que el hombre es fin y no medio y representa, dentro de lo existente, un valor superior, humanismo jurídico significará que el hombre es el punto central del Derecho, en definitiva es para el hombre" (1962: 92).

La visión de un enfoque terapéutico en la aplicación de la justicia no es nuevo, podemos decir sin temor a equivocarnos que ha estado enmarcada dentro del humanismo jurídico y más específicamente dentro de la teoría de la prevención y de la reforma como expresión de un derecho penal social. Bajo esta concepción la persona o delincuente no se ve como un individuo abstracto y aislado, sino como un ente con individualidad concreta en sus conexiones sociales. El delito no es algo que puede separarse del delincuente, sino que es el hombre total. En la teoría de la prevención y la reforma, "el hombre concreto con su personalidad psicológica y sociológica entra en el círculo del derecho." Bajo el lema "no el crimen, sino el criminal" se enfoca el nuevo derecho penal (Radbruch, 1959: 218).

Desde la perspectiva de esta teoría de seguridad y reforma, el concepto del criminal se descompone en una diversidad de tipos caracterológicos y sociológicos, en el que se incluye al delincuente habitual, el ocasional, el susceptible de reforma y el incurable, el delincuente adulto y el juvenil, el de imputación plena y el de imputación atenuada.

Plantea Gustav Radbruch (Ibíd. 221) en la Filosofía del Derecho, que a esta escuela de derecho penal cabe llamarle "sociológica", ya que hechos que pertenecían sólo a la sociología entran en el círculo del derecho. Sin embargo, para éste una individualización excesiva se opone a la idea de la justicia y la seguridad, por lo que considera que la teoría de retribución responde mejor a la idea de justicia y seguridad social, ya que sirve al mismo tiempo para la justificación de la pena y para la determinación de su fin. Aunque para este autor la teoría de reforma y seguridad no es derecho "penal", al momento en que escribe su Tratado sobre Filosofía del Derecho, deja planteada la posibilidad de la evolución del derecho penal en una reforma que trascienda en un derecho penal mejor. Señala:

"El concepto de la pena no representa la norma decisiva y el límite para la formación del futuro derecho penal, en igual medida a como la comodidad metódica de la teoría de la retribución, en cuanto a posibilidad de solución unitaria de todos los problemas de la teoría penal, no representa tampoco un criterio de verdad. Antes bien, pudiera suceder, al contrario, que la evolución del derecho penal trascendiera del derecho penal mismo y que la mejora del derecho penal desembocara, no en un derecho penal mejor, sino en un derecho de mejora (reforma) y prevención, que fuera mejor que el derecho penal: es decir, más humano e inteligente" (Ibíd. 221).

Luego de haber trascurrido casi un Siglo, (99 años) desde la publicación de la primera edición en 1914 del Tratado sobre Filosofía del Derecho, el concepto de una Justicia Terapéutica es una realidad en nuestra época. La aplicación de un derecho penal al que podemos señalar como "más humano e inteligente", ha ido desarrollándose desde finales del Siglo XX como respuesta a la insatisfacción de la ciudadanía con los procedimientos en los tribunales (lentitud, dilatación y costos), el aumento de la criminalidad y el efecto de "puerta giratoria" o reincidencia, el reconocimiento de que el modelo adversativo no es la solución para resolver los problemas relacionados con el uso de drogas y la reincidencia criminal de éstos; y otros problemas sociales relacionados con la familia, ha llevado a renfocar los procedimientos judiciales a la luz de nuevas tendencias no adversativas; consideradas más conciliatorias. Como resultado han surgido cortes especializadas en las que se propone una participación activa del juez en el seguimiento y rehabilitación del caso. Estas cortes especializadas conocidas con diversos nombres como: Dirigida a Solución de Problemas, Rendir Cuentas, Justicia Colaborativa, Orientada a Problemas, Justicia de Comportamiento y Justicia Terapéutica. Esta última surge como una corriente filosófica jurídica que se desarrolla dentro de la academia para promover la exploración de formas en que las disciplinas relacionadas con la salud y las ciencias sociales pueden asistir en el desarrollo del Derecho, esto sin menoscabar los valores modulares de la justicia.

Al igual que en la teoría de la reforma y seguridad social, la Justicia Terapéutica promueve humanizar la ley y focalizar en el lado humano, emocional y psicológico de la ley y los procesos legales (Wexler & Winick, 1996). En ésta, las ciencias sociales entran en el "círculo del derecho" ya que sirven para estudiar cómo los procesos legales y la práctica promueven el bienestar psicológico y físico de las personas que impactan.

El término "Jurisprudencia Terapéutica", (TJ, por sus siglas en inglés), fue utilizado por primera vez en 1987 por el profesor Dr. David Wexler. Posteriormente en los inicios de los 90, el término comenzó a aparecer en la literatura jurídica. Inicialmente el concepto se centró en el área de la salud mental y la ley. El Dr. Wexler y el profesor Bruce Winick, cofundador del concepto, en sus artículos sobre el tema notaron que el campo de la salud mental y la ley se había desarrollado basado en el fundamento constitucional que enfatizaba la protección de los derechos de los pacientes de salud mental. Los autores plantearon que este fundamento se estaba deteriorando y que se necesitaba una nueva perspectiva para renovar el interés académico en este campo. Identificaron esta nueva perspectiva como "Therapeutic Jurisprudence" y la describieron como el estudio en el que las reglas sustantivas, los procesos legales, y el rol del juez y abogado, producen consecuencias terapéuticas o antiterapéuticas para los individuos involucrados en los procesos legales. Al definir este concepto señala:

"Therapeutic Jurisprudence is an interdisciplinary approach to law that builds on the basic insight that law is a social force that has inevitable (if unintended) consequences for the mental health and psychological functioning of those it affects. Therapeutic Jurisprudence suggests that these positive and negative consequences be studied with the tools of the behavioral sciences, and that, consistent with considerations of justice and other relevant normative values, law be reformed to minimize anti-therapeutic consequences and to facilitate achievement of therapeutic ones" (Wexler, 2000:7).

Aclaramos que en Puerto Rico el concepto Jurisprudencia se refiere a las decisiones tomadas por el Tribunal Supremo que sientan precedentes y tienen igual autoridad que una ley. Es por ello que durante nuestra investigación sobre las Cortes de Drogas en Puerto Rico, (tesis doctoral), para diferenciar el concepto se tradujo como: "Teoría Jurídica de Enfoque Terapéutico o Justicia Terapéutica" (López, A., 2004). Traducción que ha sido aprobada por el Dr. Wexler.

El desarrollo del marco teórico de la "Justicia Terapéutica" en sus orígenes se dio mayormente en el ámbito de la academia, con la contribución de educadores y estudiantes. El concepto se ha ampliado a otras áreas fuera de la salud mental y la ley, incluyendo, corrección, violencia doméstica, cuidado de salud, leyes contractuales y el sistema criminal; y más recientemente a las áreas legales de las personas sin hogar, asuntos de familia y otras (Hora, Schma & Rosenthal, 1999).

Luego de que esta nueva visión de aplicar la justicia gana aceptación entre los académicos, jueces, abogados y otros profesionales, surgen variadas definiciones que contribuyen a enriquecer el concepto de Justicia Terapéutica (TJ). Entre estas la del Profesor Christopher Slobogin (1995: 193), quien re- definió el concepto como "El uso de las ciencias sociales para estudiar en qué medida pueden los procesos legales o la práctica, promover el bienestar psicológico y físico de las personas que impacta". Esta definición ha sido acogida por la mayoría de los estudiosos del tema e, incluso, por el Dr. Wexler, quien ha señalado, "La definición de Slobogin capta mejor el concepto de jurisprudencia terapéutica" (Wexler & Winick, 1996; Fulton, Schma & Rosenthal, 1999).

También ha sido definido como el estudio de la función del derecho como un agente de sanación que ofrece nuevas ideas en cuanto al rol del derecho en la sociedad y de aquellas personas que lo practican (Schma, 1998: 4). Para el profesor Bruce Winick co-fundador del concepto, sugiere que deben utilizarse las teorías, la filosofía y los hallazgos de varias disciplinas y campos de estudios para ayudar a dar forma al desarrollo de la ley.

Bajo este nuevo enfoque las ciencias sociales sirven de guía en el análisis de la ley, lo cual representa verdaderamente, un cambio del enfoque legal tradicional. Ha sido consecuencia de este cambio el surgimiento de cortes especializadas. El objetivo de estas nuevas cortes es mejorar cualitativamente los resultados obtenidos por los litigantes y la sociedad en los casos que involucran a individuos que evidencian problemas sociales y emocionales.

Aunque surgen independientemente los conceptos de cortes de drogas y el "Therapeutic Jurisprudence", en la práctica la Corte de Drogas o Salones Especializados ha representado la aplicación del enfoque terapéutico. En estas cortes, cuyo propósito principal es contribuir a la reducción de la reincidencia criminal relacionada al uso de sustancias controladas mediante la rehabilitación del participante, funciona en estrecha colaboración y coordinación con agencias gubernamentales y privadas.

Sobre la conexión entre estos conceptos señala Winick y Wexler en su artículo Therapeutic jurisprudence and Drug Treatment Courts: A Symbiotic Relationship, (2001: 6-7),

"The drug treatment court has now emerged as nationwide efforts to have the courts play a special role in the rehabilitation of those with drug addiction who want to change. It is a noble undertaking, but to do it effectively, judges need to develop and improve their interpersonal, psychological, and social work skills. Therapeutic jurisprudence can help the court in this effort. And the drug treatment court can become a natural laboratory for the development and application of therapeutic jurisprudence principles and for research on what works best in the court-involved treatment process." Concluyen: "Therapeutic Jurisprudence and the drug treatment court share a common cause: how legal rules and court practices can be designed to facilitate the rehabilitative process."

Algunas de las características de estas cortes especializadas se describen como: mayor flexibilidad del juez en la toma de decisiones, demostrar interés en escuchar las preocupaciones de las personas, promover la participación de organizaciones de la comunidad y considerar lo que es mejor para la comunidad así como para el ofensor y la víctima. Se da importancia a los eventos post-dispositivos, dando seguimiento a la persona involucrada en el caso. Además, la corte especializada posee jurisdicción sobre una materia específica y son precedidas por un juez con asignación permanente, el cual ha sido adiestrado y posee experiencia pericial en un área. Vemos como se trasforma el rol del juez de uno puramente adjudicador de la controversia a uno más sensible cuya intervención tiene como objetivo promover cambios en la conducta de los participantes.

Sobre este concepto de la corte de drogas como una para resolver problemas, Winick y Wexler señalan:

"The new problem solving courts and approaches are all characterized by active judicial involvement and the explicit use of judicial authority to motivate individuals to accept needed services and to monitor their compliance and progress. They are concerned not merely with processing and resolving the court case, but in achieving a variety of tangible outcomes associated with avoiding reoccurrence of the problem" (2003: 5).

Esta corte especializada promueve resultados terapéuticos al proveer el foro para que los procesos adversativos puedan flexibilizarse y pueda enfatizarse en los procesos de tratamiento y en la solución de problemas. Bajo este enfoque se trata de trasmitir al ofensor la sensación de que la corte se interesa en su bienestar. En estas cortes de resolución de problemas que aplica los principios de TJ, la interacción entre el participante y el/la juez/a es una característica distintiva, por ejemplo: si el participante demuestra progresos el juez/a le felicita y si ha tenido problemas, explorara los motivos y las acciones que ha hecho para resolver la situación, motivándolo a sugerir estrategias o un plan para resolverlo. Se ha demostrado que esta interacción promueve el bienestar y la rehabilitación del participante, cuando se le reconoce y se apoya las estrategias y acciones que ha desarrollado para resolver la situación que enfrenta. Lo que a su vez tiene un impacto en la auto eficacia o confianza en la habilidad para llevar a cabo el plan. Otro aspecto importante en los procesos de estas cortes es la auto determinación, ya que se ha demostrado que promueve resultados positivos en la salud, la educación, empleo y rehabilitación. Las estrategias que se aplican requieren que los participantes tomen decisiones como: admisión voluntaria al programa; establecer metas y estrategias; y firma de contrato de comportamiento entre el participante y la corte. En resumen, cuando los participantes son atendidos con respeto, pueden confiar en las motivaciones del juez, reciben decisiones que son hechas en forma neutral u objetiva y se les ofrece la oportunidad de dar su versión de los hechos; se logra la confianza de estos en el sistema. Se concluye que un juez/a con enfoque terapéutico comunica respeto por el cliente cuando le escucha, se toma el tiempo para oír su versión y le habla en forma individual. Concluye Michael King, un acercamiento basado en la solución de problemas, es uno cooperativo y facilitador, en lugar de adversarial y de control (Rottman, 1999, King, 2009).

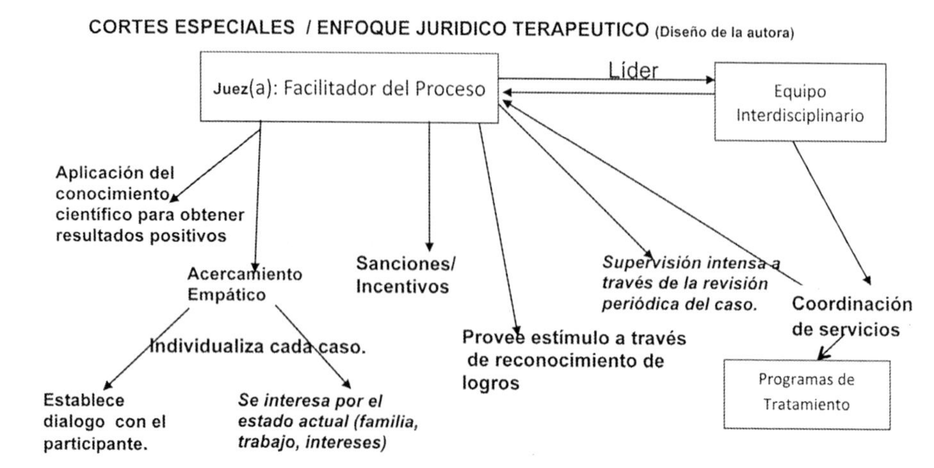

Respecto a esta visión del juez como agente terapéutico el Dr. Bruce Winick enfatiza:

> "An understanding of the approach of therapeutic jurisprudence and of the psychological and social work principles it uses can thus improve the functioning of drug treatment court judges. Judge-defendant interactions are central to the functioning of drug treatment court. Judges therefore need to understand how to covey empathy, how to recognize and deal with denial, and how to apply principles of behavioral psychology and motivation theory. They need to understand the psychology of procedural justice, which teaches that people appearing in court experience greater satisfaction and comply more willingly with court orders when they are given a sense of voice and validation and treated with dignity and respect. They need to understand how to structure court practices in ways that maximize their therapeutic potential, even in such mundane matter as ordering of cases in

> the courtroom to maximize the chances that defendants who are there awaiting their turn before the judge can experience vicarious learning" (Winick, 1991, 1999, 2001: 4).

En su artículo "Reflexiones sobre la Teoría Jurídica Terapéutica y la Práctica de Derecho Penal" (2003), el Dr. David Wexler señala:

> "Tradicionalmente nuestro sistema de derecho penal ha servido para desalentar que la gente admita sus malas acciones, que acepte responsabilidad, que piense cambiar su vida y su inadecuado patrón de comportamiento...
>
> Sin embargo el público está cansado de los abogados y del sistema legal tradicional. Tampoco los abogados están brincando de alegría. El grado de molestia e insatisfacción de los abogados es increíblemente alto.
>
> Un antídoto que está surgiendo lo parece ser la teoría jurídica terapéutica, un acercamiento interdisciplinario que nos mueve a considerar las consecuencias terapéuticas y anti terapéuticas de los preceptos y procesos legales, y del rol de los abogados, jueces, y otros actores del ámbito legal. De igual forma, estudiosos de la teoría jurídica terapéutica buscan desarrollos prometedores en la psicología y en disciplinas relacionadas, y piensan de qué manera esas ideas pueden ser importadas efectivamente dentro del sistema legal" (Traducido por Seijo, Loyola & Martínez).

Bajo este concepto se promueve humanizar la ley y focalizar en el lado humano, emocional y psicológico de la ley y los procesos legales (Wexler & Winick, 1996). El surgimiento de las cortes especiales enmarcadas en la justicia terapéutica, postula la participación activa del juez, no ya para adjudicar sólo la controversia, sino, para a largo plazo, propiciar la rehabilitación contribuyendo a la paz social, como señala Ricoeur.

En el Siglo XXI el enfoque jurídico terapéutico (TJ, por sus siglas en Inglés), o Justicia Terapéutica, es un movimiento a nivel Internacional interdisciplinario, en el cual participan profesionales del área legal y de la conducta, así como otras disciplinas, que se han integrado para contribuir con sus investigaciones y trabajos dando solidez, validez y una base metodológica a esta modalidad en la aplicación de la justicia. Una justicia enmarcada en el humanismo, que trasciende el castigo y cuya finalidad es minimizar las consecuencias anti terapéuticas que puede tener estos procesos sobre los individuos, promoviendo resultados terapéuticos.

2.3.1 Evolución del Enfoque Jurídico Terapéutico:

Tras reconocerse el éxito de estas cortes de solución de problemas con enfoque de justicia terapéutica (TJ), ha empezado a surgir interés en evaluar como estos principios pueden ser aplicados a las cortes en general. Expertos en el área como, Dr. David Wexler, (2012) (autor del concepto TJ), y Michael King, investigador, (2009), recomiendan la aplicación de estos principios en el proceso criminal en general para promover las metas del sistema de justicia, incluyendo la rehabilitación del ofensor y el respeto de la comunidad a las cortes y al sistema de justicia. Esto implica adoptar los siguientes pasos: acercamiento comprensivo; (voz) - contar la historia y ser escuchado por el juez/a; envolver a las personas en la toma de decisión; promover respeto a la dignidad, confianza y conexión con el participante. Se recomienda además, desarrollar programas educativos específicos para adiestrar a jueces/zas, abogados y personal judicial, tales como: el modelo de etapas de cambio y técnicas de entrevista motivacional, usadas en las cortes de solución de problemas. En su reciente escrito, "Integrating the healing approach to criminal law" (2013), el Dr. Wexler invita a los jueces/as a usar los conocimientos del campo de la psicología, criminología y el trabajo social, en el análisis de la ley, con el propósito de lograr la rehabilitación, el cumplimiento con la ley y ayudar a las víctimas a manejar el impacto del crimen en sus vidas.

Lo que dejó planteado Gustav Radbruch, en el 1914, como una posible evolución del derecho penal que trascendiera a un derecho de reforma y prevención, con resultados más humano e inteligente, es hoy una realidad encarnado en las cortes de solución de problemas bajo la perspectiva de los principios de la Justicia Terapéutica; y dado los éxitos alcanzados por estas cortes es posible que en el futuro cercano sea éste el que prevalezca en la aplicación del proceso penal en general.

Bajo este nuevo paradigma en la aplicación de la justicia, las ciencias sociales juegan un papel protagónico en la medida en que proveen las herramientas para estudiar la conducta humana. Es en este nuevo escenario legal donde se requieren profesionales de la conducta con conocimientos actualizado en la materia de especialidad, para ofrecer el asesoramiento eficaz a aquellos que le corresponde adjudicar la controversia. Para esta labor se requieren trabajadores sociales especializados en el área forense con conocimientos en normas y procedimientos del escenario legal, jurisprudencia y leyes establecidas relacionadas a la situación evaluada, así como destrezas en investigación, conocimiento de marcos teóricos e investigaciones recientes en el área, y las políticas sociales que impactan la situación evaluada.

Bajo las páginas Web "International Network on Therapeutic Jurisprudence" (http://www.therapeuticjurisprudence.org y tjlist@googlegroups.com, el Dr. David Wexler, autor del concepto TJ provee el lugar para que a nivel internacional se discuta el tema y sirva para la publicación de investigaciones y trabajos relacionados, así como convocatorias para participar en congresos o conferencias a nivel mundial.

2.3.2 Desarrollo y Trasformación de las Cortes Especiales de Drogas en Puerto Rico:

Durante el período comprendido entre 1990 - 1991 al 1994- 1995 el Sistema de Justicia en Puerto Rico experimentó un aumento en los casos criminales de 40,575 a 55,695. El mayor crecimiento se registró en los casos relacionados con drogas de un 8.4% en 1990-91 (3,392) a un 12.1% en 1994-95 (6,747) (Oficina de Administración de los Tribunales, en López, A, 2004).

Este incremento en los casos movió a la Administración de los Tribunales a desarrollar en 1990 el proyecto de Salones Especializados en Drogas y casos relacionados subvencionado con fondos del "Drug Control and System Improvement Program." El proyecto se inició en las Regiones Judiciales de Arecibo, Carolina y Ponce con el objetivo de reducir los términos en la atención de los casos por violación a la Ley de Sustancias Controladas o relacionados con uso de drogas.

Los datos estadísticos recogidas por la Administración de los Tribunales entre 1992 al 94, indican que se atendieron 6,437 casos en estos Salones Especializados. El 57.9 por ciento de estos, fueron casos por violación a la Ley de Sustancias Controladas, en su mayoría adictos reincidentes a drogas.

El continuo aumento en estos casos y las reincidencias de los imputados usuarios de drogas, evidenciaron la poca efectividad de los programas de tratamiento, la intervención del tribunal y el sistema correccional en la rehabilitación de estos ofensores. Esto motivó a la Administración de los Tribunales y otras instituciones, a proponer un cambio en la estrategia para la intervención más efectiva con los casos de usuarios de drogas.

En 1994 la Administración de Tribunales sometió una propuesta al "Drug Control and System Improvement" para desarrollar la corte de drogas en Puerto Rico. El proyecto proponía el referido a los programas de tratamiento con una supervisión intensiva y la integración de los jueces y personal del tribunal con los fiscales, abogados, el personal correccional, salud mental y representantes de servicios de tratamiento. Esto con el objetivo de atender en forma interdisciplinaria a los imputados con problemas de adicción para lograr su rehabilitación y reducir de esta manera la reincidencia delictiva asociada al uso de drogas.

El proyecto se inició en 1996 en las Regiones donde se habían establecido originalmente los Salones Especializados de Drogas, (Arecibo, Ponce y Carolina), con la subvención de fondos federales del Programa Edward Byrne Memorial del Departamento de Justicia Federal. Estos fondos fueron asignados a la Administración de los Tribunales a través del Departamento de Justicia de Puerto Rico. Inicialmente el 65% de los gastos operacionales provenían de fondos federales y el 25% restante de fondos ordinarios de la Rama Judicial. La asignación federal finalizó en septiembre de 1999. A partir de esa fecha el proyecto se financió por una asignación especial de la Legislatura de Puerto Rico, quien designó al Departamento de Justicia para administrar y distribuir el dinero entre las agencias componentes del programa. A partir del 2001 la Administración de los Tribunales opta por absolver los costos operacionales del proyecto.

Como funcionaria de la Rama Judicial, con 29 años de experiencia profesional, pude ser parte de los cambios que se fueron operando en nuestro sistema de justicia. Durante el periodo del 1996 al 2005, nos desempeñamos como Jefa de los Servicios Sociales en la Rama Judicial, siendo participe de los cambios que el Juez Presidente (Hon. José Andreu García) y la Directora de los Tribunales (Lcda. Mercedes Bauermeister), en ese momento impulsaron. Cambios que fueron dirigidos a establecer medidas para enfrentar las transformaciones sociales, económicas y tecnológicas que facilitarían el acceso de la ciudadanía al sistema de justicia de forma ágil y efectiva. Esto se realizó incorporando programas y proyectos dirigidos a reformar el sistema para que la solución de controversias se lograra mediante acción interdisciplinaria, más que por medios adversativos. Acorde con este concepto, se incorporan los métodos alternos de resolución de conflictos, los Salones Integrados de Asuntos de Menores y Familia, los Salones Especializados de Drogas, conocidos como cortes de drogas.

En enero de 2003 el programa de Cortes de Drogas se incorpora, junto a otros proyectos judiciales, a la nueva Directoría de Programas Judiciales (DPJ). La Administración de los Tribunales mediante el "Memorando 175 del 14 de febrero de 2003" aprueba la nueva estructura organizacional, estableciendo una Oficina dirigida a administrar los programas o proyectos que aportan soluciones a problemas sociales, a implantar nuevos proyectos y para administrar unidades funcionales que se relacionan o impactan los procesos judiciales. Se establece como misión de esta oficina "facilitar de un modo firme, sensible y efectivo, el desarrollo, coordinación e implantación de políticas, proyectos y programas que apoyen y fortalezcan el trabajo judicial para mayor acceso a la justicia a toda la ciudadanía. Dentro de la Oficina de Programas Judiciales quedaron adscritos los siguientes: "Drug Court", "Pro se", "Court Improvement", actualmente conocido como "Justicia para la Niñez", Integración de Familia y Menores. Fueron establecidas posteriormente las Sala Especializada en casos de Violencia Doméstica, Sala para la intervención con Personas sin Hogar y la Corte de Drogas Juvenil. En el 2013 el Programa de Salones Especializados en Sustancias Controladas (Drug Court), estaba funcionando en diez (10) Regiones Judiciales (Arecibo, Ponce, Carolina, San Juan, Guayama, Bayamón, Humacao, Fajardo, Mayagüez y Caguas).

2.3.3 Funcionamiento de las Cortes de Drogas

Con el desarrollo de las Cortes de Drogas en Puerto Rico la Rama Judicial reconoce que el sistema adversativo ordinario no es la solución para los ofensores no violentos, usuarios de drogas y que la adicción es un problema de salud física y mental que requiere una intervención interagencial y multidisciplinaria para lograr reducir la reincidencia delictiva del adicto a drogas. Bajo estas cortes de drogas enmarcadas en la JuristiciaTerapéutica, se estimula la participación de un juez, no ya como mero adjudicador de la controversia, sino como parte activa del proceso de rehabilitación; un juez con sensibilidad, conocimiento especializado y que sea modelo para promover el cambio en los participantes.

Esta corte opera a través de una coordinación estrecha entre la Rama Judicial, Departamento de Justicia, Administración de Servicios de Salud Mental y Contra la Adicción (ASSMCA), Administración de Corrección, Sociedad para Asistencia Legal y Policía de Puerto Rico. Para determinar la concesión de la probatoria especial a un candidato, el juez de la Corte de Drogas evalúa el interés en rehabilitarse que demuestra el acusado y toma en consideración el informe de discernimiento e investigación en el que participan las agencias antes mencionadas. Además el candidato deberá cumplir con los siguientes criterios: ser usuario de drogas, imputado de delito no violento, tener interés y disposición de recibir tratamiento, cumplir con las condiciones de la probatoria especial, y tener historial criminal limitado y no violento. Pueden ser referidos los casos de delitos no violentos de ofensores usuarios de drogas que cualifiquen por una de las siguientes probatorias especiales: 247.1 de las Reglas de Procedimiento Criminal (Programa TASC de ASSMCA); 404 B de la Ley de Sustancias Controladas (Programa de Comunidad de Corrección); Artículo 3.6 de la Ley para la Prevención en Intervención con la Violencia Doméstica. Cualifican también otros delitos no violentos, cometidos como consecuencia de estar bajo los efectos de sustancias controlada o por necesidad económica para costear el uso de drogas.

Cualifican para ser referidos al proyecto los delitos relacionados con:

Ley de Sustancias Controladas (Ley Núm. 4 de junio de 1971)	**Código Penal de Puerto Rico (2004)**	**Ley de Protección de Propiedad Vehicular (Ley 8 de 5 de agosto de 1987).**	**Ley para la prevención e Intervención con la Violencia Domestica (Ley Núm. 54 de 15 de agosto de 1989)**
401- Distribución y/o posesión con intención de distribuir (casos que en causa probable se reclasifiquen a 404 y 406)	192 y 193 Apropiación ilegal	15- comercio ilegal de piezas y vehículos	3.1- Maltrato cuando no se trate de grave daño a la victima
404- Posesión	198 – Robo (sin uso de armas, sin mayor agresión; no puede ser robo domiciliario)	18- apropiación ilegal de vehículos	3.3 – Maltrato mediante amenaza (no uso de armas, ni se cause grave daño a la víctima).
406- Tentativa o conspiración	201 - Posesión de artículos hurtados	19- apropiación ilegal de piezas	3.4 – Maltrato mediante restricción a la libertad (no uso de armas, ni se cause grave daño a la víctima).
412 -Parafernalia	122 – Agresión (4to grado)		
	224- Posesión y traspaso de documentos falsificados		
	218 - Falsificación de documentos		
	272- posesión y traspaso de documentos falsificados		

2.3.4 Resultados de las Cortes de Drogas/ Evaluación del Programa

Luego de haber trascurrido más de dos décadas (1989), del inicio de la primera corte de drogas en el Condado de Dade en Miami, Florida, y extendido a nivel Nacional y local, el programa ha sido estudiado exhaustivamente. Los resultados de los estudios han llevado a concluir: "La efectividad de las cortes de drogas no es materia de conjeturas, es el producto de la investigación científica exhaustiva llevada a cabo por más de dos décadas" (Marlowe, 2010). Los resultados de varias investigaciones llevadas a cabo han confirmado que la reincidencia de los participantes del programa es menor al compararse con los de la probatoria regular y que resultan en una economía para el sistema criminal de justicia, ya que los costos de operación son más bajos.

En un estudio longitudinal de 10 años, llevado a cabo por el "National Institute of Justice", entre el 1991 al 2001 se dio seguimiento a 6,500 participantes de la corte de drogas de Multnomath en Portland, Oregón. Los hallazgos confirmaron que las cortes de drogas pueden bajar la reincidencia (re arrestos) y son costo efectivas ya que tienen un bajo costo de operación. (http://www.nij.gov/topics/courts/drug-courts/work.htm). Al comparar la inversión promedio en los procedimientos, tratamiento y otras inversiones, del sistema criminal tradicional, el costo por participante de la corte de drogas resultó menor (1,392). Se concluyó en este estudio tipo longitudinal, que la reducción en la reincidencia y los logros a largo plazo resultan en ahorros de $6,744, en promedio por participante

En el 2005 la oficina de Contabilidad Gubernamental de los EEUU (GAO, por sus siglas en inglés) concluyó que las cortes de drogas reducen el crimen, sin embargo cuestionaba sus efectos en otras áreas como: uso de sustancias, empleo, funcionamiento familiar y salud mental. En respuesta el National Institute of Justice patrocinó el estudio nacional de las cortes de drogas, el "Multisite Adult Drug Court Evaluation" (MADCE). El estudio comparó los resultados para los participantes de 23 cortes de drogas para adultos localizados en siete grupos geográficos a través de la Nación, con una muestra comparable de ofensores de uso de drogas no participantes del programa de cortes de drogas. Los hallazgos recogidos tras seguimiento de 6 y 18 meses a los participantes de la corte de drogas reportaron una significativa reducción de drogas ilegales y consumo fuerte de alcohol. Este hallazgo de auto reporte fue confirmado por las pruebas de saliva de drogas realizadas durante el periodo de seguimiento. Para los participantes de la corte de drogas significó una baja en los resultados positivos en el seguimiento de los 18 meses. También estos reportaron una significativa mejoría en sus relaciones familiares, no así en sus empleos e ingresos. Concluyó el estudio que las Cortes de Drogas tienen efectos en otras áreas, adicional a la baja de la incidencia criminal y que resultan costo efectivas. Sobre este último aspecto se han realizado varios estudios, uno más reciente (2008) de tipo meta análisis. Se concluyó que las Cortes de Drogas producen en promedio $2.21 en beneficio directo al Sistema de Justicia Criminal o sea, por cada $1.00 invertido, regresa 221% en inversión (Bhate et al, 2008, citado en Marlowe, 2010). Estos ahorros reflejan costos medibles en la reducción de re arrestos, gestiones para reforzar la ley, las vistas en corte y el uso de las cárceles y prisiones.

En Puerto Rico el Programa de Salas Especiales de Drogas desde su inicio en 1996 al 2012, había admitido 11,209 participantes de un total de 17,129 candidatos referidos. De estos, 5,272 se habían graduado o completado el programa a agosto de 2012. (Datos obtenidos de la Oficina de Administración de los Tribunales sobre el funcionamiento de estas salas a agosto de 2012).

En diciembre de 2010 se presentó al Departamento de Justicia los resultados de un estudio de comparación llevado a cabo para evaluar la reincidencia en sujetos que completaron un programa de desvío. Los datos fueron obtenidos del Sistema de Información de Justicia Criminal (SIJC). En este estudio se logró correlacionar 2,426 sujetos de un total de 5,333 graduados del programa de desvío. Entre los casos correlacionados solo 245 sujetos o un 10 por ciento, había reincidido en falta. Lo que evidencia la efectividad del programa en la reducción de la reincidencia.

Estructura de Coordinación Interagencial para la Operación de las Cortes de Drogas en Puerto Rico

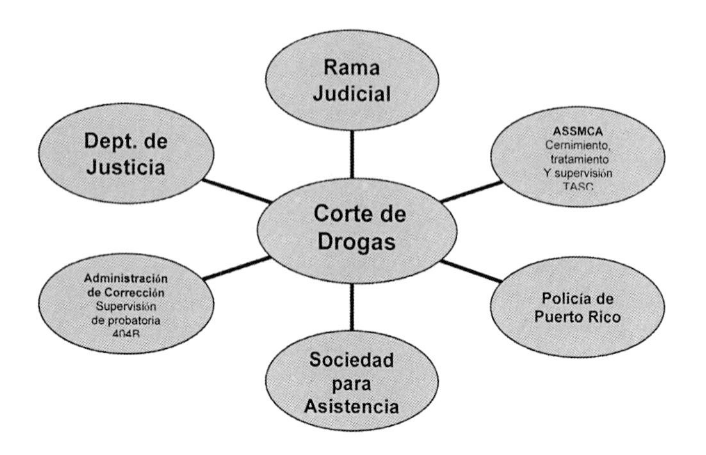

2.3.5 La Aplicación del Enfoque Jurídico Terapéutico en la Rama Judicial de Puerto Rico:

El Plan Estratégico elaborado por la Rama Judicial para el 2007- 2011, "Obra de Justicia", se establece en la Meta III. 1 y III.3: promover "el más amplio acceso de la ciudadanía al sistema de justicia y mejorar la capacidad de los tribunales para atender con agilidad y sensibilidad los asuntos de relaciones de familia, menores, víctimas de violencia doméstica, personas de edad avanzada y personas sin hogar."

Este compromiso de garantizar el acceso a la justicia e impulsar proyectos que brinden servicios a la ciudadanía queda explícito en el Preámbulo del Protocolo para la Atención, Orientación y Referido de las Personas sin Hogar que se presentan en el Tribunal de Primera Instancia. En éste se señala:

"La Constitución del Estado Libre Asociado de Puerto Rico establece en el Articulo II, Sección I, que la dignidad del ser humano es inviolable y todos los hombres son iguales ante la ley. Además, la Constitución concede al Poder Judicial de Puerto Rico la facultad de resolver casos y controversias, y conflictos específicos entre partes privadas y públicas. Los tribunales constituyen el foro donde la ciudadanía acude en busca de la solución justa de sus asuntos. Conforme a este mandato, la Rama Judicial dispone expresamente que su misión es Impartir justicia, resolviendo los casos, controversias y conflictos que se presentan ante su consideración, con independencia, diligencia, sensibilidad e imparcialidad, garantizando los derechos constitucionales y las libertades de las personas. Ésta se logra al amparo de un sistema judicial cuya visión es ser accesible a toda persona, diligente en la adjudicación de los asuntos, sensible a los problemas sociales, innovadora en la prestación de los servicios, comprometida con la excelencia administrativa y con su capital humano, y acreedora de la confianza del pueblo".

En la actualidad la Rama Judicial promueve el enfoque Jurídico Terapéutico en los programas bajo la Directoría de Programas Judiciales. Se han ampliado y desarrollado varios proyectos entre estos: Corte de Drogas de Adultos, Corte de Drogas Juvenil, Sala Especializada en casos de Violencia Doméstica e intervención con Personas sin Hogar que se presentan en el tribunal. Estos proyectos bajo el enfoque de justicia terapéutica representan un verdadero cambio en la aplicación de la justicia para todos los componentes del sistema judicial, ya que a diferencia del enfoque tradicional dirigido a establecer la culpabilidad o inocencia, la meta es lograr la rehabilitación o cambios en la conducta de los litigantes. Esto para asegurar una mayor calidad en la adjudicación y disposición de los casos.

2.3.6 Corte de Drogas Juvenil:

En el 2011 la Rama Judicial inició la Corte de Drogas Juvenil, programa similar al de adultos, con enfoque jurídico terapéutico, para atender jóvenes incursos en faltas relacionadas al uso y abuso de sustancias controladas o alcohol. Este proyecto de la Rama Judicial cuenta con un equipo Interagencial compuesto por el Departamento de Justicia, (quien recibe y administra los fondos federales), First Hospital Panamericano (ofrece tratamiento), clínica Legal de la Universidad Interamericana (ofrece representación legal al/la menor), Policía de Puerto Rico (Investigación y supervisión general). Colaboran, además, el Departamento de Educación, Departamento de la Familia, Departamento de la Vivienda y el Municipio de San Juan. Son elegibles al programa menores entre doce a diecisiete años; con falta(s) Clase I sin antecedentes en Clase II, o primer ofensor en falta (s) Clase II; deberá hacer alegación de incurso (aceptar la falta) en la Vista Adjudicativa; la(s) falta(s) deben guardar relación con el uso y abuso de sustancias controladas o alcohol; y reflejar ésto en la evaluación que se le practique.

Los servicios que reciben los/as menor como parte del tratamiento que ofrece el Hospital Panamericano incluye: psicólogo, psiquiatra, consejero en adicción, terapia ocupacional, terapia grupal (semanal) y Escuela para Padres (una vez al mes). Además, los /as menores reciben una supervisión intensiva por parte del Tribunal (manejador de casos), que incluye visitas al hogar, escuela y comunidad y vista de seguimiento cada tres semanas. Al completar el tratamiento el/la menor y sus padres participan de una ceremonia donde se hace reconocimiento de sus logros y se le motiva a continuar sus metas de estudio y trabajo, libre de uso de drogas o alcohol. (Este proyecto sólo se encontraba funcionando en la Región de San Juan, como proyecto demostrativo, al momento de la redacción de este libro).

2.3.7 Modelo para Propiciar en forma Sistemática la Autoeficacia y Modificación de Conducta en el Proceso de las Cortes de Drogas:

Exponemos a continuación el modelo que desarrollamos como parte de nuestros estudios doctorales el cual está basado en la teoría de Albert Bandura. Este propone un enfoque interdisciplinario y multidisciplinario para propiciar en forma sistemática la rehabilitación de los participantes de la corte de drogas. Este modelo recoge de manera sistémica todos los componentes que inciden en la adicción de naturaleza biológica, psicológica y social, los cuales debe conocer y entender tanto el juez como su equipo multidisciplinario para que puedan trabajar exitosamente con esta población.

Este modelo fue desarrollado como parte de un estudio realizado para evaluar el funcionamiento de la Corte de Drogas que operaban en Puerto Rico para el año 2002 (estudio conducente a obtener el grado doctoral en Filosofía, Ciencias de la Conducta y Sociedad, de la Universidad

Complutense de Madrid). La investigación: "Las Cortes de Drogas Bajo el Enfoque de Justicia Terapéutica: Evaluación de programas en Puerto Rico", (2004), nos brindó la oportunidad de observar los procedimientos de nueve (9) salas de drogas existentes a ese momento. Previamente en el 1999, habíamos realizado una investigación en la Corte de Drogas de San Juan para conocer el grado de satisfacción de los participantes y sí se lograba inducir la autoeficacia como parte del proceso. Encontramos en este estudio preliminar que sólo uno de los tres jueces asignados asumió un rol activo en todo el proceso, utilizando diversas estrategias para demostrar aprobación y reconocimiento a los participantes. En las otras salas se observó una participación menos activa del juez/a y una intervención breve en los casos, así como menor interacción del participante. La diferencia en la aplicación de procedimientos nos llevó a cuestionarnos si realmente existía una corte de drogas o variaciones en la forma en que cada juez y el equipo multidisciplinario interactuaban. Nos cuestionamos: ¿En qué medida impactaban estas diferencias en la rehabilitación o abstinencia del participante? ¿Cuánto conocimiento acerca de la conducta del adicto tenían los jueces y el equipo multidisciplinario que facilitara su misión de aplicar la justicia bajo un enfoque terapéutico? ¿Cree el juez asignado a esta corte en los postulados de la justicia terapéutica? ¿Basa su actuación en un conocimiento teórico de este concepto?

Los hallazgos del estudio evidenciaron que las salas especiales de drogas existentes en el 2002 no seguían un procedimiento uniforme en las vistas de seguimiento con los participantes. De los nueve jueces, solo dos dirigieron los procedimientos de forma que se propiciaba una interacción activa con los participantes, proveyendo tiempo con cada uno, propiciando el diálogo con el participante y haciendo reconocimiento de logros y fortaleza o sanciones y recomendaciones. La actuación de estos jueces evidenciaba compromiso con la rehabilitación de los participantes y conocimiento del modelo Jurídico Terapéutico. Los hallazgos de esta investigación nos sirvió para desarrollar un modelo para ser aplicado en el proceso de las cortes de drogas, basado en conocimientos científicos. Este modelo está basado en las teorías de Albert Bandura, Aprendizaje Social y la auto-eficacia como clave para desarrollar y fomentar la eficacia de los participantes usuarios de drogas, así como en la teoría de Martin Seligman de la Indefensión y el modelo de Prevención de Recaídas de Allan Marlatt.

Al reconocer la importancia del juez(a) como clave para el éxito en la rehabilitación de los (las) participantes, el modelo desarrollado pretende ilustrar como los jueces(as) pueden propiciar o inducir en forma sistemática en el cambio en los participantes infundiendo la auto-eficacia. Para ello los/las jueces(a) seleccionados para las corte especiales de drogas deben poseer destrezas, actitud y conocimientos que le faciliten el uso de diversas estrategias para fomentar en los participantes su auto confianza.

La gráfica presentada a continuación ilustra cómo el juez(a) y su equipo pueden influir en las creencias de los individuos o participantes durante las vistas de seguimiento a través del aprendizaje vicario, fortaleciendo la experiencia de dominio promoviendo el diálogo, persuadiéndoles verbalmente a través de palabras de aliento y estímulo y propiciando la participación en actividades que propendan el estado físico y mental. La participación en las vistas de seguimiento de miembros de la familia o personas significativas para el participante es esencial en este modelo. Es por ello que se sugiere que el/la juez(a) propicie esta participación para conocer la opinión sobre los logros o ajustes del participante. Como parte de los procesos de este programa es esencial contar con un tratamiento individualizado que propicie la rehabilitación y que incluya la propia evaluación del participante sobre las situaciones que le pueden poner en riesgo de recaer. Un plan preventivo de recaída debe ser sometido al juez(a) como parte del tratamiento que recibe todo participante. Para aquellos que estén en tratamiento ambulatorio deberá requerírsele trabajar o estudiar, o realizar alguna actividad que propenda a su eficacia. Se ha señalado como predictores significativos en la superación los siguientes factores: percepción de auto eficacia para enfrentar el uso de drogas, factores protectivos de apoyo y el involucramiento en actividades ocupacionales y sociales (Gossop, 1990). Es por ello que el plan para la rehabilitación de todo (a) participante debe promover su participación en actividades diversas que propendan su estado físico, emocional y espiritual. Todo ello ayudará a fomentar la auto eficacia de los participantes para la reducción de la recaída y eventualmente adquirirá la auto eficacia necesaria con las herramientas cognitivas y de auto control para enfrentarse solo a las situaciones del diario vivir.

Bajo el modelo Jurídico Terapéutico se reconoce que los/las jueces(as) son agentes importantes de cambio y sus palabras, acciones y gestos tienen un impacto en las personas que vienen a su atención. Como líder de un equipo multidisciplinario tiene la responsabilidad de establecer los procedimientos que ayuden a la rehabilitación de los participantes. Para ello, es necesario que cuente con el asesoramiento de un personal profesional con un amplio conocimiento sobre la condición de la adicción y los componentes neurobiológicos, sociales y emocionales que inciden en esta condición, así como los programas de tratamiento que han sido probados como exitosos con esta población. Esto tiene el propósito de que al intervenir en cada caso, su decisión sea una individualizada, enfocada en la situación particular del individuo que tiene ante sí para lograr que este gane la auto-eficacia necesaria para enfrentar las situaciones diarias de la vida evitando las recaídas.

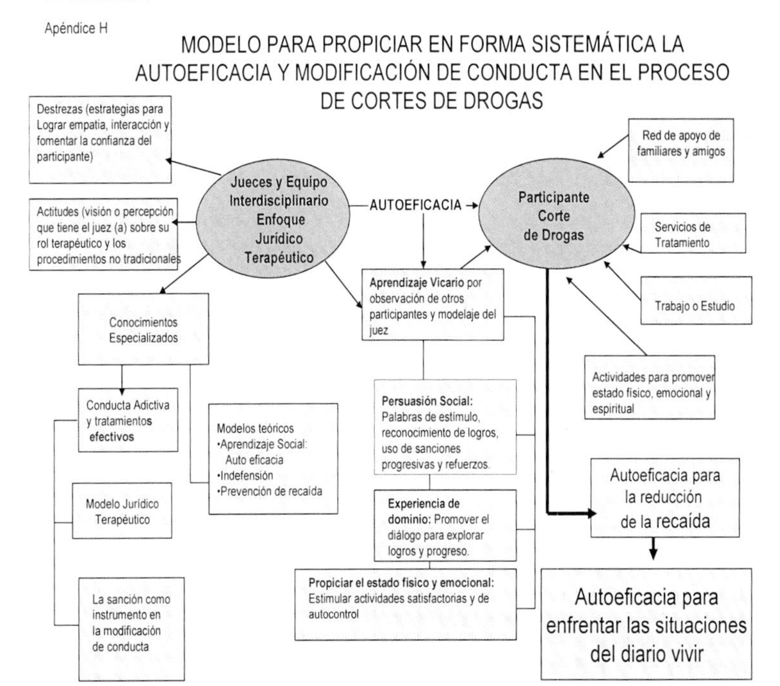

CAPITULO 3

La Equidad en la Práctica de Trabajo Social Forense

> Intervenir en la vida de otras personas o familias en aras de restaurar o promover su funcionamiento social es un asunto que revierte gran responsabilidad sobre los profesionales de la conducta humana. Para que esta intervención tenga resultados terapéuticos ha de ser lo más objetiva posible, empática y libre de prejuicios, siguiendo los principios de equidad, cónsonos con los postulados de justicia social y respeto a la dignidad humana (López, 2009).

Hemos presentado en capítulos previos de este libro como el nuevo enfoque de aplicar la justicia con procedimientos menos adversativos han dado paso a la creación de las cortes especializadas en las que se propone una participación activa del juez(a) en el seguimiento y rehabilitación del participante y como este nuevo enfoque puede en un futuro ser de aplicación a todo el sistema de justicia.

Ejemplo de estas cortes especializadas orientadas a la solución de problemas: son las Cortes de Drogas, las Cortes de Violencia Doméstica, así como las Salas Integradas para atender los Asuntos de Familia y Menores. Todas estas tienen en común el enfoque terapéutico que ha sido adoptado por la Rama Judicial para atender estos problemas sociales de manera integral y sistemática enfocando los aspectos legales y biosicosociales de la familia y sus miembros. Como parte de este enfoque se propone el trabajo interdisciplinario y la coordinación interagencial de servicios gubernamentales y no gubernamentales como elementos esenciales para el logro de las metas de rehabilitación.

En este nuevo escenario legal donde se propicia el trabajo interdisciplinario (juez(a), abogado(a) y profesionales de la conducta humana); el/la trabajador(a) social como colaborador(a) y asesor(a) en la toma de decisión del/la juez(a) es de suma importancia y de mayor trascendencia en la actualidad. Para que pueda ejercer esta función desde la perspectiva terapéutica debe guiarse por los estándares éticos de la profesión y mantener actualizado sus conocimientos, aplicando estos en el análisis del caso. Sólo de esta manera podrá brindar un asesoramiento al juez(a) basado en conocimientos científicos válidos, para que al éste(a) adjudicar la controversia que tiene ante sí, se logre la meta de impartir justicia con equidad y que el resultado sea uno terapéutico.

La equidad como principio fundamental en la aplicación de la justicia equivale a un trato justo. De acuerdo al Diccionario de la Lengua Española, equidad significa: "Modo de actuar de las personas justas, que dan a cada uno lo que le corresponde o se merece".

Bajo el título, "Equidad Procesal: Elemento principal en la satisfacción de la ciudadanía" (2007), los jueces Kevin Burke y Steve Leben presentaron a la Asociación de Jueces y Juezas de los Estados Unidos un informe donde se evaluó la insatisfacción del público con el Poder Judicial. En este informe se trata de concienciar a los/las jueces(as) sobre la disparidad entre su percepción del proceso judicial y la percepción del público y se promueven cambios para mejorar la labor realizada por los tribunales. Las investigaciones en esta área demostraron que a la mayoría de las personas les importa más el tipo de trato que reciben (equidad procesal), que el ganar o perder el caso (justicia distributiva). Es por ello que en este informe se recomienda prestar atención a los principios de equidad procesal ya que ello es crucial para entender como la ciudadanía percibe el sistema judicial y como lo valora. Se recomienda a los/las jueces(as) continuar dedicados a lograr resultados justos, pero también ceñir sus acciones, su lenguaje y sus reacciones a las expectativas de equidad procesal de la ciudadanía. Se destaca que la equidad procesal aumenta el nivel de cumplimiento del ofensor con las órdenes de los tribunales e incluso reduce el nivel de reincidencia. Además se encontró que la parte perdidosa está más dispuesta a aceptar un resultado adverso si siente que la decisión se llevó a cabo a través de un método justo y equitativo. Citando los trabajos de investigación del psicólogo Tom Tyler, se presentan como elementos principales de la equidad procesal los siguientes:

- Voz: La capacidad de participar en el caso y expresar su punto de vista;
- Neutralidad: Consistencia en la aplicación de principios jurídicos; imparcialidad de quienes toman decisiones y "trasparencia" en la manera de tomarlas;
- Trato respetuoso: Que las personas sean tratadas con dignidad y que sus derechos sean protegidos;
- Autoridad confiable: Autoridad benévola, cons-

ciente, que traten de ayudar a las personas litigantes.

Los elementos de la equidad procesal señalados por Tom Tyler: voz, neutralidad, trato respetuoso y autoridad confiable son aplicables a la intervención del trabajador social que labora en los tribunales. Estos principios fundamentales son cónsonos con los postulados de justicia social y respeto a la dignidad humana que constituyen la razón de ser de la profesión de Trabajo Social y que son parte fundamental en los principios y valores éticos que guían la profesión y que tienen como meta lograr resultados terapéuticos para las personas que sirven.

El/La trabajador(a) social debe ser consciente de dirigir todas las intervenciones con equidad, que resulte en un trato justo y respetuoso para el cliente. Sólo de esta manera su asesoramiento a los/las jueces(as) podrá ser considerado efectivo, reconociéndose su imparcialidad y conocimientos.

3.1 El enfoque de Justicia Terapéutica aplicado a los Menores Transgresores:

La incorporación de los/las trabajadores(as) sociales como asesores de los jueces(a) en los casos de asuntos de menores transgresores se remonta al año 1955 con la aprobación de la Ley 97. Esta Ley de enfoque proteccionista, reconoció que los hechos por si solos no eran suficientes para determinar lo más conveniente para la sociedad y los individuos involucrados en los procesos ante el Tribunal, por lo que se incorporan en los procedimientos de menores, el asesoramiento a los jueces por parte de profesionales de la conducta humana. Inicialmente conocidos como oficiales probatorios, y más adelante como Técnicos y Especialistas de Relaciones de Familia. Posteriormente la Ley 88, aprobada el 9 de julio de 1986, derogó la Ley 97, pero mantuvo la función del trabajador social como asesor del juez en la toma de decisión en la etapa de disposición del caso, así como en del seguimiento en las vistas de revisión. El reconocimiento de la importancia de contar con el asesoramiento de trabajadores sociales en los procedimientos de casos de Familia y menores trasgresores, puede considerarse como una visión de avanzada en los tribunales de Puerto Rico. Sin embargo, ha sido nuestra experiencia, que en muchas ocasiones la manera como se aplican estos procedimientos pueden tener consecuencias antiterapéuticas para los menores intervenidos y sus familias. Presentamos a continuación ejemplos de situaciones de casos donde el/la menor no estaba capacitado para enfrentar el proceso legal por su condición mental o minoridad: una niña de 8 años a quién se le radica querella por agresión contra su maestra de Educación Especial y daños a un escritorio, bajo un episodio de descontrol, característico de su condición; un niño de 7 años a quien se le radicó por exposiciones deshonestas por mostrar sus genitales; un niño de 9 años a quien se le detiene en una Institución tras radicársele querella por traspasar una verja para meterse en una piscina. En todos estos casos podemos decir sin temor a equivocarnos que la intervención legal resultó en una antiterapéutica para los menores y su familia.

¿Qué intervención, si alguna, tuvo el trabajador(a) social en estos casos, previa a la adjudicación? ¿Cuáles fueron sus recomendaciones y asesoramiento al juez(a)? ¿La intervención del trabajador(a) social pudo hacer alguna diferencia? En la aplicación de la Justicia Terapéutica se reconoce como esencial la participación activa del juez(a) no como un mero adjudicador de la controversia estableciendo la culpabilidad o inocencia, sino como un promovente de la rehabilitación o cambio de la conducta del imputado. Esta finalidad de rehabilitación está contemplada en el enfoque filosófico de la Ley de Menores, sin embargo, en muchas ocasiones, como las arriba mencionadas, la intervención puede convertirse en una anti terapéutica. Si bien es cierto que el trabajador(a) social tiene un rol importante en el asesoramiento a los jueces(as), su intervención no podrá darse efectivamente si no se le permite participar en los proceso de evaluación de aprehensión o alertar sobre la posibilidad de no procesabilidad. En esta etapa de aprehensión es fundamental la participación del/la trabajador(a) social para evaluar la deseabilidad o no de una detención. No cabe duda que la sensibilidad y compromiso del juez(a) hacía esta población es un factor de suma importancia a la hora de aplicar la justicia bajo el enfoque terapéutico. Exponemos a continuación tres (3) situaciones donde a solicitud del/la juez(a) intervenimos en una fase temprana del proceso, ayudando a que los resultados fueran beneficiosos para todas las partes, sin comprometer el bienestar de los niños(as), ni menoscabar los postulados de la ley.

En una ocasión mientras nos desempeñábamos como supervisora de la Unidad Social en una Sala de Menores, la jueza asignada a las vistas de causa probable solicitó nuestra intervención para que entrevistara a dos jovencitas a quienes se les habían radicado querellas por agresión. Ambas de 13 y 14 años eran estudiantes de Educación Especial y su capacidad mental estaba por debajo de su edad cronológica. La pelea había sido en la escuela, por lo que se les radicó a ambas la querella. En nuestra exploración encontramos que existía un reglamento interno para atender estas situaciones en la escuela con jóvenes de Educación Especial y que el mismo no había sido utilizado como primera opción. La jueza fue informada y procedió a citar a funcionarios escolares para que explicaran el reglamento e informaran por qué no se había aplicado. Finalmente el caso fue archivado evitando las posibles consecuencias negativas para estas dos niñas (posible estigmatización y rechazo en la escuela).

En otra ocasión se nos refirió a dos hermanos de 8 y 10 años a los que su mamá acusaba de haber hurtado propiedad de la casa y solicitaba se ingresaran a una institución juvenil. Al explorar la situación se encontró que la familia recibía los servicios del Departamento de la Familia por conducta indisciplinada de los niños y negligencia por parte de la madre. Entrevista con la abuela de los menores confirmaron la negligencia en la supervisión y atención de las necesidades básicas de los niños. De acuerdo a la madre de los menores, la trabajadora social del Departamento de la Familia, le había orientado a radicarle las querellas ya que los niños no respondían a su intervención y por su seguridad debían ser ingresados a una Institución. De tomarse esta medida se estaría castigando a los niños por la incapacidad materna de proveerles supervisión y controles a sus hijos. Informado el juez, este devolvió el caso al Departamento de la Familia para que se refiriera como uno de Maltrato a Menores, requiriendo se buscaran otras alternativas y servicios para los menores. Finalmente fueron ingresados a un Hogar para Niños donde se les proveyó sus necesidades afectivas, materiales, así como de supervisión y controles.

El tercer caso que presentamos evidencia insensibilidad por parte del juez y de la procuradora de menores al disponer el ingreso de un menor a una institución a pesar de que la información que se le brindó evidenciaba que el joven de 16 años era buen estudiante, trabajaba y no presentaba una conducta disfuncional que ameritara la revocación de la libertad condicional. Había sido imputado por falta de alteración a la paz contra un cuñado, con el que el menor tenía conflictos por no aceptar la relación de su hermana de 17 años con este hombre mayor de 40 años. En vista de revisión el padre, alegó que el menor llegaba tarde al hogar y que no le respetaba. La información que tenía la Técnica de Familia que supervisaba el caso señalaba como el motivo de conflicto el hecho de que el padre promovía la relación de su hija menor con el adulto, lo cual el menor resentía. Intervinimos llamando al juez para explicar que este ingreso afectaría al menor ya que lo exponía a enfrentarse a situaciones de riesgo al relacionarse con otros jóvenes de conducta delictiva, así como afectarse en sus estudios y perder el año escolar. Este juez nos señaló que respondía a las recomendaciones de la Procuradora y que no iba a variar su decisión. Dado la actitud del juez y considerando el impacto de esta medida en la conducta futura del menor se procedió a llamar a la Administración de Instituciones Juveniles para la discusión del caso. Como resultado, la Unidad de Evaluación dio instrucciones para que en la Institución (Escuela Industrial de Mayagüez) se tomaran las medidas pertinentes para asegurar la protección del menor y se le evaluara a la brevedad posible para ser ingresado en un Hogar Intermedio de manera que pudiera continuar asistiendo a la escuela.

En todos estos casos vemos como la participación pro activa del trabajador social puede hacer la diferencia tanto en las recomendaciones y asesoramiento que se brinda al juez para una toma de decisión fundamentada en evidencia, así como en la coordinación con otras agencias para lograr que se imparta una justicia enfocada en resultados terapéuticos.

3.2 La Aplicabilidad del Modelo Jurídico Terapéutico en la Fase de Evaluación Social y Supervisión de Libertad Condicional

La Ley Núm. 88 reconoce la importancia de contar con el asesoramiento de los/las trabajadores(as) sociales en el escenario legal para una mejor disposición del caso.

Los artículos 13 y 14 establecen las funciones de los/las Especialistas en Relaciones de Familia y Técnicos de Relaciones de Familia (trabajadores(as) sociales) en dos fases del proceso: Evaluación y Supervisión de Libertad condicional.

3.2.1 Evaluación Social:

Evaluación Inicial: En el Artículo 23 relacionado a la Vista Dispositiva, se establece: **"El Juez deberá tener ante sí un informe social antes de disponer del caso de un menor encontrado incurso".** Dentro de las funciones o responsabilidad del/la trabajador(a) social en la fase de evaluación se señala, entre otras: llevar a cabo el debido estudio y análisis social del menor y preparar los informes requeridos por el Juez, así como recomendar el plan inicial de tratamiento y servicios a ser ofrecidos, de éste(a) permanecer bajo la jurisdicción del Tribunal.

El modelo ecosistémico para explorar y entender la personalidad del individuo en su interacción con el ambiente externo e interno (emocional, cognitivo, conductual) es parte de la metodología utilizada en el proceso de evaluación. Para la recopilación y análisis de los datos biopsicosociales se utiliza como instrumentos de entrevista el genograma y el ecomapa. Ambos instrumentos proveen la oportunidad de participar activamente en el análisis de las situaciones que han impactado su vida por lo que utilizado efectivamente puede tener un efecto terapéutico para la persona. Igualmente le provee voz para colaborar activamente en la construcción del diseño de la estructura familiar y conocer lo que se está redactando sobre él/ella y su historia familiar. En este proceso evaluativo el/la trabajador(a) social deberá mantener la objetividad y neutralidad para no pre-juzgar al/la menor por la alegada falta cometida. Corresponde sólo al juez(a) adjudicar la falta luego de pasar la prueba del caso. En su función de asesor y perito del tribunal el/la trabajador(a) social debe mantener una actitud de imparcialidad al examinar los hechos en forma objetiva. Para ello debe utilizar las teorías o conocimiento científico, la jurisprudencia y procedimientos establecidos para sustentar sus recomendaciones. Es responsabilidad del/la trabajador(a) social aplicar sus conocimientos especializado en el área de conducta al evaluar a los menores intervenidos. Debe conocer las teorías sobre delincuencia y conducta agresiva, etapas de desarrollo del niño y adolescente, así como estar familiarizado(a) con los criterios de desórdenes mentales de mayor prevalencia en esta población e identificar si están presentes criterios de retardación mental o problemas específicos de aprendizaje. Con esta población es esencial evaluar los factores de riesgo presentes, potencial de daño y conducta agresiva; así como los factores de protección y fortalezas del/la menor. Para identificar los factores de riesgo y su intensidad los/las trabajadores(as) sociales de las Salas de Menores y Familia cuentan con el instrumento "Planilla de Evaluación de Factores de Riesgos Presentes en los Menores Intervenidos en los Tribunales de Puerto Rico." Esta planilla sirve para recoger datos y evaluar de manera objetiva e individualizada los factores de riesgos presentes en cada menor adjudicado de falta referido al Tribunal y sugiere posible recomendación a considerar en el caso.

Recomendamos que en el proceso de recopilar los datos

el/la trabajador(a) debe incorporar técnica de la entrevista motivacional que faciliten la interacción con el/la participante en forma reflexiva. Es necesario estar alerta para entender lo que se dice, cómo se dice y el mensaje verbal y no verbal que puede estar implícito, de manera que pueda explorarse y profundizar en los asuntos relacionados a la conducta, actitudes, motivaciones, estado emocional y relaciones interpersonales. Para ello, es necesario usar estrategias de entrevista como el escuchar reflexivamente haciendo uso del parafraseo, la repetición y el resumen. Para ser efectivo en este proceso de entrevista el/la trabajador(a) social debe crear una atmósfera de respeto y aceptación por el/la cliente, ser empático y no juzgar, de manera que se logre una interacción efectiva que resulte en un proceso terapéutico para el/la menor, desde el inicio de la intervención en el Tribunal.

La ley 88 establece que la vista adjudicativa y dispositiva se celebrará el mismo día, lo que para efectos procesales resulta en agilizar los procedimientos, sin embargo esto tiene un efecto en pérdida de recursos económicos y humanos, al invertir tiempo en la evaluación de casos que resultan no incursos. Además, dificulta el que se puedan incorporar otras estrategias que sugiere el modelo Jurídico Terapéutico.

Bajo las disposiciones actuales de la ley, luego de la determinación de causa el/la menor es referido al trabajador(a) social para iniciar la evaluación social. Como parte de las recomendaciones se elabora el Plan de Intervención que servirá de guía al/la trabajador(a) social en la supervisión del/la menor que resulte incurso y se haya dispuesto la medida condicional en su caso. Este plan de intervención es uno provisional y debe ser revisado y actualizado por el trabajador social en la fase de supervisión del menor en libertad condicional.

Se requerirían cambios en los procedimientos de la ley para que la vista adjudicativa se celebrara en fecha distinta a la disposición del caso y una vez adjudicada la(s) falta(s) se refiriera al/la menor a la evaluación social. De esta manera el trabajador (a) social podría llevar a cabo la discusión de las condiciones de libertad condicional con el/la menor para establecer un plan individualizado que le ayude a identificar y evaluar sus fortalezas, las situaciones que le afectan y le llevaron a cometer la(s) falta(s). Además visualizar posibles factores que le impedirían cumplir con las condiciones y formular un plan para enfrentar estas situaciones adversas, como lo sugieren las mejores prácticas en la aplicación del modelo Jurídico Terapéutico. Todo esto, previo a la vista dispositiva, donde se establece la medida condicional. Este acuerdo elaborado junto al menor se convertiría en un contrato de cumplimiento para ser presentado al juez(a) en la vista dispositiva, lo que representaría el compromiso con el proceso de rehabilitación. Además le da voz al/la menor al ofrecerle la oportunidad de participar activamente en la elaboración del plan de intervención y de las condiciones de su libertad condicional, así como su auto determinación al tomar decisiones en el desarrollo del plan.

3.2.2 Supervisión de Menores en Libertad Condicional:

La función primaria de los/las trabajadores(as) sociales tanto en la fase de evaluación social inicial como de supervisión, es brindar asesoramiento al juez en la toma de decisión respecto a un(a) menor que se encuentra bajo la atención del Tribunal por haber cometido una falta o violación a la ley. Ha sido objeto de controversia el planteamiento de que los/las trabajador(a) social en la fase de supervisión ejercen un rol de tratamiento, lo que está en contraposición con su deber de asesorar al juez y de mantener informado al Procurador del incumplimiento de las condiciones de prueba. Lo cierto es que las funciones que la ley adjudica a los/las trabajador(as) sociales en esta etapa del proceso son cónsonas a la función de asesorar al Tribunal en la toma de decisión. La Ley 88 establece que el/la trabajador (a) social designado(a) para intervenir en la supervisión directa del/la menor ejercerá las siguientes funciones:

1. Explicará al menor las condiciones impuestas para permanecer en libertad condicional y le supervisará durante ésta.
2. Velará que se cumplan las condiciones impuestas al/la menor.
3. Coordinará el tratamiento y los servicios a ser ofrecidos al/la menor a tenor con las recomendaciones del Especialista en Relaciones de Familia (Trabajador(a) Social) y conjuntamente con la persona que lo supervise.
4. Rendirá los informes periódicos sobre ajuste del/la

menor o aquellos requeridos por el Tribunal y llevará record de los servicios y tratamientos del/la menor.

5. Recomendará al Procurador la solicitud de revocación de libertad condicional cuando el/la menor no cumpla con las condiciones, en consulta con el/la Especialista en Relaciones de Familia que lo supervisa.

En el Artículo 30 de la ley se establece que se rendirán informes periódicos sobre el progreso del/la menor que se encuentra en libertad condicional o bajo custodia en alguna institución. Este informe deberá incluir los servicios ofrecidos al/la menor, cómo éste/ésta ha respondido a la supervisión y recomendaciones sobre servicios o necesidades identificadas en el/la menor para su rehabilitación.

Aun cuando el trabajador(a) social no ofrece tratamiento directo al/la menor, su intervención debe darse de manera terapéutica que facilite el cambio en la conducta. La aplicación de estrategias del modelo jurídico terapéutico y de las ciencias del comportamiento, en la fase de supervisión, es fundamental para lograr una intervención que propicie cambios en el/la menor. Muchos de estos/estas menores provienen de hogares disfuncionales, han enfrentado situaciones adversas o traumáticas en su niñez, padecen de algún trastorno de salud mental diagnosticable, y cerca de un 14 por ciento también presentan uso de sustancias (Canino, 2000, National Center for Children in Poberty "Salud mental infantil: Información para legisladores, 2006, en López Beltrán, A. 2009). Para poder ayudar a estos jóvenes a afrontar y superar los problemas y adversidades es necesario aplicar el conocimiento de las ciencias sociales, las teorías y los hallazgos de estudios de la conducta, entre éstos los trabajos de Bandura (1982), sobre el impacto de nuestros pensamientos y creencias en nuestra conducta y actuaciones; Seligman (1981), los estilos de pensamiento relacionados a la explicación que hace la persona de la adversidad (pesimista que lleva a la indefensión y a la desesperanza , y optimismo que permite mantener la esperanza y continuar esforzándose y persistir frente a la adversidad) Garrido, De Pedro, 2005, López Beltrán, 2004; Bolwby (1992), la teoría de apego que provee una base para evaluar como las experiencias en la niñez con los padres o cuidadores tiene efectos a largo plazo en la personalidad del individuo, en su competencia social y la capacidad de enfrentarse y sostener relaciones íntimas; Resiliencia, concepto relacionado a la habilidad o capacidad de sobreponerse a tragedias o periodos de dolor. Más específicamente ha sido definido como la capacidad que tiene el/la niño/a, adultos o familias, para actuar correctamente y tener éxito pese a las circunstancias adversas que le rodean, para recuperarse después de vivir eventos estresantes y reasumir con éxito su actividad habitual (Hernández, 1998, citado por Puerta de Klinkert, M., 2002, p.14).

Propiciar el desarrollo de la resiliencia en los jóvenes ofensores para sobreponerse a situaciones difíciles, debe ser la meta en el plan de intervención a desarrollarse para atender las necesidades particulares de éstos. La intervención bajo este modelo se centra en identificar y fortalecer los factores protectores, más que en los factores de riesgo. Se reconoce la capacidad en los niños y adolescentes de ayudarse a sí mismos, basándose en las fortalezas y oportunidades que ofrecen ellos mismos de su realidad. Esta intervención provee al /la menor una participación activa en el proceso de supervisión, le da voz y fortalece su motivación hacia el cambio.

El/La trabajador(a) social que supervisa al/la menor debe hacer uso de estas estrategias para ayudar al /la menor a analizar su conducta, los eventos que le llevan a reincidir y establecer un plan para aumentar su auto control y reducir su impulsividad. Esta intervención basada en el modelo cognitivo conductual va dirigida a ayudar al/ la menor a observar sus propios pensamientos, a reconocer las consecuencias de este pensamiento y aplicar destrezas específicas para controlar esos pensamientos. En esta etapa el/la trabajador(a) social en conjunto con el/ la menor revisará y actualizará el plan de intervención y el plan de cumplimiento de las condiciones de su libertad condicional. De ser éste/ésta usuario o tener dependencia a sustancias, en coordinación con el/la profesional que le brinda tratamiento para su condición, ayudará al menor a desarrollar un plan de prevención de recaída, en las que éste(a) analice las situaciones que enfrenta de alto riesgos y desarrolle estrategias para evitarlas o sobreponerse a éstas. Este plan debe ser presentado al juez(a) como parte del compromiso del/la menor con el cumplimiento de sus condiciones de libertad condicional.

De acuerdo al Dr. Wexler, (2008), "TJ se inspira en los principios de equidad procesal al recomendar que se le brinde al/la delincuente voz para expresarse sobre cuán apropiadas son las condiciones propuestas, que el juez le explique claramente cuáles son las condiciones para su liberación, que conceptualizar la probatoria no como un mandato o fiat judicial unilateral, sino como un tipo de contrato de conducta bilateral". Se señala que esta intervención aumenta el cumplimiento con las órdenes del Tribunal y disminuye el nivel de recaídas.

Se recomienda, además, que como parte de su proceso de rehabilitación se propicie que el/la menor reconozca que su conducta ha afectado a otros y exprese mediante comunicación escrita su arrepentimiento por el daño que pueda haber ocasionado a su víctimas, familiares o comunidad. Para reconocer los logros del/la participante y reforzar los cambio positivos en su conducta se sugiere coordinar con el equipo interdisciplinario una actividad de reconocimiento de logros, ya sea individual o colectiva. Estas ceremonias han demostrado ser efectivas para la motivación y el mantenimiento del cambio de la conducta.

Para lograr mayor éxito en la interacción con el/la menor sugerimos el uso de las técnicas de la entrevista motivacional. Este método de entrevista centrado en al/la participante tiene como objetivo ayudarle a explorar y resolver la ambivalencia sobre el cambio en el comportamiento. Se requiere adiestrar a los/las trabajadores(as) sociales en el uso de esta técnica para que se logre motivar el cambio en la conducta de los/las menores intervenidos y mayor receptividad a los servicios y tratamiento a los cuales es referido.

Concluimos que el principio de equidad debe estar presente en todas las intervenciones que haga el/la trabajador(a) social. Recordando que equidad no significa trato igual, sino, trato diferenciado, dando a cada cual según su necesidad. Lo que implica una diferenciación de cada caso, usando conocimientos especializados para profundizar en los factores biopsicosociales que han llevado al menor o a la familia a presentar desajustes o problemas. En este proceso de intervención y ayuda, es necesario que el trabajador social establezca desde el inicio una relación empática y de respeto hacia el cliente evitando pre juzgar, de manera que transmita confianza al participante que promueva en éste la motivación para el cambio en su conducta.

CAPITULO 4

La Objetividad en el Proceso Analítico

> "Un(a) Trabajador(a) Social efectivo(a) se proyecta objetivo(a), libre de prejuicios y empático(a) con todas las personas con que interviene. En resumen, un trato sensible que responda a los postulados éticos de la profesión de equidad y justicia social" (López Bertrán, 2009).

El Diccionario de Trabajo Social (1999) define la objetividad como, "La habilidad para evaluar una situación, un fenómeno social o una persona sin prejuicio o distorsión subjetiva".

En su libro "Understanding Other People: The Five Secrets to Human Behavior" (2010), B. Fleaxington, nos señala que es difícil mirar alguna situación con objetividad, porque cualquier cosa que vemos, lo vemos con el lente de lo que llamamos "yo", por lo que sin intención, coloreamos todos los eventos con que nos enfrentamos con las propias expectativas, creencias, preocupaciones y necesidades (p. 5). Es de esta forma que filtramos la manera de ver la realidad a través de nuestras experiencias pasadas, la manera como vemos el mundo, nuestro concepto de lo que es bueno y malo, nuestras preferencias de comportarnos, y nuestros valores. Este filtro está en frente de todas nuestras interacciones, todo el tiempo, por lo que afecta nuestro modo de ver la realidad y la comunicación con otros. De modo, que nos acercamos a otras personas creyendo que ésta ve el mundo de igual manera que nosotros y con la expectativa de cómo debe reaccionar, por lo que interpretamos su conducta en relación a nosotros mismos. Es por ello que el profesional de la conducta humana tiene que ser consciente de sus condicionamientos y modo de ver la realidad para acercarse al otro con la mayor objetividad posible, de manera que se logre la relación de empatía esencial para que se dé con éxito el proceso de ayuda o intervención.

Para Ezequiel Ander- Egg, reconocido sociólogo e investigador que ha contribuido a la profesión de trabajo social con sus trabajos e investigaciones, la capacidad de objetivar es condición esencial del método científico. Esta objetividad científica implica: "estudiar y analizar los hechos sin aferrarse a opiniones, preferencias, deseos o ideas preconcebidas; dispuesto, además, a abandonar cualquier posición que se compruebe como inadecuada o no satisfactoria" (2001 p. 41).

Expone Ander Egg, "el conocimiento científico es objetivo, en cuanto reproduce y representa, tras un proceso de abstracción, algo real, aunque lo representado sea, en última instancia, una construcción". En resumen, para éste un conocimiento es objetivo cuando no es una simple proyección o expresión del sujeto, aunque lleve su sello personal; este conocimiento tiene un referente empírico, o sea, una metodología científica. Este método científico nos lleva a establecer un proceso sistemático para la observación, recopilación de datos y la organización de los resultados, de manera que los hallazgos tengan validez y confiabilidad.

Como seres pensantes tenemos la capacidad de percibir nuestro entorno, transformar la información y darle sentido. La percepción es el proceso por el cual los seres humanos interpretamos y damos significado a la información sensorial recopilada por los sentidos. Esta función superior de pensamiento nos provee la capacidad de razonar, organizar, clasificar y darle sentido a la información. La percepción de la realidad puede afectarse por los siguientes factores personales: estado emocional, salud física, intereses y motivaciones personales, experiencias previas y rasgos de la personalidad, así como factores ambientales: temperatura, iluminación y la contaminación ambiental (Vázquez y Vázquez, 2010). Podemos concluir que no existe una realidad única ya que la manera de abordar la realidad y su interpretación está condicionada por la estructura mental del observador, producto de su proceso de socialización, experiencias, valores, el modo de pensar y actuar, permeados por la cultura, los conocimientos y el marco conceptual desde el cual se aborda e interpreta la realidad.

Los/Las trabajadores(as) sociales como especialistas en conducta humana, al interpretar la realidad, deben ser conscientes de que no son receptores pasivos en el proceso evaluativo, ya que el observador influye en alguna medida en la observación de los datos que recoge, al imprimir su "ecuación personal", como le llama Ander- Egg. Es por ello que debemos estar alerta para no distorsionar la realidad con nuestras preferencias y deseos.

Reconociendo que la objetividad absoluta no existe ya que como seres humanos no podemos abstraernos completamente de nuestro condicionamiento social, ideas y prejuicios fácilmente. No obstante, si podemos ejercitar nuestra capacidad de discernir para que al intervenir en una situación analicemos nuestro sentir de manera consciente y crítica evitando de esta manera contaminar nuestra intervención con nuestros prejuicios, valores e ideas. ¿Cómo lograr este proceso de internalización para conocernos a nosotros mismos? ¿Cómo lograr conocer nuestros prejuicios e ideas de contenido cultural, social, religiosos y políticos? ¿Cómo evitar que estas ideas (constructos sociales) afecten mi proceso de análisis e intervención?

Para el profesional de la conducta humana y más específicamente para los trabajadores sociales forenses es esencial estar alerta a los propios filtros, (los que yo describo durante los cursos que he impartido como las gafas especiales con las que observamos los eventos que nos rodea), para en la medida que sea factible hacer un acercamiento a la persona (s) evaluada con la mayor objetividad posible, haciendo uso del conocimiento especializado y una metodología científica.

Como profesora universitaria he tratado de hacer conscientes a los estudiantes de la importancia de hacer este proceso analítico para que conociéndose a sí mismos, puedan alcanzar mayor objetividad en sus intervenciones. A través de ejercicios de auto reflexión logramos llevar al estudiante a evaluar el contenido de sus ideas y creencias; sus experiencias y cómo éstas influyen en su manera de interpretar su realidad, evitando así, caer en la distorsión subjetiva.

Exponemos a continuación el ejercicio de auto reflexión

que utilizamos para ayudar al estudiante a evaluar sus motivaciones e ideas relacionadas a la selección de la profesión.

Auto reflexión:

1. ¿Por qué escogí la profesión de trabajo social?

2. ¿Qué fortalezas tengo que puedan ayudarme a ser exitosa(o) en esta profesión?

3. ¿Qué situación o situaciones me sería difícil trabajar por mis valores y creencias?

4. ¿Cómo me visualizo en esta profesión en los próximos diez años?

Generalmente los estudiantes señalan haber escogido la profesión de trabajo social porque quieren ayudar a otras personas. Coincidimos en que esta es una actitud y disposición esencial que deben tener los profesionales de ayuda para lograr la empatía y establecer la relación de confianza y respeto hacia la persona objeto de la intervención. Sin embargo en su mayoría, las experiencias o situaciones relacionadas a este concepto de ayuda relatadas por los estudiantes están más dirigidas por el sentido religioso de caridad y altruismo, que el de una actitud científica, basada en los conocimientos adquiridos durante sus estudios especializados en la conducta humana. Por otro lado, en su mayoría, no reconocen tener prejuicio que le afecten en su intervención. No es hasta que analizamos varios ejemplos de los conceptos e ideas o construcciones sociales que cargamos por las experiencias, creencias religiosas y la cultura en que vivimos, que estos comienzan a identificar sus propias ideas sobre: aborto, homosexualidad, los roles en la paternidad y maternidad, la preferencia por la custodia a la madre vs. custodia a padre o compartida, la identificación o rechazo a la figura de madre o padre (de acuerdo a experiencias personales), como conceptualiza al drogodependiente (enfermo o delincuente que debe ser sancionado), cuál es su sentir hacia el agresor(a) sexual o violador, al delincuente, al/la imputado(a) de violencia doméstica, entre otros.

Una vez pasado por este proceso de reflexión los/las estudiantes reconocen sus prejuicios y cómo sus ideologías políticas, religiosas y visión de mundo ha sido influenciada por las experiencias vividas durante su desarrollo. Puntualizamos que para que logren desarrollar las destrezas necesarias para desempeñarse con efectividad en la profesión deben estar alerta a sus propios condicionamientos, de manera que pueda tener una mejor comprensión de la situación estudiada con el mayor grado de objetividad posible y precisión.

Los/Las trabajadores(as) sociales debemos ser conscientes de mantener una actitud científica para lograr una aproximación a la realidad de la manera más objetiva posible, haciendo uso de un conocimiento especializado. Esta actitud científica, implica una continua actitud de investigar, cuestionar, interrogar, revisar, reformular hasta el propio pensamiento, de acuerdo a Ezequiel Ander-Egg (p. 63). Éste nos sugiere, que como exigencia propia del trabajo científico debemos revisar permanente y cautamente nuestros propios pensamientos. Esta capacidad de cuestionar nuestro modo de pensar, de autocriticarnos nos ayudará a desarrollar y mantener esta actitud científica.

Es esencial hacer este ejercicio de introspección cuando iniciamos la intervención en cualquier situación para asegurarnos de lograr una "aproximación crítica a la realidad", evitando incluir nuestros prejuicios y que nuestra realidad subjetiva contamine los resultados de la evaluación. Es por ello que debemos preguntarnos ¿Cómo me siento ante esta situación?, ¿Qué significa esto para mí? Debe estar alerta de sus sentimientos hacia cada una de las personas que tiene ante sí. Identificarse con una de las partes, inconscientemente, puede llevarlo a pre juzgar sin haber completado la evaluación. Debe mantenerse alerta y preguntarse: ¿Estoy juzgando la conducta antes de tener información de hechos que puedan ser corroborados? ¿Doy por veraz la información que está diciendo una de las partes, antes de ser corroborada? Para lograr una intervención con la mayor objetividad posible, es esencial utilizar la metodología científica, de manera que al poner a prueba las hipótesis o presunciones sobre las posibles causas de la situación evaluada, logremos evaluar hechos que nos acerquen lo más posible a la realidad.

La metodología científica incluye los siguientes pasos:

- Definición del problema: ¿Cuál es la situación que tengo ante mí? Requiere explorar los antecedentes del caso mediante la revisión de documentación existente y entrevistas iniciales con las partes.

- Revisión de literatura y marcos teóricos de acuerdo

a la problemática o elementos relevantes presentes en la situación a evaluar.

• Formulación de hipótesis: Desarrollar las posibles causas del problema o situación, que ayuden a dirigir la investigación.

• Diseño de la metodología (protocolo de evaluación)

¿Qué voy a hacer?

¿Cómo lo voy a hacer?

¿Dónde lo voy a hacer?

¿Con qué lo voy a hacer?

• Recopilación y análisis de datos: Implica el abordaje analítico, haciendo acopio del conocimiento especializado de la conducta entrelazando los elementos teóricos relacionados a la situación evaluada. No es citar una teoría, es lograr individualizar la situación relacionando los elementos esenciales con la teoría que explica el comportamiento.

• Conclusiones y recomendaciones: La redacción del informe social forense debe sostener los hallazgos y recomendaciones, basado en hechos corroborados y no en la simple recolección de información de colaterales y alegaciones de las partes.

Debemos ser conscientes de que seguir los pasos de la metodología científica por sí solo no garantiza que logremos aproximarnos a la realidad de manera objetiva si no hemos hecho un proceso de introspección para evitar que nuestras preferencias e ideas contaminen los resultados.

Para lograr el mayor grado de objetividad en cualquier tipo de investigación, según Ander-Egg, se requiere la predisposición y la cualidad de hacer siempre una aproximación crítica a la realidad (Ibid, p.49). Mantener una actitud científica nos ayudará en este proceso reflexivo y de pensamiento crítico.

La actitud científica supone la capacidad de pensar y razonar. Esto es: capacidad para identificar el problema y conceptualizar el caso de manera que en el proceso, podamos dirigir la investigación hacia los asuntos fundamentales que nos lleven a una aproximación de la realidad estudiada. De acuerdo a Ezequiel Ander-Egg, la actitud científica supone tener la capacidad de ordenar, relacionar, enumerar, describir, comparar, distinguir, clasificar, definir, así como, buscar contradicciones y oposiciones, situar los hechos, fenómenos y procesos en contextos más amplios de tiempo y espacio (p.80). Estos aspectos serán discutidos más ampliamente en los próximos capítulos.

CAPITULO 5

Congruencia en lo que decimos, pensamos, sentimos y actuamos

> "Uno de los grandes problemas de la humanidad surge cuando no somos lo que decimos ser, cuando no vivimos según lo que significa nuestro nombre" Confucio.

Pese a los avances que ha tenido la profesión en las pasadas décadas, con el acervo del conocimiento científico en el área de la conducta humana que facilita y sirve de instrumento esencial en la ejecución de nuestras tareas, no es raro oír críticas a nuestra profesión dirigidas a desvalorizarla frente a otras profesiones de la conducta. Se duda de la objetividad del trabajador social al momento de ejercer su práctica y de su conocimiento especializado en el área de la conducta humana. Lamentablemente esta visión errónea de lo que es un buen trabajador social está relacionada a malas experiencias de los participantes con algunos colegas que continúan practicando un trabajo social subjetivo y asistencialista, (guiado por un sentido de caridad y altruismo, de manera tradicional), más que de justicia social y sin una metodología científica.

Para poder ayudar a otros, analizar y entender su comportamiento, primero es esencial entendernos a nosotros mismos. Mediante un proceso de introspección o autocrítica podremos ponernos en contacto con nuestras ideas, creencias y experiencias significativas que hayan tenido impacto en nuestra personalidad. Es de esta manera, analizando nuestro comportamiento ante diversas situaciones, que podremos llegar a conocer por qué actuamos de la manera que lo hacemos. Ser conscientes de nuestro yo interior nos ayudará a actuar congruentemente con lo que pensamos, sentimos y decimos. Esta congruencia es esencial en los individuos que han escogido la profesión de trabajo social ya que al intervenir en la vida de otras personas debemos hacerlo con sensibilidad, respeto y siempre con sentido ético.

De acuerdo al Diccionario de la Real Academia Española (2001, Ed. 22), ser congruente es definido como conveniencia, coherencia, relación lógica y la incongruencia como la falta de congruencia, dicho o hecho falto de sentido o de lógica.

Enrique Laguerre, uno de nuestros más reconocidos escritores, nos presenta un ejemplo de lo que es actuar incongruentemente con nuestra profesión. En su novela "Por boca de caracoles" (1990), hace una caracterización de una trabajadora social en la que presenta una crítica hacía lo que implica la conducta ética y moral de ésta y la incongruencia entre su modo de pensar y actuar, con su profesión.

A continuación exponemos un breve análisis de las situaciones que rodearon la vida de este personaje que permearon su personalidad y las características que le adjudica el autor a esta trabajadora social, Alejandra M Vargas, en contra posición con su media hermana, Soraya Mendía. En forma magistral el autor expone las experiencias de vida y circunstancias que influyeron en el desarrollo de la personalidad de ambos personajes. A pesar de que

Alejandra es criada en un hogar bajo la protección y amor de una madre abnegada y sacrificada, evidencia grandes conflictos de personalidad que le llevan a actuar en forma incongruente con su pensar y sentir. Marcan su vida experiencias relacionadas con su origen y su resentimiento y rechazo hacia un padre al que nunca conoció. Éste, "un señorito de la capital", se burló de su madre al casarse en una ceremonia ficticia para abandonarla tras la luna de miel, dejándola embarazada. La madre, "Mama Quela", permanece soltera, dedicando toda su vida a su hija. Como costurera gana gran reconocimiento en su comunidad, lo que facilita que promueva e impulse la participación de su hija en los eventos sociales y actividades de un nivel socio económico al que no pertenecían. El rechazo de esta joven hacia la figura del padre, al que señala aborrecer y describe como un bribón que engañó a su madre, y el rechazo a lo que significaba la vida aldeana y de pobreza de su madre, le hace alejarse de ésta. Evita visitar a su madre y aunque por momentos siente remordimientos por su conducta, no hace nada para corregir su actitud.

Estas experiencias impactan su modo de pensar, sentir y actuar, desarrollando una personalidad con valores contradictorios. Por un lado se proyecta frívola, quien gusta de frecuentar hoteles y salas de bailes, inconforme con su nivel socio económico y procedencia, y con aspiraciones a casarse con un hombre rico que le provea acceso a una vida de confort y riquezas; por otro lado se le describe como sensible a las necesidades de los pobres, desvalidos y los animales indefensos. En su reflexión sobre su niñez y adolescencia, esta reconoce haberse sentido fuera de lugar y rechazada en las actividades sociales a las que asistía, pero que sus ambiciones eran más poderosas que las realidades, por lo que soñaba con una vida de riquezas (p. 54-55). Su decisión de estudiar es motivada por su deseo de escapar de su pueblo natal al que describe como: aburrido ambiente aldeano, de gente chismosa y con la ambición de abrirse camino a un "fabuloso mundo exterior" y de riquezas. Sobre su decisión de estudiar trabajo social, reflexiona:

> "Creo que es extraño, muy extraño que escogiera la profesión de trabajo social. ¿Me guió alguna voz interior? Porque todos deben saber- y les consta a muchas personas – que ejerzo con profunda dedicación mis funciones comunales. Realizo genuinos y persistentes esfuerzos en beneficio de las personas- particularmente niños y madres pobres- de los caseríos y arrabales. No importa donde tengo que meterme y donde acudir, para realizar con amor mis funciones. Parezco otra persona y quien pensaría que la Alejandra M. Vargas, de las frivolidades y disipaciones fuese la señorita o la "Alexia" adorada y objeto de confianza de los necesitados" (p. 48).

Resaltando la incongruencia del comportamiento con la profesión de trabajo social el autor, por medio de otro de los protagonistas hace una crítica al señalar:

> "Un detalle se emocionaba al encontrarse con niños pobres harapientos, tendía a ser caritativa, de la manera tradicional religiosa, sin el menor vestigio de justicia social; amaba a los animales). Además de eso si había hablado mucho – hizo frecuentes referencias a sus salas de baile, hoteles de turistas y casinos" (p. 192).

Otras características que se atribuyen a este personaje están relacionadas a sus creencias y prácticas religiosas, ligada a la superstición y ritos primitivos. Lo que resulta contradictorio con su actitud frívola y aspiraciones a una vida cómoda y de lujos, así como la mentalidad objetiva y científica que se espera de una profesional en trabajo social.

> "Alejandra gustaba de la vida cómoda y aun frívola. Las discotecas, los hoteles de lujo y quizás se casaría con un hombre rico. En contraste con esas aspiraciones, había hecho su adhesión a una religión primitiva. ¿Cómo podría explicarse tan paradójica conducta? (p.224)...de Alejandra se puede esperar lo inesperado. Nunca se sabía cuándo creía en una causa cualquiera aunque se desgañitara defendiéndola" (p. 229). Sobre sus ideas de mujer liberacionista se cuestiona su interés en casarse con un hombre rico, al que no ama sólo por alcanzar una vida cómoda y de lujos (p. 226).

> "Aquella noche apenas pudo dormir Alejandra porque parecía a punto de cumplirse los pronósticos de Ambrosio, luego de tirar los caracoles: "Serás rica, dueña de una fortuna". ... Encandilada con la idea de una próxima riqueza, salió de la cama para encender velas y puso el disco de los tambores... Poseída del sortilegio de unas creencias que había hecho suyas, descalza ensayó los pasos de una danza que había aprendido de su padrino Boshy" (p. 210).

La integridad de carácter de esta joven e ideas sobre los seres humanos contrastan con la actitud que debe tener una profesional de trabajadora social. Estas se reflejan en las observaciones que hace uno de los personajes y en las reflexiones que hace la propia Alejandra sobre sus motivaciones para justificar sus prácticas religiosas:

> Teo: "Tenga Soraya cuidado de las zalamerías de una mujer que a lo mejor no hace lo que dice, que se ha habituado a sacar conejos del sombrero. Por ahí viene Alejandra sofisticando lo primitivo, glorificándolo de exotismo, sólo para impresionar" (p.223).

> Alejandra: "Cuando fracasó mi matrimonio di con esta religión primitiva aun desnuda de artificios... Quizás ella me ayudaría a alejarme del camino de la ostentación. Debo decir que comencé burlándome de ella, pero tiene contacto directo con la naturaleza. Te confieso que aún no he logrado matar la soberbia. Me encuentro en uno de los momentos más críticos de mi vida, porque a veces **pienso que hay más alimañas entre los seres humanos que entre los animales**" (p.222).

En contraste el autor nos presenta a otro personaje, Soraya Mendía, media hermana de Alejandra, quien a pesar de haberse criado sin el amor de su madre y padre biológicos, evidencia una personalidad equilibrada, con valores y creencias congruentes con su forma de pensar y actuar. Se desarrolla en un hogar con valores, rodeada del amor de sus abuelos y una tía que la cría como a una hija propia. A ésta se le proyecta como una persona con capacidad para la auto reflexión y analizar sin juzgar la conducta de los demás, capacidad para perdonar; caritativa, amable, confiada, leal, sin prejuicios, lógica, centrada en la realidad, sin dejarse impresionar por la riquezas. Algunas de estas características se recogen en los siguientes párrafos:

> Cuando va a socorrer a la madre que le abandonó al nacer: "Olvídese del pasado y piense en la vida que tiene por delante. Mami me enseñó a respetar a los seres humanos y las formas de vida que han escogido sobrellevar... Yo no soy quién... para juzgar los actos de los demás, ¿me entiende? Deseo estar cerca de usted para ofrecerle mi cariño..." (p. 116).

> "Siempre he tratado de sobreponerme a las supersticiones y he sido reacia a aceptar cualquier juicio sin análisis. Si escuchaba algún ruido o lamento, o de súbito se caía algo, en todo momento apelé a considerar una causa lógica. Nada de imaginar fantasmas o duendes" (p. 129).

Reflexionando sobre su experiencia en la casa del tío, donde residió durante sus estudios en EEUU, expresa:

> "No vaya nadie a creer que no alcance a comprender en parte serena y objetivamente, la probable situación. Chocaba yo con una manera de pensar en conflicto con la mía, sin que me imagine yo que me asiste toda la razón. Vamos a decir, cuando la "sobrina" llegó a la casa del "Tío", ya era mujer adulta y no una chiquilla huérfana- el sentimiento de orfandad es uno de nuestros peores complejos colectivos-, que no debería depender de parientes. Fui, en rigor, intrusa en hogar ajeno, porque venía a interrumpir un modo de vida diferente;... No es justo que lo juzgue con maniática severidad; eso desdiría de mi y comprometería mi auto aprecio....No pretendería que fuera él quien se acomodara a mi modo de pensar. El sentirme hambrienta de afecto familiar no debía conducirme a exigencias insensatas" (p. 157-158).

La diferencia marcada entre la personalidad de ambas mujeres es producto de las experiencias vividas durante su infancia. Las relaciones que se establecen con nuestros padres, familia, amistades y personas significativas tienen un impacto en la personalidad. Dicho de otro modo, "el tipo de persona en que nos convertimos no es solo producto de nuestra naturaleza biológica, sino también de las interrelaciones que mantenemos con quienes nos rodean a lo largo de formación de nuestro desarrollo psicológico" (López Beltrán, 2009:110).

Las teorías de personalidad afirman que durante las etapas tempranas del desarrollo, las experiencias de vínculos afectivos con la persona primaría de cuido, serán decisivas en la formación de modelos mentales internos que influenciaran en la manera como la persona organizará el comportamiento en todas las relaciones significativas. De esta manera surge el "yo", el cual es la representación interna de actitudes, sentimientos y expectativas, producto de las relaciones sociales tempranas (Howe, 1997; p.90).

Definen la personalidad de las protagonistas la identificación que hace cada una con una figura significativa en sus años de formación. Para Alejandra su abuela materna es su modelo a imitar; persona de carácter fuerte, vengativa. Reflexionando sobre si misma Alejandra reconoce: "Se me figura que saqué el genio de mi abuela" (p. 22).

En contraste Soraya aquilató los valores de su Titi Anita, madre de crianza; persona con fuertes valores religiosos, leal a la familia, respetuosos de las diferencias humanas, discreta, con facilidad para perdonar y no juzgar la conducta ajena. Respecto a la identificación de Soraya con su madre de crianza se señala: "Titi Anita, en realidad mi propia madre aunque no me pariera, dejó que yo decidiera y no intervino (refiriéndose a su relación con su madre biológica). Su admiración y respeto por su madre de crianza se percibe en su reflexión: "Por gestiones y respaldo de ella, pude llegar hasta la universidad. Sintiéndome ya posesora de suficiente aptitud para entender cabalmente su posición vital, a través de sus actos y sus inolvidables palabras, éstas se me figuraron preñadas de sabiduría" (p.99). Soraya también contó con la figura de su abuelo materno al que reconoce tener mucho apego (p.97).

Al leer por primera vez esta novela, hace varios años, "Por boca de caracoles" de Enrique Laguerre, me impresionó mucho la manera como el escritor hacía una crítica a la profesión de trabajo social al proyectar en el personaje de Alejandra, una conducta en completa oposición a lo que debe ser los valores de la profesión. Nuestra intención al exponer un breve resumen de la novela, es motivar la lectura y análisis de ésta, como un recurso del currículo de estudios graduados en Trabajo Social. Cada uno de los personajes de esta novela nos da la oportunidad de analizar su conducta, rasgos emocionales y cognitivos, así, como la interacción con su ambiente y como esto influyó en el desarrollo de su personalidad. Además, considero que esta lectura servirá para llevar a los estudiantes, que han decidido escoger la profesión de trabajo social, a auto reflexionar sobre sus motivaciones, así como a evaluar experiencias en sus vidas que han sido significativas; a considerar como estas experiencias han influido en su manera de pensar y actuar, así como poder identificar las características de su personalidad.

Se requieren trabajadores sociales conscientes de su yo interior, comprometidos con los valores de justicia social y el estudio continuo para realizar un trabajo libre de prejuicios, con la mayor objetividad posible que pueda ser efectivo para las personas que atienden.

CAPITULO 6

La Gente Miente: Cómo poder discernir entre los hechos y la mentira en el proceso de la evaluación forense

> "Hoy aun sabemos que las grabadoras son útiles para recordar, pero no hay que descuidar nunca la cara del entrevistado, que puede decir mucho más que su voz, y a veces todo lo contrario" Gabriel García Márquez, "Vivir para contarla."

Durante los últimos años se ha popularizado los programas de policías y detectives, así como situaciones de hechos reales en casos criminales en los que se demuestra la efectividad de las técnicas forenses en la investigación. Es sumamente interesante como utilizando la tecnología avanzada, instrumentos e investigaciones recientes, logran aclarar y resolver sus casos. Los adelantos científicos y la tecnología en el uso de las computadoras y otros instrumentos hacen posible que puedan resolver los casos en la mayoría de las veces, con mayor precisión. Generalmente surge que la persona que menos pensamos es culpable, resulta serlo. Esto, porque sabe mentir y mantener su versión de los hechos de una manera creíble y sin inmutarse. No quiero decir con esto que estas investigaciones son infalibles, también pueden equivocarse y llegar a conclusiones erróneas, pues son hechas por seres humanos cuyos prejuicios, ideas y experiencias pueden influir en el modo de enfocar el caso. En Puerto Rico hemos tenido varios casos donde la radicación del caso tomó mucho tiempo porque la investigación criminal se afectó debido a que la evidencia se alteró o manipuló al no ser debidamente protegida. En estos casos se dio absoluta credibilidad a las versiones originales que ofrecieron familiares o testigos, que posteriormente fueron identificados como personas de interés o sospechosas del crimen. Esto nos evidencia que cuando perdemos objetividad y dejamos que nuestros prejuicios afloren, la investigación del caso puede descarrilarse.

En las ciencias sociales resulta mucho más difícil que en las ciencias físicas, discernir entre la verdad y la mentira. Paul Ekman (2009), reconocido experto por sus investigaciones sobre las emociones y la comunicación no verbal, define el acto de mentir como una decisión deliberada para engañar sin que la persona objeto del engaño tenga noción de lo que se intenta hacer. Señala como las dos formas más frecuentes de mentir, la ocultación de información, o no decir toda la verdad; y la falsificación o presentar información falsa como si fuera verdad. Otras formas de mentir señaladas por este experto son: cuando se trata de descarriar o inducir a error; cuando se reconoce una emoción pero se miente sobre qué la causa; cuando se falsea la verdad, o se admite la verdad con exageración o humor de manera que el sujeto se mantiene engañado; se oculta parte de la verdad o se admite solo una parte que es verdad; y cuando se dice la verdad pero de una manera que implica lo opuesto de lo que se está diciendo (2009, p. 41,42).

Mentir para muchas personas se convierte en su modo de interactuar; mienten para protegerse o para proyectar una imagen de sí que sea aceptada. El mentiroso habitual desarrolla estrategias que le ayudan a controlar sus emociones y expresión facial, por lo que puede resultar muy difícil descubrir el engaño. De manera, que detectar una mentira, aun con el uso de instrumentos especiales (polígrafo), se convierte en un proceso de suma complejidad, como ha sido reconocido por expertos en el área. De acuerdo a los especialistas, al mentir se aumenta la presión arterial, la frecuencia cardiaca, respiratoria y se producen cambios en la actividad eléctrica de la piel asociadas a la sudoración. Estos cambios fisiológicos pueden ser controlados y suprimidos por aquellos que mienten con facilidad y han sido exitosos engañando, sin embargo no pueden controlar su actividad cerebral.

Estudios científicos realizados sobre el funcionamiento del cerebro cuando la persona miente, revelaron que el lóbulo frontal, temporal y límbico del cerebro se activa. En el proceso mental de mentir se produce actividad de los centros de la memoria, ubicados en los lóbulos temporales derecho e izquierdo y luego rápidamente se activa el lóbulo frontal donde se tiene que tomar la decisión de mentir. Esto ocurre ya que cuando la persona miente tiene que pensar más, inhibiendo a su cerebro de decir la verdad, lo que hace que el lóbulo frontal esté más activo. Empleando la tecnología de resonancia magnética (MRI), los neurocientíficos han logrado observar la actividad cerebral cuando la persona está mintiendo. Se ha confirmado que la actividad cerebral que ocurre cuando la persona miente es completamente diferente al patrón de actividad cerebral que se da cuando se está diciendo la verdad. De acuerdo al Dr. Faro, neurocientífico de la

Universidad de Temple, "Mentir es un comportamiento complejo, no existe un centro de la mentira, sino múltiples áreas cerebrales interactúan; y concluye: Se produce una mayor actividad cerebral durante una mentira que durante una verdad" (http://www.tendencias21.net).

Por otro lado los estudiosos en el tema señalan que no existe un signo de engaño, gesto, expresión facial o torsión muscular que pueda identificar que la persona está mintiendo. Las personas tienden a prestar mayor atención a las palabras y las expresiones faciales. La expresión facial junto con la voz puede delatar las emociones, sin embargo para un mentiroso puede ser fácil manejar sus expresiones faciales, controlar sus palabras y el movimiento de las manos; no así los pies y las piernas, lo que reflejan realmente el estado emotivo y cognitivo de la persona. Ekman, nos señala: "Es fácil saber que está diciendo la persona; mucho más difícil es conocer que está mostrando la expresión facial". Para este experto en la comunicación no verbal, no todas las mentiras envuelven emociones, pero cuando detrás de la mentira existen diversas emociones, más fácil será descubrir la mentira por alguna forma del comportamiento. Emociones negativas como el distress, el temor, coraje, son más difíciles de ocultar. Esto, debido a que la mayoría de las personas no pueden mover voluntariamente los músculos faciales para falsificar la emoción. Cuando una emoción surge de repente puede ser muy difícil controlar u ocultar los cambios en la cara, cuerpo y voz. Requerirá de mucho esfuerzo y aun cuando resultara exitoso en el ocultamiento del sentimiento, el esfuerzo realizado en sí, puede dar un indicio de la mentira. Cuando la emoción es generada por sentimientos de culpa, es doblemente problemática para el mentiroso, lo que puede hacer que se descubra (Ibíd. 2009:21, 36, 46-47).

Se han utilizado como claves el suponer que quien miente "no mira directamente a los ojos cuando se le habla o cuestiona", lo cual puede ser erróneo, ya que el que sabe mentir puede mantener la mirada de su interlocutor sin inmutarse. Por otro lado, el tono de voz es un indicador más confiable que la expresión facial para detectar al que engaña. De acuerdo a estos estudios los indicios vocales más comunes del engaño son las pausas demasiado largas o frecuentes, así como el tono de voz más agudo. En resumen, un mentiroso procurará controlar sus palabras y su semblante, más que su voz y el resto del cuerpo, porque está consciente que éstas son las áreas en que las otras personas centran su atención (el nuevo día.com, 6/12/2009; http//www.inteligencia-emocional.org/cursos, 4/21/2012, Ekman, P. 2009).

Nos señala Ekman que podemos aprender a identificar pistas del engaño, cuando este envuelve emociones y el mentiroso no es un psicópata, o mentiroso habitual. Incluso los mentirosos profesionales pueden ser descubiertos por un simple "lapsus linguae" en la conversación. Sin embargo no se puede asumir que la persona está diciendo la verdad, solo porque no haya ningún lapsus en lo que está comunicando. Para la persona que trata de identificar la verdad debe haber tres metas: reconocer al mentiroso, no malinterpretar al honesto; y darse cuenta cuando no es posible una cosa u la otra (Ibíd. 87-88).

Los profesionales de la conducta humana no poseemos instrumentos de precisión como en las ciencias físicas para detectar con facilidad quien dice la verdad. En nuestra profesión es esencial y fundamental desarrollar la habilidad para escuchar, como nuestro instrumento básico de la entrevista. Escuchar de manera genuina requiere darle a la otra persona toda nuestra atención, implica oír la forma como lo dice, el tono que emplea, las expresiones y gestos; así como poder oír lo que se está insinuando, lo que no se dice, lo que se está ocultando. Estar alerta a las reacciones fisiológicas y movimientos involuntarios de la persona nos puede decir más que lo que ésta expresa con sus palabras. Sin embargo de acuerdo a Paul Ekman, es necesario estar familiarizado con el comportamiento normal de la persona para evitar interpretar erróneamente una respuesta honesta como mentira. También debemos estar alerta a nuestras propias emociones y reacciones frente a nuestros clientes/participantes ya que como sabemos es de naturaleza humana, que al oír un relato podemos identificarnos con éste, trayendo a nuestra memoria experiencias pasadas o situaciones vividas que interfieren en nuestra habilidad para interpretar los hechos de manera objetiva. Es por ello que debemos estar más conscientes de nuestras ideas, creencias y prejuicios para evitar afectar nuestras investigaciones con todo nuestro bagaje de emociones y sentimientos.

Identificarnos con una de las personas entrevistadas daña irremediablemente la investigación y los resultados de la misma. La identificación implica pensar, sentir y actuar como la otra persona. Es ver la situación como la ve la persona entrevistada, convertirse en éste. Por el contrario ser empático significa "participar con otro dentro del mundo de éste sin dejar de ser usted mismo", (Benjamín, 1980). Se nos aclara que la diferencia entre un término y otro, está en que aunque tratemos de ver el mundo a través de los ojos del entrevistado, como si este mundo fuera el propio, no podemos perder de vista que sigue siendo uno mismo. Saber distinguir entre la empatía que debe darse hacia el cliente para lograr la comprensión y trasmitir confianza es esencial para el éxito de la intervención. Sin embargo cuando nos identificamos con una de las partes, perdemos objetividad y nos parcializamos hacia ésta, dando toda la credibilidad a lo que está diciendo e ignoramos los hechos que pueden estar mostrando lo contrario.

Mantener una posición neutral y objetiva durante la evaluación nos ayuda a ver las versiones de las partes como la manera en que cada una interpreta su realidad, matizada por las experiencias vividas. Usando estas versiones como elemento de hipótesis y no como verdades absolutas, es que el trabajador/a social puede hacer un trabajo de investigación de mayor confiabilidad. Nuestra intención al abordar el tema de la mentira no es para crear desconfianza en el evaluador, sino por el contrario, estimularle a que mantenga una actitud objetiva y científica en el proceso evaluativo. Queremos enfatizar que debe evitarse el pre juzgar sin tener evidencia ya que al hacerlo afectamos tanto la relación con el cliente, como los resultados de la investigación. Cuando no se logra establecer este ambiente de confort con el cliente o participante y éste percibe o siente que ha sido prejuzgado o prejuiciado en el proceso, entonces se tornará defensivo en sus respuestas y no se logrará establecer una comunicación efectiva. Es por ello esencial proveer un ambiente de confianza donde la persona se sienta cómoda para compartir su información, de manera que podamos lograr los objetivos de la entrevista.

CAPITULO 7

Entendiendo los Estilos Sociales de Comunicación

> "The way we see ourselves isn't always the way others see us; often what we think we are projecting is different from the way we come across in relationships". (Wilson Learning, in the Social Styles Handbook)

Como hemos expuesto en el capítulo previo, algunas personas mienten deliberadamente. Aquellos con mayor práctica tendrán más facilidad para mentir mostrando mayor credibilidad al utilizar sus emociones como una forma de enfatizar en lo que dicen. Por otro lado la verdad puede ser relativa ya que la percepción de la realidad puede estar distorsionada por las experiencias vividas por la persona, de manera que puede estar convencido/a de que está diciendo la verdad. Como nos señala García Márquez, en su novela "Vivir para contarla" (2008), "La vida no es la que uno vivió, sino la que uno recuerda para contarla." Si así fuera el caso, de acuerdo a Ekman, a esta persona no la podemos considerar como mentirosa, y será mucho más difícil de detectar la mentira. Por otro lado, se nos recuerda que es necesario estar familiarizado con el comportamiento normal de la persona para evitar interpretar erróneamente una respuesta honesta como mentira.

Entender el comportamiento de otros no es tarea fácil; requiere de conocimientos en conducta humana, así como desarrollar destrezas en la comunicación. Debemos estar alerta para no pre juzgar el comportamiento de la persona que tenemos ante nuestra consideración hasta no tener todos los hechos y conocer su "estilo de comunicación".

En las ciencias de la Administración, la teoría de los Estilos Sociales que examina el comportamiento de los individuos en los negocios y en sus relaciones interpersonales, expone que existe cuatro estilos sociales de comunicación: analítico, controlador, amistoso, y expresivo. Estudios llevados a cabo por el "Wilson Lerning Institute" durante 40 años con sujetos de diferentes partes del mundo, han identificado dos dimensiones de la acción interpersonal que se observa en todas las tendencias del comportamiento: asertividad y capacidad de respuesta. Lo que puede ser observado por otros, independientemente de la cultura y el lenguaje. El aspecto social del estilo tiene que ver con la percepción de los otros, que se origina en el contexto de la comunicación interpersonal. De acuerdo a esto, "el patrón repetitivo de comunicación que la persona usa para comunicarse con otros constituye su estilo" (http://wilsonlearning.com/capabilities/sem/social_styles/, 7/19/2012), Wilson, L. Kindle Ed).

A continuación exponemos brevemente los conceptos de la teoría de los estilos de comunicación que se establecen en el Manual "Wilson Lerning in the Social Styles".

La asertividad se refiere a la manera en que percibimos y tratamos de influenciar el pensamiento y acción de otros. Se señala que todo el mundo es asertivo, pero que existen dos modos diferentes de hacerlo:

- pregunta directamente
  - √ sutil e indirecto en la forma de influenciar a otros
  - √ pregunta más y da sugerencias
  - √ ofrece ideas en lugar de presentar conclusiones
  - √ el no verbal de la persona es sutil
  - √ tiende a hablar más despacio, con pausas y en la mayoría de las ocasiones parece calmado y sereno
- dice directamente:
  - √ habla rápido y generalmente con firmeza y frecuentemente toma rápidamente la iniciativa para mantener la conversación
  - √ tiende a ser más demostrativo en lo que dice y en su lenguaje corporal
  - √ frecuentemente interrumpe a otros
  - √ frecuentemente usa la voz para enfatizar
  - √ utiliza mucho las oraciones declarativas
  - √ tiende a mover su cuerpo hacia delante cuando habla

El Modo de Respuesta - medida de la expresión: Se refiere a la manera en que somos percibidos al expresar nuestros sentimientos cuando nos relacionamos con otros. Esta característica es independiente de la asertividad. Se han identificado dos tipos:

- Dirigido a la persona
  - √ generalmente expresa sus emociones abierta y fácilmente

√ inclinado a enfocar en los sentimientos y los problemas de relaciones que están enlazados con la tarea

√ creen que la tarea es más fácil de lograr cuando existe una relación personal

- Dirigido a la tarea

  √ Su preferencia es centrarse en la tarea que compartir sus sentimientos o hablar de sus propios problemas

  √ Habla de las metas del proyecto en lugar de las personas involucradas

  √ Su no verbal tiende a ser sereno, tranquilo

  √ tono de voz nivelado, gestos controlados y expresión facial controlada.

Matriz de los Estilos Sociales
(Wilson Learning, in the Social Styles Handbook)

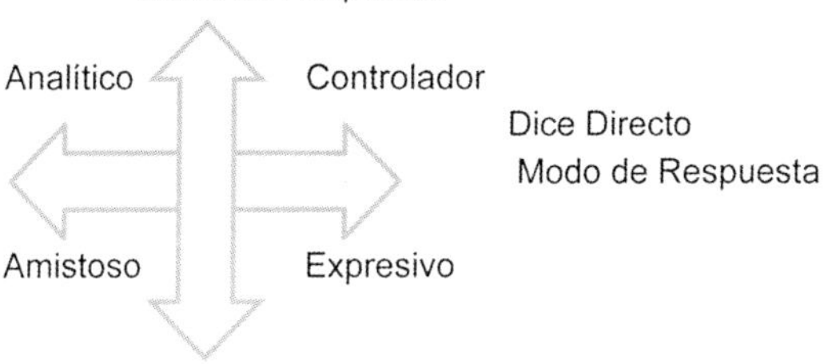

El diagrama tomado del "Social Styles Handbook, Wilson Learning Institute", presenta los cuatro estilos básicos en la comunicación basados en la asertividad (como influimos en otros) y el modo de respuesta (como expresamos sentimientos relacionados a las tareas y las personas). La escala de asertividad representada en la línea horizontal presenta en la izquierda el modo de asertividad: pregunta directo y en el lado derecho el modo: dice directo. Ejemplo: Un jefe puede dar una orden en forma de pregunta cómo; "¿Podrías poner estas cosas en su lugar antes de irte a tu casa?" Otros jefes dan la orden en forma de declaración como; "Quiero que pongas estas cosas en su lugar antes de irte a tu casa". Ambos jefes dieron una orden.

La escala modo de respuesta representada en la línea vertical; en la parte superior la respuesta es dirigida a la tarea y en la parte inferior el modo de respuesta es dirigido a la persona. Cada uno de nosotros tiene prioridades que determinan las decisiones que hacemos. Por ejemplo, algunos sienten que es más importante cumplir la tarea que preocuparse de los sentimientos y opiniones de otros; mientras otros dan más importancia a los sentimientos de las personas sobre las tareas. Para aquellos que no se dejan influenciar por los sentimientos de las personas tanto como por el logro de la tarea, responden mejor a las órdenes directas o instrucciones, que a las órdenes en forma de preguntas. Por el contrario aquél cuya prioridad está basada más en los sentimientos y aprobación de las personas responderán mejor a las órdenes en forma de preguntas.

Cuando la línea horizontal y vertical está superpuesta, cada uno de los cuatro cuadrantes representan uno de los cuatro estilos sociales. Las personas responden e interactúan mejor con aquellos que están en su propio cuadrante de estilo social o estilo que conecta con él; y tenemos la tendencia de tener dificultades para responder e interactuar con aquellos de estilo social en el cuadrante diagonalmente opuesto.

Los estilos sociales de comunicación identificados en este estudio, realizado sobre dos millones de personas alrededor del mundo, indican que un 25% de la población cae en uno de los cuatro grupos de estilos sociales como su zona confortable de comportamiento.

- Analítico: típicamente evalúa las preguntas concienzudamente antes de dar una respuesta. Enfocado en los hechos y logros. Actúa cuando el proyecto está claro, es cuidadoso. También es típico para el analítico proveer respuestas sin mostrar emoción. Las respuestas de éstos raramente son directas y puede parecer evasivas y no confiables. Éstos al igual que los controladores muestran expresiones faciales mínimas y lenguaje corporal. Una respuesta típica de un analítico puede ser:

- "Bien, eso depende".

- Controlador: exhibe poca emoción y puede ser juzgado como falto de sensibilidad y brusco. También tiene la tendencia a interrumpir y ser impaciente. El lenguaje corporal y expresiones faciales son mínimas en este estilo social. Una respuesta típica del controlador puede ser "si" o "no", sin ninguna explicación. En el trabajo está enfocado en resultados, asume el cargo, hace decisiones rápidas y le gusta los retos.

• Amistoso: Es altamente sensitivo, emocional y usa mucha expresión facial. La respuesta de este estilo social de comunicación puede estar basado más en lo emocional que en los hechos. Una respuesta de este puede ser: "Él casi me golpea con todas sus fuerzas". En el trabajo tiende a cooperar para lograr acuerdos, provee apoyo, comunica confianza y seguridad.

• Expresivo: Al igual que el amistoso, el expresivo está cargado de emociones, algunas veces toma a lo personal y utiliza abundante lenguaje corporal. Es también conocido por hacer bromas. Este rasgo puede ser malinterpretado como ser deshonesto. Una típica respuesta del estilo "Expresivo", pudiera ser: "Ese hombre con nariz de rampa de esquiar y pelo que sale de las orejas trató de herirme".

En el trabajo comparte ideas, sueños, entusiasmo; motiva, inspira, persuade; crea excitación y envolvimiento.

El estilo social tiene que ver con el comportamiento observable, no con los sentimientos, pensamientos o intuición de la persona. De modo que al realizar las evaluaciones el entrevistador debe estar alerta para reconocer el estilo de comunicación del o la persona que tiene ante sí, ya que cada uno tiene ciertas características que pueden ser mal interpretadas como mentiras, especialmente si el entrevistador tiene un estilo social diferente, o si en lugar de focalizar en el comportamiento observable, pretende juzgar sus sentimientos y pensamientos.

Es esencial que el entrevistador o profesional de ayuda sepa identificar su propio estilo de comunicación y esté consciente de que la manera en que nos vemos a nosotros mismos no siempre es la manera como nos perciben los otros. Para lograr la relación profesional con el cliente es necesario un acercamiento empático y comprensivo, evitando juzgar o rechazar la conducta. Aunque se nos señala que no podemos cambiar el estilo propio de comunicación, si podemos adaptar nuestro comportamiento. Cuando identifiquemos un estilo de comunicación diferente al nuestro, nos corresponde como profesionales tomar la iniciativa para acomodarnos a esa diferencia de manera que no se afecte la comunicación. Debemos estar conscientes de que el cliente también estará alerta a nuestro comportamiento durante la entrevista, tanto a nuestro lenguaje verbal como no verbal. Éste sentirá y responderá a nuestro modo de acercamiento (afectuoso o distante) y percibirá si realmente estamos interesados en la información que comparte y en ayudarle.

Para que los trabajadores/as sociales puedan desarrollar destrezas que le ayuden en el proceso investigativo, sugerimos que las universidades incorporen como parte de sus cursos en el área forense la discusión de este tema y se les ensañe estrategias para identificar o detectar en el lenguaje no verbal, pistas del engaño. Igualmente identificar los diferentes estilos de comunicación de los individuos para un mayor entendimiento y comprensión del sujeto evaluado, así como su propio estilo de comunicación, de manera que se logre un ambiente confortable que propicie la comunicación y los objetivos de la entrevista se cumplan.

CAPITULO 8

Los Valores y Postulados Éticos como Guías de la Práctica Forense

> "En todas las profesiones se trabaja de acuerdo con unos Códigos Éticos en los que se describen los valores comunes y deberes reconocidos de los profesionales y se establecen las normas morales que se espera que cumplan. Las normas Éticas se establecen fundamentalmente de dos maneras: mediante instrumentos internacionales preparados por organismos como las Naciones Unidas y mediante Códigos de principios preparados por los propios profesionales, mediante sus asociaciones representativas, en el ·ámbito nacional o en el internacional. Las premisas fundamentales son siempre las mismas y se centran en las obligaciones que tienen los profesionales ante sus clientes o pacientes individuales, ante la sociedad en su conjunto y ante sus colegas, con miras siempre a mantener el honor de la profesión. Estas obligaciones son reflejo y complemento de los derechos consagrados para todas las personas en los instrumentos internacionales" (Protocolo de Estambul, 2004, p.20).

Continuamente oímos hablar de la crisis de valores que enfrenta la sociedad moderna, tanto a nivel local como internacional. Esta crisis de valores individuales y colectivos se refleja en un comportamiento anti ético que afecta la convivencia y el bienestar social. Pese a los adelantos tecnológicos y a la expansión del conocimiento habido en el Siglo 21, la sociedad sigue padeciendo de los viejos males: la corrupción y el deterioro moral y ético tanto individual como de sus organizaciones políticas y religiosas. En los niveles organizacionales esto afecta el funcionamiento del andamiaje gubernamental y los fines por los que fueron creados: proveer para el bienestar social, en una sociedad democrática. Como resultado se encarecen o se limitan los servicios dirigidos a la ciudadanía.

El ansia por el poder y el control, la competencia desmedida, la búsqueda del placer y las riquezas se han convertido en el norte de las personas, llevándonos a una crisis de valores que tiene un alto costo para la salud mental de los individuos y su sana convivencia. En una sociedad donde el individuo es desvalorizado frente a las riquezas y el poder, la salud mental individual y colectiva está en alto riesgo. Como consecuencia tenemos una alta incidencia en criminalidad, suicidios, homicidios, drogodependencias y violencia que se traduce en maltrato físico, emocional e institucional, hacia los más vulnerables (mujeres, ancianos y niños); y que afecta la calidad de vida de la población en general.

Es en este tipo de condiciones sociales, donde la labor del/la trabajador/a social se hace más pertinente, y necesaria. Respondiendo al compromiso primario que establece el Código de Ética de los Profesionales en Trabajo Social (2011), su intervención debe ser guiada por el respeto a la dignidad humana y la justicia social para lograr el mejoramiento de la calidad de vida de los participantes en una sociedad democrática.

Para poder ejercer este compromiso responsablemente, con el mayor grado de objetividad los y las profesionales en trabajo social deben hacer una reflexión sobre la ética y la moral. ¿Qué significa para mí ser ético? ¿Cómo defino lo que es correcto o malo, desde mi perspectiva y visión de mundo? ¿Puedo identificar cuáles son los principios éticos más importantes en mi vida? Debemos estar conscientes de que somos parte de una sociedad cuya cultura y valores tienen influencia en el modo en que percibimos el entorno, de manera que esta reflexión se hace necesaria para que la intervención responda al compromiso con la equidad y la justicia social de manera que se logre mejorar la calidad de vida de los participantes en un ambiente de respeto a la dignidad del ser humano.

Para ejercer un trabajo que responda a estos postulados de justicia social y de respeto a la dignidad del ser humano, los/las trabajadores(as) sociales cuentan con un Código de Ética que regula y guía la práctica profesional, tanto a nivel Internacional, como a nivel local: Código de Ética de la Asociación Nacional de Trabajadores Sociales, (NASW por sus siglas en inglés, aprobado en 1997), Código de Ética Profesional del Colegio de Profesionales del Trabajo Social de Puerto Rico, (2011). Ambos documentos establecen una guía, de valores, principios y normas éticas que rigen la conducta profesional y que sirve para orientar y evaluar la toma de decisión cuando se enfrentan dilemas éticos-morales. Además tienen el propósito de establecer los criterios para juzgar la conducta o comportamiento profesional ante una alegación de conducta impropia y legitimar la profesión en la opinión pública, al establecer las normas relacionadas a la misión y métodos de la profesión; así como socializar a los nuevos profesionales en la práctica, en la misión, valores y estándares éticos.

Los valores fundamentales por los que se deberán regir los y las profesionales en trabajo social, están enmarcados en los siguientes postulados: respeto hacia la persona, servicio, justicia social, dignidad y bienestar de las personas, la importancia de las relaciones humanas, integridad y competencia profesional.

El Código de ética de la Asociación Nacional de Trabajadores Sociales (NASW), en su preámbulo establece: "La misión principal de la profesión de trabajo social es la de elevar el bienestar humano y ayudar a satisfacer las necesidades humanas, con atención en particular a las necesidades y apoderar a las personas vulnerables, oprimidas y que viven en la pobreza. Los trabajadores sociales son sensibles a la diversidad cultural y étnica y luchan por terminar con la discriminación, opresión, pobreza y otras formas de injusticia social. ...Los trabajadores sociales buscan aumentar la capacidad de las personas para solucionar sus propias necesidades".

Estos mismos conceptos están esbozados en la filosofía del Código de Ética Profesional del Colegio de Profesionales del Trabajo Social de Puerto Rico. En este se establecen tres categorías: Valores ético-político (Axiología), Visión del ser humano (Ontología), Conocimiento y formación humana (Epistemología).

Axiología: Basados en los ideales democráticos y humanitarios dirigidos a promover una calidad de vida conforme a los derechos universales del ser humano.

√ La intervención del y la profesional de Trabajo Social se justifica cuando sus prácticas van dirigidas a fomentar los derechos humanos, la diversidad, la equidad, la justicia social y la participación activa y critica de los participantes en la solución de problemas o necesidades.

√ El Trabajo Social se compromete con las personas y organiza su acción profesional para lidiar con la erradicación de la pobreza, la opresión y todo tipo de discrimen que denigre la dignidad humana.

√ Se valora el compromiso ético del y la profesional de Trabajo Social para asumir posturas críticas hacia grupos, organizaciones o instituciones que atenten contra la dignidad de los seres humanos.

√ El compromiso primario de cada profesional del Trabajo Social radica en el mejoramiento de la calidad de vida de sus participantes en un contexto de confidencialidad y de respeto a la dignidad humana.

√ ...se valora una intervención profesional dirigida a fomentar el apoderamiento y la autogestión de los y las participantes.

√ Respeto, dignidad y solidaridad humana, son los principios por los que han de regirse toda intervención con participantes, compañeros/as de la profesión y otras profesiones.

Ontología: Percepción del ser humano como ente biopsicosocial y su ambiente

√ El profesional de Trabajo Social tendrá la función de fomentar la integración activa y critica de cada participante, para poder interpretar la realidad en un contexto democrático, de libertad, aceptación de la diversidad humana y la equidad.

√ Se promueve el trabajo colaborativo y en equipo con otras personas, así como con el o la participante, para el análisis de la realidad de manera que la intervención responda a una cultura de ética y de compromiso con la equidad y la justicia social.

Epistemología: Como surge y se concibe el conocimiento que se genera en la relación profesional y el participante

√ El compromiso ético de cada profesional de Trabajo Social supone reconocer la capacidad que tienen los y las participantes para buscar información y analizar críticamente la misma.

√ El rol del profesional en la búsqueda de conocimiento es facilitar el apoderamiento de cada participante y la formación humana para la toma de decisión y autogestión en la solución de problemas.

√ El apoderamiento intelectual para buscar información e interpretar su realidad, se inicia a partir de los intereses, las necesidades, los conocimientos, las destrezas y los valores que tiene cada participante sobre su realidad o problema.

√ El y la profesional del Trabajo Social tiene un compromiso ético de mantener una formación profesional actualizada en el campo de Trabajo Social, con el compromiso de compartir la misma con todos los componentes de la intervención profesional.

√ La educación continua del y de la profesional de Trabajo Social es medular para una intervención informada.

√ Se valora la investigación como medio de descubrir conocimiento para trasformar la calidad de vida de los y las participantes y como instrumento para fortalecer los marcos conceptuales de la profesión. La finalidad de este conocimiento está dirigido a fortalecer la equidad y la justicia social de la población en general.

Los "Principios" que guían la profesión de Trabajo Social aplican a toda persona que ejerza la profesión, en cualquier escenario de trabajo, ya sea en la práctica pública como privada. A continuación se presentan los valores y principios en que se fundamenta la conducta profesional. Se desglosan estos principios como aparecen en el Código de la NASW, así como en el Código de Profesionales del Trabajo Social en Puerto Rico:

Asociación Nacional de Trabajadores Sociales (NASW)		**Colegio de Profesionales del Trabajo Social de Puerto Rico (CTSPR)**
Valores:		
Servicio	La meta principal del trabajo social es ayudar a las personas necesitadas y solucionar los problemas sociales.	La meta principal de cada profesional de trabajo social es potenciar el desarrollo humano y colectivo mediante la prestación de servicios de calidad y la protección de derechos fundamentales.
Justicia Social	Los trabajadores sociales desafían la injusticia social.	Los y las profesionales de trabajo social reconocen la importancia de que sus actuaciones estén orientadas a la promoción, alcance y logro de la justicia social.
Dignidad y Valor de la persona	Los trabajadores sociales respetan la dignidad inherente y valor de la persona.	Los y las profesionales de trabajo social respetan la dignidad el valor de toda persona.
Importancia de las relaciones humanas	Los trabajadores sociales reconocen la importancia central de las relaciones humanas como vehículo para el cambio.	Los y las profesionales de trabajo social reconocen la importancia medular de las relaciones humanas.
Integridad	Los trabajadores sociales se comportan de una forma digna de confianza.	Los y las profesionales de trabajo social desarrollan su intervención profesional sobre bases de integridad.
Competencia	Los trabajadores sociales ejercen su profesión en su área de competencia y desarrollan y mejoran su experiencia profesional.	Los y las profesionales en trabajo social actualizan periódica y permanentemente sus competencias y destrezas profesionales.

Así, como los valores y principios en el código sirven como guías en la práctica de la profesión, los cánones de ética tienen como propósito velar por la pureza en la prestación de servicios directos y especializados en trabajo social en todas las áreas en que se practique la profesión. A continuación se desglosan los mismos:

Cánones Éticos

Asociación Nacional de Trabajadores Sociales (NASW)	Colegio de Profesionales del Trabajo Social de Puerto Rico (CPTSPR)
1.Responsabilidad ética de los trabajadores sociales hacia los clientes: 1.01. Compromiso con el cliente 1.02. Auto determinación 1.03 Consentimiento informado 1.04 Competencia 1.05 Competencia cultural y diversidad social 1.06. Conflicto de intereses 1.07. Privacidad y confidencialidad 1.08 Acceso al expediente 1.09 Relaciones sexuales 1.10 Contacto físico 1.11 Acoso sexual 1.12 Lenguaje despectivo 1.13 Pago por servicios 1.14 Clientes incapacitados para tomar decisiones- 1.15 Interrupción de servicios 1.16 Terminación de servicios	1. El y la trabajadora social como profesional Artículo 1: Responsabilidad hacia la profesión a. Proteger y enaltecer la dignidad e integridad de la profesión b. Actuará para evitar la práctica de la profesión por parte de personas que no estén autorizados o cualificados para ello. c. Licencia y colegiación vigente. d. Contribuirá en la medida posible al desarrollo de las actividades del Colegio. e. Cuando participe en manifestaciones o actos públicos, distinguirá y hará constar si lo hace en su carácter personal o representando la agencia para la que trabaja o al Colegio. f. No discriminará por ningún motivo en la prestación de servicios. g. Ejercerá su práctica con dedicación, compromiso y competencia, procurando el bienestar de sus participantes. h. Utilizará su juicio profesional para identificar y rehusar encomiendas o instrucciones que puedan ser conflictivas con los principios contenidos en el Código. Artículo 2: Competencia profesional a. Mantenerse al día con la modalidad de intervención en la que preste servicios o se especialice. b. Ejecutar funciones y otras responsabilidades con competencia y destrezas. c. Intervención basada en conocimientos empíricos y mejores prácticas, fundamentados en los principios éticos, e incluirá la evaluación de la efectividad de la intervención profesional. d. Individualizará el trabajo con sus participantes utilizando el conocimiento, los métodos, modelos y técnicas de la profesión para la intervención con los mismos. e. Ofrecerá información veraz sobre sus cualificaciones profesionales, educación, experiencia y afiliaciones profesionales. f. Contribuirá al enriquecimiento de la profesión compartiendo hallazgos de investigaciones realizadas, conocimientos y experiencias en la ejecución de modelos relacionados a la práctica, a través de ponencias, publicaciones y otros medios de divulgación. g. Denunciará las prácticas discriminatorias de las cuales tenga conocimiento. h. Uso cauteloso y precavido de los diagnósticos de salud física y mental para evitar etiquetar a las personas en base a sus condiciones. Artículo 3. Integridad a. Identificará y enfrentará las posibles influencias y presiones que puedan interferir con el ejercicio de su discreción y su juicio imparcial. b. Reclamará crédito únicamente por lo que hace y reconocerá las contribuciones hechas por otras personas. c. Denunciará la conducta antiética e ilegal de los miembros de la profesión mediante los procedimientos establecidos por el Código. d. Actuará en su vida personal en forma tal, que no dañe su imagen profesional.

2.Responsabilidad ética de los trabajadores sociales hacia sus colegas: 2.1 Respeto 2.2 Confidencialidad 2.3 Colaboración Interdisciplinaria 2.4 Disputas que incluyen a colegas 2.5 Consultas 2.6 Referidos para servicios 2.7 Relaciones sexuales 2.8 Hostigamiento sexual 2.9 Incapacidad de colegas 2.10 Incompetencia de colegas 2.11 Conducta no éticas de colegas	2.El Profesional del Trabajo Social y los y las participantes Artículo 1. El y la profesional de trabajo social a. Ofrecerá información correcta y completa sobre la naturaleza de los servicios, para que los participantes conozcan sus derechos, deberes y riesgos asociados a los servicios. b. Solicitará se le releve de atender o intervenir en una situación por conflicto de intereses o cualquier motivo que pudiera interferir con la atención de la situación. c. Terminación de servicios cuando se complete el proceso de intervención o cuando no respondan a las necesidades o mejores intereses de éstos. d. Derecho de los participantes a la autodeterminación e. Evitará imponer o tratar de persuadir al participante en su toma de decisión, utilizando sus puntos de vista, principios o valores personales, a excepción de situaciones en que por estatuto legal está limitada la confidencialidad, f. Evitará prácticas discriminatorias o abusivas contra los participantes. g. Evitará sacar ventajas de la relación profesional. h. Realizará ponderaciones profesionales que respondan a un análisis profesional basado en teorías, modelos, perspectivas y marcos de referencia de la profesión. i. Prohibición de establecer relaciones afectivas, amorosas o de intimidad sexual con los participantes. j. Evitará las relaciones duales o múltiples. k. Evitará intervención con participantes cuando se posee información privilegiada de terceros que puedan influir en la objetividad de su intervención. l. Evitará realizar intervenciones con familiares hasta el cuarto grado de consanguinidad y tercero de afinidad. m. Aclarará quién o quiénes serán/n considerados participantes y la obligación con éstos. n. Aclarar su función con las partes involucradas cuando se anticipe un conflicto de intereses con participantes que se encuentren recibiendo los servicios o cuando se anticipe roles conflictivos. o. Rechazará regalos, cualquier intercambio de bienes y favores de parte de participantes o parientes.
3.Responsabilidad ética de los trabajadores sociales en el ejercicio de la profesión: 3.01 Supervisión y consultoría 3.02 Educación y adiestramiento 3.03 Evaluación de la ejecución 3.04 Expediente de los clientes 3.05 Pago de servicios 3.06 Trasferencia de clientes 3.07 Administración 3.08 Educación continua y desarrollo personal 3.09 Compromiso con el empleador 3.10 Conflictos laborales-trabajador gerencia	3.El profesional del Trabajo Social y la confidencialidad Artículo 1. Confidencialidad a. Informará desde el inicio de la intervención sobre los límites de confidencialidad. b. Protegerá el derecho a la confidencialidad de los participantes, lo cual conlleva el respetar la información que provee, la información del expediente, los documentos archivados o documentados a través de medios electrónicos c. Requerirá la autorización escrita del participante, o representante, para divulgar información a terceras personas. d. Utilizará información confidencialidad del participante para propósitos educativos, siempre y cuando medie una autorización escrita y se proteja los datos que le identifiquen. e. Respetará el derecho de los participantes a mantener confidencialidad de la información que consideren privada. f. Evitará auscultar información privada a menos que sea indispensable para la intervención. g. Evitará compartir información con el participante en lugares que no provea para la privacidad. h. Requerirá la autorización de los participantes para obtener información o documentos privados. i. Informará sobre el derecho de acceso a los expedientes, según lo establecen las leyes y procedimientos agénciales, protegiendo la información confidencial de terceros. j. Cualquier información que solicite el participante para ser revelada voluntariamente debe tener una autorización por escrito por parte de éste o la persona autorizada a divulgar información. k. No compartirá información obtenida en su gestión profesional con otras personas, sin el consentimiento del participante, a menos que la situación ponga en riesgo o violente los derechos de terceras personas, el profesional, el propio participante o el bien común. l. Conocerá de los límites de confidencialidad a base de las leyes generales y especiales, jurisprudencia y reglamentación institucional validada por ley. Cuando sea mandatorio descubrir información confidencial, se proveerá específicamente la información requerida para determinado propósito. m. Se podrá utilizar los expedientes sociales con fines pedagógicos, de

	supervisión, control de calidad, discusión de casos y consulta, siempre que se protejan los datos de identificación de los participantes. n. Prohibida la divulgación de información sobre participantes cuando sea requerida por periodistas o medios de comunicación, excepto si media una autorización por escrito del participante y las leyes lo permitan. o. Orientará a cada participante sobre la necesidad de utilizar personal que le asista y le solicitara su autorización. p. Adiestrará a sus asistentes sobre el canon de confidencialidad y obtener compromiso firmado con el cumplimiento de este canon. Artículo 2. Medios Electrónicos a. Asegurará la confidencialidad de la información provista por participantes u otros recursos, mediante medios electrónicos, (computadora, teléfono, contestador automático, fax, otros). b. Verificará dirección electrónica antes de enviar información confidencial para asegurar que es la correcta. c. Orientara sobre los riesgos de enviar información confidencial a través de mensajes electrónicos. d. Solicitará se establezcan medidas preventivas para evitar la intervención electrónicas de personas ajenas al caso. e. Tomaran medidas para que los equipos electrónicos se ubiquen en lugares que impidan la visibilidad de la información a personas ajenas al caso. f. Evitará que la información del participante sea almacenada en discos compactos, dispositivos de almacenamiento de datos o cualquier equipo electrónico de uso personal para impedir su pérdida o el acceso de la información a terceras personas. g. Asegurará la información contenida en discos compactos o dispositivos electrónicos, mediante un protocolo o medidas de seguridad que eviten el fácil acceso a la información confidencial. Artículo 3. Manejo de expedientes a. Garantizará que bajo ninguna circunstancia los expedientes estén accesibles a otros profesionales o personas que no estén autorizadas al acceso a los mismos. b. Orientará a cada participante sobre la política institucional de acceso a la información contenida en el expediente. c. Orientará al participante cuando tenga reservas profesionales que limiten la entrega o revisión del expediente, incluyendo el derecho a apelar la determinación. d. Establecerá procedimientos para proteger información confidenciar ofrecidas por terceras personas antes de dar acceso del expediente a su participante.
4.Responsabilidad ética de los trabajadores sociales como profesional: 4.01 Competencia 4.02 Discriminación 4.03 Conducta privada 4.04 Deshonestidad, fraude y engaño 4.05 Incapacidad/ Impedimento 4.06 Falsa representación 4.07 Solicitud de endosos 4.08 Acreditación de reconocimiento	4.El y la profesional de trabajo social y sus compañeros de profesión a. Relaciones profesionales basadas en respeto mutuo, sana competencia y solidaridad entre colegiados. b. Evitar emitir juicios entre terceras personas, cuando el desempeño profesional de un colega este reñido con la ética o este perjudicando al sujeto de intervención. c. Comunicara por escrito al Colegio de Profesionales del Trabajo Social cualquier acción que un colega este realizando en prejuicio de otro colegiado. d. Evitará involucrarse en problemas personales que perjudiquen el ejercicio o la imagen profesional de otro colega. e. Trasferencia de expediente cuando concluya la labor profesional, de manera que otro colega pueda continuar la intervención. f. Respetará a los y las participantes de otros compañeros de profesión. g. Reconocerá la propiedad intelectual de compañeros y evitara el plagio o apropiarse de méritos ajenos. h. No aceptara puestos o asensos a costa de hacer daño a los méritos de otros compañeros. i. Mantendrá al margen a los participantes de disputas con compañeros o evitara involucrarlos en conflictos entre trabajadores sociales. j. De tener conocimiento directo, informara sobre impedimento de compañero/a para interferir con efectividad debido a cualquier incompetencia. k. Conocerá las políticas y procedimientos para el manejo de asuntos éticos y tomara las medidas para desalentar, prevenir, exponer y corregir la conducta antiética de sus compañeros.

5.Responsabilidad ética de los trabajadores sociales hacia la profesión: 5.01 Integridad de la profesión 5.02 Evaluación e investigación	5.El y la profesional de trabajo social y la sociedad a. Reconocer el contexto social, cultural, político y económico donde se presta los servicios, así como las fuerzas sociales, circunstancias históricas y problemas sociales que inciden en el participante. b. Mantener al día el conocimiento sobre los problemas sociales del País, sus causas, manifestaciones y efectos en la población afectada. c. Se insertará en el análisis de los problemas y políticas sociales, y ofrecerá soluciones y recomendaciones sobre estos. d. Asegurará que los participantes tengan acceso a los servicios y recursos que necesitan. e. Fomentará la creación o cambios en la política pública necesaria para el bienestar social general. f. Estimulará y propiciará que los participantes se inserten en la planificación y formulación de política pública responsiva a sus necesidades. g. Establecerá relaciones con los cuerpos legislativos y agencias concernidas que permitan ofrecer soluciones para atender y prevenir problemas sociales. h. Estará disponible para ofrecer servicios profesionales voluntarios en situaciones de emergencia nacional. i. Demostrara sensibilidad a las prácticas que promuevan la armonía y respeto al cuidado del ambiente.
6.Responsabilidad ética de los trabajadores sociales hacia la sociedad: 6.01 Bienestar social 6.02 Participación publica 6.03 Emergencias publicas 6.04 Acción política y social	6.El y la profesional de trabajo social y la supervisión a. Utilizará la supervisión para que los profesionales bajo su dirección mejoren sus destrezas en la aplicación del conocimiento teóricos de los procesos de intervención. b. Preservará la dignidad del personal bajo su supervisión, evitando el uso de amenazas, violencia verbal, lenguaje despectivo o medidas disciplinarias que excedan las normas y reglamentos establecidos, el hostigamiento laboral y sexual. c. Mantendrá un proceso consistente de supervisión para asegurar la calidad de la labor que se realiza. d. Asesorará y facilitará la toma de decisión mediante una supervisión educativa. e. Utilizará otros medios de consulta cuando necesite información adicional para asesorar al personal bajo su supervisión. f. Ofrecer mentoria, asesoría y seguimiento directo. g. Estará atento a situaciones que puedan constituir riesgo de impericia o negligencia profesional, o que coloquen en riesgo la calidad de vida de cada participante. h. Mantendrá actitud de respeto, apertura y disposición de escuchar. i. Establecerá medidas administrativas que garanticen la confidencialidad de la información guardada en expedientes de los participantes. j. Ejercerá la supervisión en forma congruente con las disposiciones de los convenios colectivos en agencias o corporaciones que se rijan por la negociación colectiva. k. Estará atento a situaciones que puedan constituir riesgo a la integridad física y emocional de los profesionales de trabajo social para identificar estrategias que la contrarresten. l. Evitar el discrimen por cualquier motivo, en su rol profesional como empleador/a o supervisor/a. m. Todo profesional de trabajo social que ejerza funciones que requieran conocimientos en Trabajo Social como Supervisor/a, administrador/a, Director/a Ejecutivo, Personal de confianza, Académico- Docente, Investigador/a, Asesor/a por contrato, Director/a de Programa deberá cumplir con los requisitos de licencia, colegiación y educación continua según la ley, aun cuando el titulo o puesto no sea cualificado como trabajador/a social.

-- ------------	7.El y la profesional de trabajo social y la investigación Artículo 1. El y la profesional de trabajo social que realice la investigación: a. Considerará los objetivos de la investigación y la aportación para las personas o sociedad, siguiendo los principios de respeto, beneficencia y justicia para cada participante. b. Evaluará los posibles riesgos y beneficios para cada participante y la sociedad, buscando maximizar los beneficios y minimizar los riesgos. c. Someterá a revisión el protocolo o diseño de investigación de acuerdo a los estatutos requeridos por ley. d. Mantendrá una actitud ética en todo momento para asegurarse de proteger a los participantes de la investigación. e. Obtendrá el consentimiento informado escrito de forma libre y voluntaria de cada participante. f. Reconocerá todo conflicto de interés o potencial de conflicto de interés en sus investigaciones y de no poder eliminarlos lo describirá en la hoja de consentimiento. g. Respetará y protegerá la confidencialidad y privacidad de los participantes. h. Protegerá y atenderá cualquier daño o incomodidad física, emocional o mental de los/las participantes. i. Respetará la autonomía y autodeterminación de los participantes y evitara la coerción o percepción de coerción con los participantes potenciales. j. Proveerá información necesaria para que los participantes puedan ejercer su autonomía y autodeterminación de participar o retirarse en cualquier fase de la investigación. k. Se respetara la decisión del participante de retirarse de la investigación, sin penalidad alguna. l. Facilitará la investigación a personas con autodeterminación y autonomía disminuida, y asegurara el consentimiento de la persona o entidad encargada. m. Los datos o información obtenida solo se discutirá con la persona implicada en la investigación. n. Divulgará los resultados y beneficios de la investigación a las personas, poblaciones participantes y la comunidad profesional, protegiendo el principio de la confidencialidad. o. Propiciara las investigaciones que permitan conocer mejor las necesidades de los/las participantes y los problemas sociales del País, para el desarrollo de nuevos modelos de intervención y políticas sociales.

La tabla comparativa arriba expuesta, muestra una diferencia en el número de cánones que incluye cada código de ética, seis (6) en el de la NASW y siete (7) en el CPTSPR. Esta diferencia radica específicamente en el Canon 3 del Código de Profesionales del Trabajo Social de Puerto Rico, en el cual se da énfasis a la confidencialidad, exponiendo en detalles en sus artículos 1 al 3, las medidas para proteger la confidencialidad y privacidad en el manejo de la información de los/las participantes.

Aclaramos que ambos códigos de ética no contemplan todas las situaciones que pueden surgir en la práctica profesional. De acuerdo a Dolgoff & all, (2009), toda decisión en la práctica de trabajo social incluye aspectos éticos por la multiplicidad y valores contradictorios que caracterizan la sociedad contemporánea. De manera que sugieren que en lugar de hablar de problemas éticos, se hable de la dimensión ética o aspectos éticos del problema en la práctica de trabajo social. La visión en el pasado de que los asuntos éticos surgían de la relación diádica entre el cliente/participante y el /la profesional de trabajo social, ha cambiado a una basado en los nuevos modelos de práctica que involucra muchos participantes adicionales al cliente/participante y el profesional aun cuando nunca hayan interactuado con el/la trabajador(a) social.

Todo ello, requerirá del profesional en trabajo social utilizar su mejor juicio o criterio al confrontar situaciones que puedan conllevar dilemas éticos, de manera que la toma de decisión sea la que mejor garantice el bienestar del participante, de otros implicados, así como, la seguridad del propio profesional. Para ello es necesario que el profesional tenga claro los conceptos de lo que es ética, lo que son los valores y lo que es moral.

¿Qué es la ética?

- La ética es generalmente definida como la rama de la filosofía relacionada con la conducta humana y las toma de decisiones morales. La ética busca descubrir los principios que guían a las personas a decidir "que es correcto y lo que es erróneo" (Ibíd., 2009, p. 21).

- La ética se refiere a un sistema de principios morales y percepción entre lo que es correcto versus lo que es malo o incorrecto y la filosofía de conducta resultante que es practicada por el individuo, grupo, profesión o cultura (Barker, 1999).

- De acuerdo a Sarah Banks (1997), "ética es el estudio de la moral (las normas de conducta que sigue la gente en referencia a lo que es correcto o incorrecto)". De modo que la moral implica el sistema de valores o creencias que sirven de referencia para juzgar la conducta.

¿Cómo distinguimos entre lo que es ético y lo que es moral?

Toda sociedad tiene un sistema de valores por los que se rigen las personas, que conforman la moral e implican las actividades, creencias, principios religiosos, políticos e ideológicos. Ambos principios, ética y moral, están estrechamente relacionados; los valores son las creencias y preferencias que subyacen en las decisiones éticas que toman los individuos y grupos, la ética va más allá de la moral, pues sirve para distinguir cuando surgen conflictos entre sistemas morales o de valores que se oponen ente sí.

¿Cómo definimos lo que es una conducta ética? De acuerdo al Diccionario de Trabajo Social, (Barker, 1999), se refiere al comportamiento que llena los estándares de conducta moral de una comunidad- distingue lo correcto de lo malo, adhiriéndose a lo correcto. Para los profesionales en trabajo social, la conducta ética es también, seguir el código de ética profesional, proveyendo servicios a los clientes con el más alto nivel de destrezas posible y manteniendo una relación con colegas, otros profesionales, personas y sociedad de manera respetuosa.

¿Cuándo surge un dilema ético?

Banks define dilema ético como una elección entre dos alternativas igualmente inadecuadas en relación con el bienestar humano y que supone un conflicto entre principios éticos. Surge en una situación cuando el/la trabajador(a) social debe escoger entre dos o más alternativas relevantes pero contradictorias, o cuando cada alternativa resulte en un resultado indeseable para una o más personas (Dolgoff & all, 2009, p. 9). Los profesionales en trabajo social en su práctica cotidiana enfrentan situaciones que pueden ser considerados dilemas éticos. Esto ocurre cuando en una situación entran en conflicto las obligaciones y deberes profesionales que se fundamentan en valores medulares o en otra palabra cuando dos o más principios morales o tareas parecen tener igual valor pero son contrarios y se requerirá tomar la mejor decisión posible entre ellos. En estas situaciones la decisión no es fácil ya que incluso la alternativa seleccionada que parezca menos inadecuada puede resultar en una sensación de ansiedad y culpa por la acción tomada. Igualmente, la determinación que haga el/la trabajado/a social al enfrentar un dilema ético puede tener implicaciones en su práctica y estar sujeta a sanciones si se considera una conducta impropia o anti ética. Por lo tanto es necesario que el profesional que se enfrenta a una situación de esta naturaleza, no tome a la ligera la decisión, por el contrario deberá hacer una evaluación reflexiva y exhaustiva para asegurar que la alternativa seleccionada sea la de menor consecuencia para el participante. Al asumir la responsabilidad por la decisión, en caso de surgir una demanda por impericia, podrá sustentar su determinación exponiendo los criterios en que se basó utilizando la evidencia evaluada. De acuerdo a Cournoyer, 2004, (citado en www.lib.umich.edu/socwork/orientation/newaging3.html), el proceso de una decisión basada en evidencia incluye considerar la ética y la experiencia profesional, así como los valores personales y culturales, y el juicio del participante.

Los dilemas éticos que enfrentan los/las trabajadores/as sociales surgen tanto en su práctica directa, como a nivel macro, en la investigación, evaluación y en la práctica administrativa. Dolgoff, (2009, pp. 10-11) identifica dos fuentes para el surgimiento de los dilemas éticos:

- Valores en competencia o conflicto – surge cuando el profesional se enfrenta a dos o más valores en competencia como justicia e igualdad o confidencialidad y la protección de vida.

- Lealtades en competencia o conflicto - cuando grupos en competencia o conflicto reclaman lealtad al trabajador(a) social o cuando el sistema cliente es múltiple y surgen múltiples fuentes de lealtades.

Como señaláramos anteriormente, cuando los valores y obligaciones entran en conflicto se suscita un dilema ético, por lo que el profesional deberá decidir cuál de las obligaciones y valores tiene mayor relevancia en la situación evaluada. En estas circunstancias, cualquier decisión que se tome parece estar errónea y puede resultar en una acción no deseada. Para ayudarnos en la toma de decisión ética, los expertos en el área recomiendan guiarnos por el Código de Ética, los estatutos, reglamentos, leyes aplicables, buscar asesoramiento legal, del supervisor y la ayuda de colegas, para ayudarnos en la toma de decisión. Adicional se han desarrollado modelos para la toma de decisiones éticas. A continuación se establecen los pasos a seguir para resolver un dilema ético sugerido por Federic Reamer (1990), citado por Congress (1999):

1. Identifique los asuntos éticos en la situación, incluyendo los valores y deberes en conflicto. Hacer lista de los valores y obligaciones que aplican a la situación y evaluar las distintas formas en que entran en conflicto.

2. Identifique los individuos, grupos y organizaciones que pueden ser afectados con la decisión ética.

3. Identifique todos los cursos de acción viables, los participantes involucrados en cada acción, los posibles beneficios y riesgos para cada uno.

4. Examine las razones relevantes, a favor y en contra de cada curso de acción.

5. Fundamente su decisión ética haciendo uso de teorías

éticas, códigos, principios legales, teorías y principios de la práctica de trabajo social y valores personales.

6. Consulte con colegas y peritos (supervisor(a), administrador(a), abogados(a) expertos en ética.

7. Tome la decisión y documente el proceso llevado a cabo para tomarla.

8. De seguimiento, evalúe y documente el resultado de su decisión.

Conducta anti ética e impericia profesional:

Los trabajadores sociales al igual que otros profesionales están sujetos a demandas por conducta anti ética o por impericia /incompetencia profesional. En el primero de los casos, se define una conducta anti ética como una violación a los principios y estándares establecidos en el Código de Ética, mientras que la impericia o incompetencia profesional se refiere a fallar en proveer un servicio profesional que un "profesional prudente" haría en circunstancias similares. Ello como resultado de negligencia, falta de conocimientos, destrezas o conducta impropia.

Por incompetencia profesional un trabajador social puede ser sujeto a demandas civiles, criminales o ambas. La conducta anti ética puede resultar en una sanción profesional tales como la perdida de la licencia por un periodo de tiempo o permanentemente. Un determinado comportamiento puede resultar tanto en conducta anti ética como ilegal. Ejemplo: Un trabajador(a) social se involucra sexualmente con un(a) participante. En la medida en que esta relación constituye una explotación de la relación terapéutica este acto se convierte en una violación ética, así como legal. En este caso el/la trabajador/a social puede enfrentar sanciones a nivel legal como demanda civil por daños, y cargos criminales, así como sanciones profesionales (Delgoff, 2009, pp. 29-30).

En el 2003 Strom-Gottfried analizó 900 casos referidos a la Asociación Nacional de Trabajadores Sociales (NASW) entre julio de 1986 a 1997, por violaciones éticas. De estos, 267 casos fueron encontrados con fundamento, (algunos con más de una violación) En total se registraron 781 violaciones en estos casos; 40% de ellos por relaciones sexuales. Entre el 2002 al 2005 las quejas más comunes y demandas contra los trabajadores(as) sociales fueron por tratamiento incorrecto, conducta sexual impropia, suicidio del participante/usuario (o intento), abuso de autoridad, y relaciones duales (no sexuales) (NASW, Oct. 3, 2006, citado Ibíd. p. 30).

Los casos por demandas a trabajadores sociales se han incrementado en los pasados años en los EEUU. Sin embargo, en Puerto Rico no se ha observado un marcado aumento en esta área, posiblemente por nuestra idiosincrasia como pueblo (el hay bendito). No obstante podemos predecir que esto podría cambiar en un futuro inmediato por la sociedad contenciosa en que vivimos, así como por una mayor consciencia de los participantes o usuarios sobre sus derechos y el reclamo de servicios de calidad.

A continuación se señalan algunos ejemplos de conductas que pueden dar base a demandas por impericia profesional (Ibíd. p. 32).

- Ofrecer tratamiento sin obtener el documento de consentimiento

- Ofrecer un diagnostico incorrecto o un tratamiento incorrecto

- Fallar en consultar o referir al participante a un especialista

- Fallar en prevenir o causar el suicidio del participante.

- Recomendar un alta inadecuado o detención en un hospital o confinamiento

- Violación de la confidencialidad

- Difamación

- Envolvimiento sexual con el participante o otra conducta sexual

- Fallar en proveer cuidado adecuado al participante en centro residencial

- Fallar en estar disponible cuando se le necesita

- Terminación de tratamiento abrupto o inadecuado

- Ubicación incorrecta de niños

- Fallar en reportar sospecha de abuso sexual o negligencia de niños

- Uso de prácticas no reconocidas

- Practicar más allá del ámbito de competencia

En resumen las conductas anti éticas más frecuentes en el servicio directo están relacionadas a:

- Violaciones a la confidencialidad y privacidad

- Derecho al consentimiento informado.

- Derecho a la autodeterminación del cliente vs. Paternalismo (se valora una intervención profesional dirigida a fomentar el apoderamiento y la autogestión de los/las participantes)

- Violación a las fronteras profesionales y conflicto de intereses

- Conflicto entre los valores profesionales y los personales

¿Cómo evitar posibles demandas por impericia profesional?

Para evitar las posibles demandas por impericia los/las trabajadores/as sociales deberán en primer lugar mantener sus conocimientos actualizados y utilizar las prácticas basadas en evidencia que han demostrado ser más efectivas en la atención de la situación que tiene a ante su consideración. Además los expertos recomiendan establecer: a) plan de manejo de riesgo en el cual se familiarice a los practicantes y a la agencia con las conductas erróneas y posibles actos de impericia; b) auditoria de manejo de riesgo, que incluye, mantener: licencia y colegiación actualizadas, establecer protocolos para manejar situaciones de emergencia, cobertura de seguro por impericia profesional, expedientes actualizados y seguros, y otra documentación en orden y actualizada; c) establecer relación de consulta legal; d) consultar con especialistas para: diagnóstico y tratamiento, referidos para segunda opinión, pruebas psicológicas, evaluación para determinar intervención psicofarmacológica; e) educación continua (Kurzman, 1995, Ibíd. p. 32).

Mantener la redacción de historiales actualizados es la mejor garantía para evidenciar el trabajo realizado en caso de posible demanda. Esta es una tarea que muchos trabajadores sociales no consideran de prioridad, argumentando es el servicio directo donde deben ocupar más de su tiempo y no en redacción de historiales y funciones administrativas. Aunque reconocemos las múltiples tareas que realizan los/las trabajadores/as sociales como parte de sus intervenciones, es un error subestimar la importancia de la redacción en el proceso. Documentar el trabajo realizado manteniendo al día los historiales y la documentación relacionada en orden es una tarea esencial que todo trabajador/a social debe cumplir. Esto, no solo para beneficio de los usuarios de los servicios, sino también como un seguro para el practicante en caso de posible demanda, ya que constituirá su evidencia y podrá demostrar su credibilidad como profesional. En resumen, documentar el procedimiento llevado a cabo en la intervención e incluir documentos tales como: consentimiento informado/ límites de confidencialidad, así como la evaluación y el procedimiento de terminación de la intervención, pueden serle de gran ayuda en caso de una posible demanda o reclamo de impericia, tanto para el profesional como para la agencia para la cual trabaja.

Procedimiento para radicar quejas por conducta anti ética ante el Colegio de profesionales del Trabajo Social de Puerto Rico:

La Comisión de Ética del Colegio de Profesionales del Trabajo Social de Puerto Rico recibe y evalúa las quejas sobre comportamiento ético de los y las trabajadores(as) sociales. El procedimiento para la radicación de la queja a la Comisión se desglosa a continuación:

1. Llenar formulario y documentar la alegada conducta anti-ética del trabajador social a quien se le radica la queja. Si es un colegiado quien radica la queja contra otro colega deberá indicar los cánones en violación a la conducta ética.

2. El documento debe presentarse con una declaración jurada ante un tribunal o notario público. Luego de completar todos los documentos deberá ser entregados personalmente o enviados por correo a la Oficina del Colegio de Profesionales del Trabajo Social.

3. Una vez la Oficina de Asuntos Éticos y Comisiones recibe la queja y valida que se trata de un trabajador social colegiado, se procede a notificarle a éste(a) mediante carta y se le envía copia de la queja.

4. La persona objeto de la queja tiene diez días laborables para responder a las alegaciones, de no hacerlo estará renunciando a su derecho a dar su versión de los hechos.

5. De tener ambas versiones o si la persona se ha negado a contestar, se procederá a elevar la queja a la Comisión

de Ética para su evaluación. Esta determinara:

- No existen elementos de violación ética.

- Determina que existe una posible violación ética y la queja se convierte en una querella formal.

6. Se notifica a ambas partes y se designa un Oficial Examinador. Se comienza un proceso cuasi judicial donde las partes tienen todos los derechos procesales: estar asistidos por abogados, a presentar testigos y a contra interrogar a las partes.

7. Finalizado el proceso el Oficial Examinador somete recomendaciones a la Comisión quien determinará si se acogen o no las recomendaciones. De determinarse que hubo violación ética se podrá tomar una de las siguientes medidas de acuerdo a la naturaleza de la violación:

- Una sanción escrita dirigida a la persona por conducto de su agencia o empleador.

- Suspensión de licencia (temporal o permanentemente, de acuerdo a la gravedad de la situación). En estos casos se le refiere a la Junta Examinadora de Trabajadores Sociales quien tiene la facultad para suspender la licencia.

Casos para Análisis:

A continuación se exponen situaciones que hemos elaborado basadas en un conflicto ético, para ser analizadas aplicando las normas, principios y valores del Código de Ética. Las mismas no responden a ningún caso en específico.

Caso I

A una trabajadora social del Departamento de la Familia se les asignan dos casos de maltrato a menores para ofrecerle los servicios de protección.

La familia A (compuesta por madre, padre y tres menores de 6,5 y 3 años) fue referida por negligencia y maltrato físico a los niños. Luego de la evaluación se determinó que como parte de los servicios a ofrecérseles los padres tendrían que recibir orientación y terapia en la modalidad de Escuela para Padres. Estos asistieron con regularidad y observaron cambios favorables en el grupo familiar. Se encuentran en la etapa final del servicio.

La familia B compuesta por madre y dos menores de 4 y 6 años reciben los servicios de protección a menores por negligencia. Se recibió una querella a través del Sistema de Emergencias Sociales en la que se informaba que la madre dejaba solos a los niños en la casa. En la visita al hogar se corroboró la información al encontrar solos a los niños esa noche. Como parte de los servicios ofrecidos a la madre se le requirió asistir a la Escuela para Padres. Esta conoce y reside en el mismo complejo residencial que la familia A. También está en la etapa final del servicio.

La trabajadora social sospecha que la madre B continúa siendo negligente, pero no ha logrado obtener información que corrobore esto ya que los vecinos y familiares entrevistados se han negado a brindar información, alegando no desean tener problemas con la Sra. B. La trabajadora social decide utilizar su relación con la Sra. A para obtener información sobre la Sra. B. Con este propósito visita a su cliente Sra. A y muy sutilmente le hace varias preguntas sobre el comportamiento de B en el residencial y cómo ésta trata a sus hijos. Luego de que ésta le indicara que no conocía lo que pasaba en el hogar de la Sra. B por lo que no podía darle información, la trabajadora social le comenta tener conocimiento de que la Sra. B se relaciona sentimentalmente con su esposo.

Ante esta información la Sra. A cae en crisis y amenaza con matar a su esposo y quitarse la vida. La trabajadora social se marcha de la casa dejando a la Sra. A en crisis. Esta recurre a llamar a la trabajadora social coordinadora de la Escuela para Padres para notificarle que no asistiría a la graduación, donde tenía una participación. La trabajadora social percibe que la Sra. A está alterada y llorosa por lo que explora que le está ocurriendo. La cliente le relata haberse enterado por su trabajadora social que su esposo le es infiel con la Sra. B, quien también participa de los servicios de Escuela para Padres. La Sra. A en forma agitada y rompiendo en llanto comenta que va a terminar con su vida y con la de su esposo e hijos. Ante las amenazas de la Sra. A, la trabajadora social inicia un diálogo con ésta para bajar su ansiedad y tensión utilizando estrategias de intervención en crisis. Una vez calmada le solicita su autorización para visitarla en su hogar y verificar que esté estable y bien.

Analice este caso desde la perspectiva de los valores de la profesión y el Código de Ética.

1. Identifique y explique qué áreas del Código de Ética aplican en esta situación.

2. Identifique las violaciones éticas, si alguna, cometió la trabajadora social en su intervención en los casos asignados A y B.

3. ¿Si usted fuera la trabajadora social Coordinadora de la Escuela para Padres, qué le diría a la Sra. A para bajar su ansiedad y sacarle de la crisis?

4. ¿Qué acciones o procedimientos ulteriores se requieren llevar a cabo en esta situación?

5. ¿Procede alguna acción contra la trabajadora social por su intervención en los casos de las familias A Y B? En la afirmativa, explique cuál sería la acción a seguir de acuerdo a los procedimientos existentes en Puerto Rico actualmente.

Caso 2

La Sra. O. Vélez presenta moción al Tribunal de Primera Instancia, Sala de -----, en la que solicita que por el mejor bienestar de sus hijos de 3 y 5 años, se le otorgue la custodia de éstos, se establezcan relaciones paternas filiales y se fije pensión alimentaria.

El caso es referido para estudio social a la Unidad de Trabajo Social. La Sra. Vélez es citada por la trabajadora social, Sra. A. Cortés, para que comparezca a la 1:30 a la Oficina de Servicios Sociales de Menores y Familia para iniciar el proceso de evaluación social forense.

La Sra. Vélez llega a la oficina a las 2:00 pm, ya que confrontó problemas en la carretera por un accidente. Al llegar la Sra. Cortés, TS, le recibe molesta y sin darle oportunidad de explicar las razones de su tardanza, frente al personal secretarial, en camino hacia su oficina le expresa a la clienta en forma airada que por llegar tarde no podrá hacerle la entrevista ya que tiene otro caso citado para las 3:00 pm y procede a citarla para otra fecha.

La cliente siente que no se le ha tratado bien, reciente el tono molesto que ha usado la trabajadora social y que ésta no le ha permitido explicar las razones de su tardanza. Además considera ha sido una falta de respeto haber sido regañada frente a otras personas, siendo ella una persona adulta. La Sra. Vélez solicita hablar con la supervisora de la trabajadora social, pero la respuesta que ésta le da parece justificar la conducta de la trabajadora social, por lo que decide elevar su queja a la Oficina de los Servicios Sociales en la Administración de los Tribunales.

Caso 3

A la trabajadora social, Sra. Rodríguez, se le refiere el caso del menor Roberto J., para ofrecerle supervisión durante su medida dispositiva, en el Tribunal de Menores, Sala de..., por haber sido hallado incurso en una querella por violación a la ley de armas. En la entrevista inicial la TS le interpreta al menor y su señora madre las condiciones de la libertad condicional y los procedimientos en el Tribunal de Menores. Recalca su interés en ayudarle en su proceso en el tribunal, sin embargo olvida interpretarle los límites de confidencialidad. Durante la tercera entrevista, el menor confiesa a la Sra. Rodríguez que había participado en un asalto donde resultó muerto una persona. Ante esta revelación la trabajadora social no sabe cómo debe proceder. Sabe que los delitos de asesinato no prescriben, pero por otro lado, reconoce que el menor le ofrece la información de modo confidencial ya que confía en ella y entiende que puede ayudarle. La situación se convierte en un dilema ético para la trabajadora social ya que no había explicado al menor los límites de la confidencialidad previamente y no sabe cómo proceder. ¿Deberá informar esto al Procurador de Menores y al juez, para la acción correspondiente o deberá mantener la información confidencial?

La TS decide discutir la situación con su supervisor y este a su vez eleva la consulta a la Oficina de Servicios Sociales de la Administración de los Tribunales. La situación es referida como consulta a la División Legal.

Caso 4

El Sr. Ramos, trabajador social, tiene bajo su atención el caso de la Sra. Pérez, quien se encuentra en proceso de divorcio y ha solicitado la custodia de sus dos hijos. Ésta es una mujer atractiva y se muestra coqueta con el trabajador social. Luego de concluir la intervención en el caso, seis meses más tarde, el Sr. Ramos, comienza a salir con la Sra. Pérez y posteriormente establecen una relación consensual. La supervisora, al enterarse procede a reunirse con el Sr. Ramos y le indica que es su responsabilidad notificar a sus superiores, ya que entiende que su conducta está en violación al Código de Ética. El Sr. Ramos se molesta con su supervisora por entender se está inmiscuyendo en su vida personal. La supervisora procede a notificar al administrador y a la Oficina Central para asesorarse sobre la acción procedente.

Caso 5

La trabajadora social Carmen conoce a un joven durante una fiesta en casa de una amiga. Este la saca a bailar en varias ocasiones y posteriormente se sienta junto a ella y entablan conversación. La joven le indica que es trabajadora social y que trabaja para el Departamento de la Familia. El joven se interesa en su trabajo y le indica que su hermana fue referida a esa Oficina por supuestamente maltratar a su hijo. Cree que fue una vecina con la que ha tenido problemas, quien refirió el caso, por lo que considera que el referido es uno de mala fe. Al explorar la trabajadora social sobre los hechos del caso y los nombres de los implicados, advierte que es ella quien tiene este caso para investigar, aunque no revela la información al joven. La trabajadora social se siente atraída hacia el joven por lo que decide continuar compartiendo con este en la fiesta.

Caso 6

Al finalizar las clases, a eso de las 3:00 de la tarde, mientras un grupo de estudiantes se encontraban en los "lockers", de su escuela, un estudiante fue agredido por una niña, que le propinó una patada en sus genitales sin que mediara previa discusión o incidente entre éstos. El golpe fue tan fuerte que el niño cayó al piso, retorciéndose de dolor. Luego de un rato, pasado el dolor, fue llevado por el Guardia de Seguridad, a la oficina de la Directora Estudiantil, la cual no quiso atender la situación porque estaba reunida con el personal y la trabajadora social. Se le indicó que debía ir al área de Emergencias médicas. Y no se les notificó a sus padres del incidente. La madre fue notificada por otro estudiante y esta procedió a recoger a su hijo para llevarlo al Hospital, donde se le hicieron análisis y un CTS. El doctor certificó que de haber recibido el golpe directamente en los testículos hubiese tenido consecuencias mayores, y que gracias a la ropa interior que ese día usaba, se evitó un daño mayor.

Al día siguiente la madre se presentó a la oficina de la Directora Estudiantil, quien se negó a atenderla por no tener una cita previa. Molesta la madre, solicitó una reunión con el Director Escolar, quien le atendió una semana después del incidente. Previo a esta reunión, ningún oficial de la escuela (trabajadora social, maestro, o personal directivo), llamó o entrevistó al niño para saber lo ocurrido. Situación que causó indignación en la madre por considerar una falta de consideración, negligencia e indiferencia por parte del personal escolar que no hicieron nada por atender la situación, ocurrida en el Colegio dentro del horario escolar. Molestó más a la madre el que no se tomara ninguna sanción administrativa contra la niña que agredió a su hijo. Aclaró que su interés no era radicar querella contra la niña, pero interesaba que la escuela tomara acción para sancionar la conducta. Durante la entrevista, el Director le insinuó a la madre que su hijo presentaba problemas de conducta. Ésta le aclaró que el niño había sido estudiante de ese colegio desde el "Kínder Garden", y nunca había presentado problemas de conducta, estaba en el cuadro de honor y mantenía un promedio de A; participaba del equipo de Baloncesto, representando al Colegio y sus maestros lo describían como un niño bueno, responsable, de buenos sentimientos, respetuoso y que responde de inmediato cuando se le llama la atención.

Al día siguiente de la entrevista con el Director, la Sra. López, (madre), recibe una llamada de la trabajadora social, quien le indicó se le había referido su caso y tras preguntar si interesábamos una reunión con ella, le citó para el día siguiente. Durante la llamada telefónica, ésta, al igual que el director, trató de responsabilizar al niño víctima de la agresión, señalando que éste tenía problemas de conducta y que había agredido a otros niños en el pasado. La madre preguntó, ¿Por qué hasta ahora nunca se le había informado que había habido otros incidentes? La Sra. López le aclaró que la única situación previa conocida, su hijo también había sido víctima de una agresión. Al día siguiente, previo a la cita, la Sra. López recibe una llamada de la trabajadora social suspendiendo la entrevista e indicando que se reuniría con la niña que agredió a su hijo y con su mamá.

La Sra. López, considera la actitud de esta trabajadora social anti ética ya que en lugar de tratar de manejar la situación y explorar lo ocurrido, trata de responsabilizar a su hijo, como si en lugar de ser víctima fuese el agresor, al igual que lo había hecho el Director. Ésta siente que no se respetan los sentimientos de los padres, ni del estudiante, así como no se muestra ninguna empatía hacia éstos, cuando se enfrenta una situación como la que enfrentó.

Caso 7

La Sra. González, trabajadora social, labora en un centro para ayuda a pacientes con VIH. Desde hace varios meses tiene asignado el caso de María, madre soltera de 35 años. La TS ha logrado establecer una relación profesional con la participante, lo que ha facilitado su intervención. En una ocasión, María, le comenta que su vecina es como una hermana para ella, y que ésta es su comadre. Han pasado dos meses y María, no ha asistido a sus citas. La TS, preocupada por la salud de María, decide visitarla a la casa para saber cómo está. Debido a que no la encontró pasó a la casa de la vecina para preguntar por la salud de María. En la conversación, le revela a la vecina, que está preocupada por la salud de María y que temía que hubiese sido hospitalizada por su condición de VIH. La vecina quien no tenía conocimiento sobre la condición de su amiga, se mostró asombrada e incrédula. Posteriormente confronta a su amiga con la información que la TS le había revelado. María siente indignación y coraje hacia la TS, por considerar que traicionó su confianza, ya que ella no había informado de su condición de salud a ninguna persona.

Caso 8

La Sra. Rivera se desempeña como supervisora en el Centro de Emergencias Sociales. Éstos reciben referidos de emergencia de casos de personas de la tercera edad y niños en situaciones de riesgo. Entre su equipo de supervisados tiene dos personas mayores de 50 años. La supervisora, alegando que da trato igual a sus supervisados, ha asignado el turno del horario de madrugada a la TS González. Ésta no ha logrado cumplir con las expectativas de la supervisora en el desempeño de su trabajo, por lo que ésta haciendo un comentario a viva voz entre sus colegas, indica, "Este es un trabajo para gente joven, personas mayores no deberían estar trabajando aquí". La Sra. Rivera le sugiere a la TS que se acoja al Retiro y le solicita se mueva a otra unidad de trabajo. La Sra. Rivera no ha considerado mover a la TS a otra unidad donde resulte menos riesgo para ésta, ni tampoco la ha considerado para un cambio de horario de turno. La TS se siente discriminada por su supervisora y considera que ésta la "ha cogido con ella por su edad". Se siente acosada por lo que se ha afectado emocional y físicamente. Por su condición de salud ha tenido que ausentarse frecuentemente. Un compañero le orienta sobre sus derechos y le sugiere que radique querella al Colegio de Profesionales de Trabajo Social por discrimen por edad.

Caso 9

El Sr. Ramos asiste desde hace cuatro meses a un programa ambulatorio de tratamiento de alcohol y drogas, donde recibe servicios por su dependencia y uso de cocaína. Este se encuentra en libertad condicional luego de haber sido detenido y procesado por posesión de droga, (violación a la Ley 404). Durante el proceso judicial éste hizo alegación de culpabilidad para acogerse a una probatoria especial bajo el Programa de Cortes de Drogas. Durante una sección de terapia con su trabajadora social éste le revela que él realmente no es un usuario de drogas, y acepta que se dedica a la venta de la sustancia. Señala que luego de perder su empleo y por los problemas económicos que confrontó en ese momento, aceptó la oferta de un amigo para trabajar con él en la distribución de drogas a clientes profesionales y de alto nivel económico. Pero evitar ir a la cárcel tuvo que aceptar el uso de drogas, ya que de otra manera no hubiese cualificado para la probatoria especial en libertad condicional.

La trabajadora social es citada a la vista de revisión del caso para exponer sobre los servicios ofrecidos al Sr. Ramos, los resultados de las pruebas de dopaje y su ejecución en el programa en general. La trabajadora social se siente temerosa y muy nerviosa en el proceso del interrogatorio ya que sabe que el participante no es usuario de drogas. Al declarar informa que todas las pruebas realizadas han dado negativas, pero se abstiene de dar la información que le dio el Sr. Ramos, por considerar que ésta es confidencial y la ofreció por la confianza establecida en el proceso terapéutico. No obstante la trabajadora social reconoce que no ha dicho toda la verdad en el Tribunal y se siente culpable.

Analice los casos anteriores desde la perspectiva de los valores de la profesión y el Código de Ética. Conteste las preguntas que apliquen al caso.

1. ¿Cómo evaluarías la conducta del/ la trabajado (a) social? ¿Cómo debería haber procedido?

2. Identifique si se plantea un dilema ético en la situación.

3. Identifique las violaciones éticas, si alguna, cometió el/la trabajadora social en su intervención en el caso.

4. Identifique y explique qué áreas del Código de Ética aplican en esta situación.

5. ¿Si usted fuera la/el supervisor (a) que haría?

6. ¿Qué acciones o procedimientos ulteriores se requieren llevar a cabo en esta situación

CAPITULO 9

Perspectiva Teórica en la Evaluación de los Casos

> "En la búsqueda de la verdad, el mejor plan podría ser comenzar por la crítica de nuestras más caras creencias. Puede parecer un plan perverso, pero no será considerado así por quienes desean hallar la verdad y no la temen" Karl Popper (citado por E. Ander Egg, 2001).

Los profesionales del trabajo social como hemos señalado y reiterado en los capítulos anteriores de este libro, requieren asumir una actitud científica que les ayude a evaluar el comportamiento humano en forma objetiva, libre de prejuicios, separando los hechos de las inferencias, de manera que sus conclusiones en el proceso evaluativo tengan validez como un juicio profesional. Para lograr una mejor comprensión del funcionamiento social el/la trabajador(a) social necesita una base de conocimientos teórico que le permita ponderar adecuadamente las situaciones que tiene ante sí.

Durante los estudios universitarios en trabajo social los/las estudiantes son expuestos/as a los diferentes marcos teóricos y modelos de intervención como parte esencial en la evaluación de los casos. Éstos tienen que aprender a identificar la o las teorías que pueden aplicarse para entender la conducta que exhibe en un momento dado un individuo, grupo o familia. Este es un proceso analítico que requiere no sólo el conocimiento especializado en conducta humana, sino también el poder hacer inferencias correctas de la situación evaluada, asumiendo una actitud científica. La que supone tener la capacidad de ordenar, relacionar, enumerar, describir, comparar, distinguir, clasificar, definir, así como, buscar contradicciones y oposiciones, situar los hechos, fenómenos y procesos en contextos más amplios de tiempo y espacio, (Ander-Egg, p.80).

Durante este proceso de enseñanza los estudiantes pueden mencionar las teorías que pueden aplicarse en determinado caso, (unos más que otros), sin embargo cuando empiezan a laborar en agencias públicas o privadas, observamos que en su generalidad no aplican las teorías en el análisis de sus casos o si lo hacen se limitan a escribir lo que establece la teoría sin explicar o interpretar la relación que existe entre ésta y la conducta exhibida por el individuo o familia evaluada. Como señaláramos, antes este es un proceso reflexivo y analítico que requiere profundizar en la conducta y mantener una actitud objetiva que nos permita ver los hechos y analizarlos libre de prejuicios para lograr la ponderación y recomendaciones que mejor aplique a la situación evaluada.

A continuación exponemos varias definiciones de lo que es una teoría (citadas por Green & Ephross, (1991) y la diferencia entre estas y los modelos o perspectivas teóricas

¿Qué es una teoría?

- Es un sistema lógico de conceptos que proveen un marco de referencia para organizar y entender observaciones. Intentan ofrecer en forma comprehensiva, simple, y principios dependientes para la explicación y predicción de fenómenos observables (Hampel, 1960).

- Ofrece una explicación para una idea, y está compuesta por un conjunto de presunciones y conceptos que explican un fenómeno observado. Debe ofrecer significado y claridad a lo que de otra manera, aparecería como un caso aislado y específico (Chess & Norlin, 1988).

- Una teoría debe permitirnos organizar nuestras observaciones y manejar significativamente información que de otra manera seria caótico e inútil (Shaw & Contanzo, (1998).

Las teorías sirven de guía para organizar y trabajar los datos recogidos en el proceso evaluativo y darle significado a las observaciones. Sirven para explicar el comportamiento de las personas, para entender como el medio ambiente afecta el comportamiento, así como para predecir los resultados de una intervención o conducta futura. Sin embargo ninguna teoría por si sola es capaz de organizar los principios para entender completamente a la persona y la persona en interacción con los sistemas en los que interactúa. Se requiere conceptos de diferentes disciplinas para entender las variables que interactúan en la formación del comportamiento humano: físicas, psicológicas, cognitivas, social y cultural. Para ello es necesario incorporar diferentes teorías para explicar el comportamiento y hacer recomendaciones que apliquen a una situación particular basada en las mejores prácticas de evidencia. En este proceso el juicio del profesional es fundamental para determinar que teoría se aplica mejor para entender y explicar la situación que tiene ante sí.

En este capítulo expondremos un resumen de las diferentes teorías más utilizadas por los/las trabajadores(as) sociales en sus intervenciones y evaluaciones sociales.

9.1 Teorías del Comportamiento Humano:

Para explicar el comportamiento humano se han desarrollado diversas teorías. Las ocho perspectivas teóricas de mayor uso por los trabajadores sociales, y otros profesionales son: teoría de sistema, teoría del desarrollo, teoría del comportamiento social, teoría del conflicto, teoría selección racional, constructivismo social, teoría psicodinámica, y teoría humanista. Cada una de estas perspectivas ha sido conceptualizada y ampliada a través del tiempo para explicar la diversidad en la vida social, y cada una contiene a su vez, diversas teorías. Estas ocho perspectivas teóricas provienen principalmente de las disciplinas de la psicología y sociología; y algunas de origen interdisciplinario (Encyclopedia of Social Work, 20th, ed., 2008).

Tomando como base la información de las teorías antes señaladas, presentamos un breve resumen de las teorías que más frecuentemente aplican los/las trabajadores(as) sociales en la ponderación e intervención de los casos. Además incluimos con mayor detalle la teoría de Aprendizaje de Albert Bandura y la teoría de Indefensión de Martin Seligman, como complementos, ya que estas pueden ayudarnos en la comprensión de la conducta de muchos de los individuos que son referidos a la atención de los trabajadores/as sociales y pueden servir para el desarrollo de estrategias de intervención en la modificación de conducta. Con el objetivo de facilitar la comprensión del origen y desarrollo de estas teorías, hemos desarrollado la gráfica que se presenta a continuación. En la misma se exponen las perspectivas teóricas más utilizadas y la vinculación de distintas teorías con éstas, así como sus principales autores.

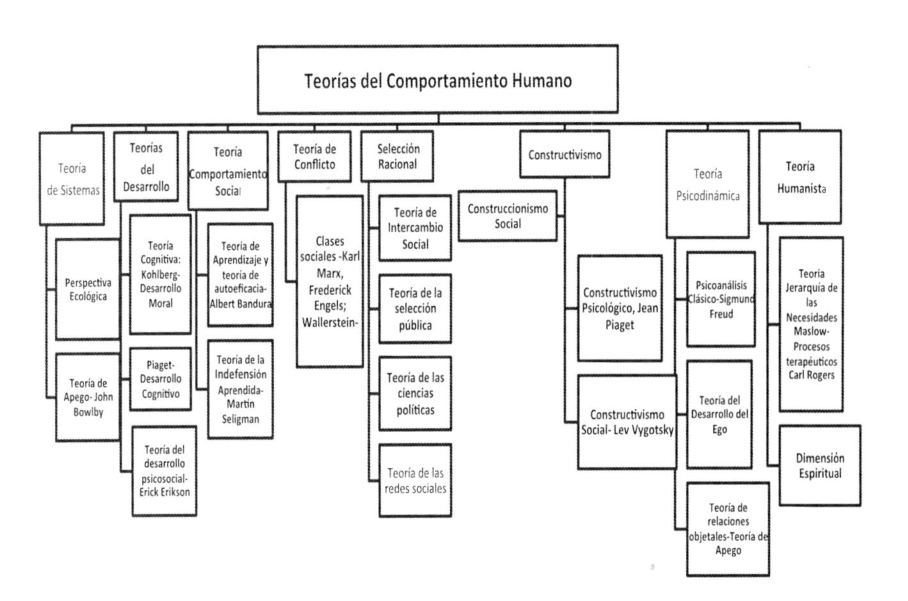

9.1.1 Teoría de Sistemas:

La teoría sistémica nos provee un marco conceptual para entender el funcionamiento de la conducta humana como el resultado de la interacción recíproca entre la persona y su ambiente, enfocando en la interconexión en toda la vida. El origen y desarrollo de esta perspectiva teórica proviene de diversas disciplinas tales como: física, matemática, ingeniería, biología, psicología, antropología cultural, economía y sociología. La teoría de sistema ha tenido una influencia significativa en la práctica del trabajo social ya que ha sido instrumental para entender la conducta del ser humano desde una perspectiva multifactorial, en lugar del modelo medico de causa y efecto. Esta teoría provee un esquema conceptual para entender la interacción entre un número de variables en lugar de una explicación reduccionista del comportamiento por una sola causa. También ha sido de gran influencia en la práctica del trabajo social porque hace consciente de la necesidad de examinar los múltiples sistemas en los que las personas funcionan o interactúan para buscar una posible respuesta a su conducta. La teoría enfatiza en la interdependencia e interacción entre los componentes de los distintos sistemas del cliente o participante y lo que produce la adaptación o disfunción del sistema. El concepto de que los sistemas sociales no es estático, sino por el contrario, está en constante estado de intercambio con su medio ambiente, es importante para determinar las posibilidades de intervención y estrategias de cambio. En general la teoría enfoca en la persona y su ambiente y sugiere la inclusión del contexto de cruce- cultural, lo que la hace adecuada para trabajar con diversas poblaciones de clientes. Desde esta perspectiva de sistema, el comportamiento es entendido como el producto de la interacción dinámica y los lazos de relaciones entre las personas que componen el sistema.

Perspectiva Ecológica:

La teoría de sistemas en la forma de la perspectiva ecológica ha sido acogida ampliamente y es muy popular en las ciencias sociales y del comportamiento y en profesiones como el trabajo social ya que enfoca en la persona y en su relación con el entorno o sea focaliza en la dinámica e interacción recíproca entre los organismos y sus múltiples ambientes. Ofrece un marco de referencia que sintetiza ideas de un sinnúmero de teorías del comportamiento humano y de la práctica del trabajo social. Este concepto sobre la capacidad de adaptación de los humanos en continua transacción con su ambiente resulta atractivo para la profesión de trabajo social porque permite entender diversos clientes en una variedad de situaciones de vida (Greene & Ephross, 1991). Desde esta perspectiva se da particular atención a como las personas y otros organismos se adaptan al contexto de sus vidas y como su adaptación ayuda a moldear esos contextos. Se reconoce que diferentes personas pueden reaccionar en forma diferente a un mismo ambiente y un mismo ambiente puede interactuar diferente con la misma persona en diferentes momentos. Desde esta perspectiva la persona y el ambiente se influyen mutuamente.

La perspectiva ecológica en la práctica de trabajo social ha adoptado muchos conceptos teóricos de diversos campos de la ciencias, tales como: Ecología, Biología Evolutiva, Etnología, Antropología, Psicología del Ego, Teoría de Estrés, Escuela Gestalt de Psicología, Teoría de Roles, Psicología Humanística, Teoría General de Sistemas y Dinámica en las relaciones de poder. El proceso de evaluación basado en la metodología del modelo ecológico y la teoría de sistemas, analiza la situación del participante (cliente) en su interacción con el ambiente. Para explorar y recoger datos sobre la historia y vida del individuo, familia, grupo; bajo esta perspectiva ecológica, se utilizan como instrumentos de evaluación el ecomapa, (evalúa la relación entre la persona (as) con sus múltiples ambientes), y el genograma familiar, (instrumento gráfico para describir las relaciones familiares a través del tiempo), así como instrumentos proyectivos para medir funcionamiento en distintas áreas.

La teoría de Apego de Bowlby (1973), de gran utilidad para los profesionales del trabajo social tiene su fundamento teórico en la perspectiva ecológica. Investigadores en el campo del desarrollo y la psicología clínica, psiquiatría y el comportamiento genético, han utilizado la perspectiva ecológica y su acercamiento de factores de riesgo y protectores para entender la influencia de múltiples sistemas que llevan a la resiliencia o a la probabilidad de desarrollar psicopatología. Estos han identificado factores de riesgo que aumentan la probabilidad de desarrollar o mantener condiciones inadecuadas y factores protectivos que reducen la probabilidad de estas condiciones. El crecimiento de la evidencia relacionado a los factores de riesgo y de protección ha tenido implicaciones en la intervención para la reducción de riesgos o aumentar la protección. La teoría ecológica ha sido utilizada más recientemente, para entender el impacto de la economía y la globalización cultural en el comportamiento humano de los grupos alrededor del mundo.

9.1.2 Teorías del Desarrollo:

El desarrollo del ser humano envuelve cambios progresivos a lo largo de la vida, ocurriendo los cambios más rápidos y definitivos en los primeros años de vida. La evolución del comportamiento en el ser humano va desde la inmadurez a la madurez, de patrones simples a complejos y, de la dependencia a la autonomía de la adultez. El desarrollo del niño también ha sido descrito como una serie de etapas, cada una distinta de la que procede y que se refleja en cambios dramáticos en las características físicas, cognitivas, lenguaje, y las características sociales/emocionales. De acuerdo a ésta, el niño logra su madurez a través de las oportunidades de aprendizaje en su ambiente, lo que facilitará moverse de una etapa a otra. Dentro de la teoría del desarrollo se han formulado varias teorías para describir el comportamiento más significativo en una etapa particular del desarrollo. Entre estas: la cognitiva, de Kohlberg y Piaget, que describen el desarrollo desde la perspectiva de como los procesos mentales de la persona perciben y afectan sus experiencias en el mundo; afectiva; de aprendizaje y desarrollo del niño. Uno de los pioneros en desarrollar una teoría para explicar el desarrollo de la personalidad basado en etapas de desarrollo psicosexual, fue Sigmund Freud. Este describió cinco (5) etapas en el desarrollo psicosexual, centrada cada una en una zona erógena diferente o gratificación en una parte del cuerpo en la que cada etapa presenta un conflicto psicológico y gratificación: etapa oral, anal, fálica, latente, y genital (ver teoría psicodinámica).

A) Teoría del Desarrollo Cognitivo:

Jean Piaget, uno de los teóricos precursores en esta área, elaboró una teoría general del desarrollo intelectual, y sus implicaciones en el desarrollo moral, social y emocional de los niños. Esta teoría del Desarrollo Cognitivo (desarrollo intelectual) propone una secuencia de etapas del desarrollo cognitivo desde el nacimiento hasta la adolescencia tardía. Cada etapa cognitiva representa una nueva reorganización psicológica, resultado de la maduración de nuevas funciones y habilidades. Durante el desarrollo del niño, el pensamiento se altera y trasforma llevándolo hacia el próximo nivel cognitivo. Este desarrollo y trasformación de las estructuras fundamentales y los procesos con los que el niño "conoce el mundo", es lo que produce en éste, los cambios a nivel cognitivo. Piaget conceptualiza cuatro etapas en el desarrollo cognitivo del niño(a), que va desde el pensamiento concreto hasta el razonamiento abstracto. El progreso de una etapa a la próxima es el resultado de la maduración biológica y las experiencias del niño en su ambiente. Para éste el desarrollo cognitivo, afectivo y social son inseparables y paralelos; y los logros cognitivos de una etapa a otra afectan las relaciones interpersonales, como las intrapersonales, "pensamientos" (Piaget y Inhelder, 1969, en Vourlekis, 1991, p. 135).

Etapa	Edad	Características
1. Sensorial motor El contacto del infante con el mundo es a través de los sentidos (chupar, probar, tocar, oír y ver).	Desde el nacimiento a 2 años	La tarea esencial es diferenciarse de otros, reconocer que las personas externas u objetos pueden ser experimentados por más de un sentido, y la formación inicial de esquemas cognitivos se logra a través de la interacción con otras personas u objetos. El pensamiento se expresa en acción concreta. El niño se focaliza en la construcción de las destrezas motoras y sensoriales, en los movimientos de su cuerpo y en la manipulación de objetos concretos.
2. Pre –operacional: Pre- conceptual: A través del desarrollo del lenguaje comienza a desarrollar procesos simbólicos. Este proceso continua con la fase de intuición. Pre- operacional: Fase intuitiva	2 años a 7 2 a los 4 años 4 a 7 años	Egocéntrico y concreto. No tiene la capacidad de formarse representaciones mentales de eventos y no entiende los conceptos de verdad. No puede explicar claramente a otros y el razonamiento en esta etapa esta usualmente distorsionado porque son capaces de enfocar solamente en un solo aspecto de una situación a la vez. En este periodo el niño gradualmente es capaz de construir pensamientos e imágenes más complejos.
3. Concreta- Operacional	7-11 años	Caracterizada por el desarrollo del pensamiento lógico, clasificación, serie, y conservación. Desarrolla habilidad de hacer en su pensamiento lo que hará a través de la acción física. Puede hacer estimados y es capaz de entender los conceptos relativamente extensos. Su modo de pensar se va aumentando, parecido al del adulto.
4. Operacional Formal	11 - 15 años	Desarrolla habilidad del razonamiento lógico, tanto inductivo como deductivo. Capaz de pensar abstractamente y usar reglas abstractas. Es también capaz de considerar diferentes posibilidades hipotéticas en una situación dada o en la solución de un problema dado. El desarrollo moral ocurre en dos estadios: heterónomo y autónomo. En la primera, el niño se adhiere a las reglas fijadas por otros, particularmente sus padres, pero gradualmente se mueve a la segunda fase: autonomía, caracterizada por reglas que pueden ser negociadas y cambiadas por consentimiento mutuo.

La teoría del Desarrollo de Piaget ha sido cuestionada por estar basada en unas etapas fijas de secuencias invariables en el desarrollo social y emocional de todos los individuos. Se señala que este modelo no refleja las diferencias culturales y es determinista (Germain, 1983, Ibid., 1991, p. 137). Aunque se da validez a las primeras dos etapas (Sensorial motor y Pre Operacional), las investigaciones realizadas sugieren que en general los niños son competentes en muchas tareas cognitivas más temprano, de lo que Piaget predijo en su teoría.

B) Teoría del Desarrollo Psicosocial:

El desarrollo a través del ciclo de vida es el foco de la Teoría del Desarrollo Psicosocial propuesta por el psicólogo Erik Erikson (1902 – 1994). En desacuerdo con la teoría clásica psicoanalítica propuesta por Freud, este propone una visión optimista para entender del desarrollo saludable de la personalidad a través del ciclo de vida y el desarrollo del ego como un fenómeno social. Erickson, postula que las personas tienen la habilidad para cambiar, que poseen un sentido de unidad interior, buen juicio, y capacidad para el bien. De acuerdo a este acercamiento teórico, factores sociales y del medio ambiente producen cambios en el pensamiento y comportamiento. Para Erikson el desarrollo de la personalidad sigue una secuencia propia, emerge en tiempo critico o decisivo, progresa a través del tiempo y es un proceso integrativo de largo tiempo. Esta teoría establece ocho etapas de desarrollo en la vida, que se inicia en la infancia con el nacimiento y termina en la vejez y muerte; y que se caracterizan por una crisis psicosocial que representa un conflicto entre el individuo y su ambiente. De acuerdo a Erickson, (1963, citado en Greene, 1991), la crisis ofrece la oportunidad para nuevas experiencias y demandan un cambio radical en perspectiva o una nueva orientación hacia uno mismo y el mundo.

Para Erikson, la terminación exitosa de cada etapa da lugar a una personalidad sana y a interacciones adecuadas con los demás. Por el contrario fracasar en completar con éxito una etapa puede reducir la capacidad para terminar las otras etapas. Esto tiene repercusiones en una personalidad y un sentido de identidad personal menos sanos.

Sin embargo, de acuerdo a Erikson, estas etapas se pueden resolver con éxito en el futuro. Esta teoría es de gran relevancia al momento de evaluar el funcionamiento de los/las niños(as) en casos bajo la atención de los/las profesionales de trabajo social.

Esta teoría postula (Corey, 1986, citado en Greene, 1991):

- Que la manera en que los niños se socializan afectará su sentido de identidad personal.
- Que los niños se desarrollan en un orden predeterminado.
- Que el desarrollo de la personalidad es un proceso que continua a través de toda la vida, así como la formación de la identidad.
- En la adolescencia, la formación de la identidad conlleva el desarrollo de una filosofía personal de vida y la integración de un sistema de valores.
- La formación de la identidad está centrada en la lucha personal para definir quién es uno y hacia dónde va, se alcanza su más alto nivel en la adolescencia.

A continuación se expone un resumen de las etapas de desarrollo psicosocial propuesta por Erikson (Ibíd., 1991)

Etapa/Edad	Crisis Psicosocial	Relación Significativa	Propicia el Desarrollo Exitoso	Resultados Favorables	Obstáculos para el desarrollo exitoso
I Oral-Sensorial Infancia- nacimiento a 12 meses.	Confianza vs. Inseguridad	Cuidador primario (generalmente la madre o el padre)	Cumplir adecuadamente las necesidades físicas y psicológicas: cuidado, afecto	Confianza y Optimismo	Falta de cuidado, conductas impredecibles y negligencia.
II Muscular- Anal Niñez (12- 36 meses)	Autonomía vs. Duda-Vergüenza	Padres	Disciplina consistente con cierto grado de oportunidades para escoger, explorar, iniciar y estructurar actividades. Los niños comienzan a afirmar su independencia, caminando lejos de su madre, escogiendo con qué jugar, lo que quiere usar para vestir, lo que desea comer, etc.	Auto-afirmación, auto-control, sentimiento de adecuación. Si se anima y apoya la independencia creciente de los niños en esta etapa, se vuelven más confiados y seguros respecto a su propia capacidad de sobrevivir en el mundo.	Severa disciplina o inconsistente, avergonzar, desaprobar y desanimar continuamente la iniciativa del niño/a. Demanda para regular la evacuación.
III Genital- Locomotor (3-6) Edad del juego	Iniciativa vs. Culpa	Familia	Estimular los intereses, iniciativa y tentativa del niño/a, evidencia de que el adulto confía en el/ella. Dejar que se exprese.	Sentido de iniciativa, propósito y dirección.	Desanimar y resaltar las faltas y defectos. Castigar su asertividad.
IV Latencia Edad Escolar (6- 12)	Industriosidad vs. Inferioridad	Escuela, Vecindario	Animar y orientar en el aprendizaje de destrezas físicas sociales, e intelectuales básicas.	Productividad y competencia en destrezas físicas, intelectuales y sociales.	Adultos que demandan demasiado o muy poco. Compararlo con otros, inferioridad.
V Pubertad- adolescencia (12- 18)	Identidad del yo vs. Difusión de la identidad.	Grupo de pares, modelos de liderazgo	Ayuda temprana para el logro de roles y metas de vida e identificación positiva, modelaje personas admirables, auto estima saludable.	Integra imagen de sí mismo como persona única.	Falta de claridad en el rol a seguir, crisis recurrentes de edad temprana, angustia interna ante cambios físicos y nuevas demandas sociales.
VI Adulto Joven (18-29)	Intimidad y solidaridad vs. Aislamiento	Parejas, amigos, sexo, competencia, cooperación.	Solución exitosa de la crisis, logro de identidad.	Habilidad para establecer relaciones personales cercanas y hacer compromisos con la carrera profesional.	Exagerado énfasis en el individualismo, valorización de la intimidad.
VII Adulto Medio (30-65)	Generatividad Vs. Estancamiento	División del trabajo y vivienda compartida.	Trabajo, vida creativa, conciencia de autonomía y crecimiento de otros.	Se preocupa por la futura generación.	Fracaso para desarrollar preocupación por el bienestar de otros, centrado en sí mismo.

9.1.3 Teoría de Comportamiento Social/ Aprendizaje Social:

Desde esta perspectiva el comportamiento humano es aprendido en la interacción del individuo con su medio ambiente. Se han desarrollado diversas teorías dentro de esta perspectiva del comportamiento o del aprendizaje social, las cuales focalizan en las diferentes maneras en que ocurre el aprendizaje. Los tres acercamientos principales son:

- Condicionamiento clásico - el comportamiento es aprendido a través de asociación, cuando un estímulo naturalmente satisfactorio (incondicional), es pareado con un estímulo neutral (condicional);

- Condicionamiento operante - el comportamiento es visto como resultado del refuerzo;

- Teoría cognitiva de aprendizaje social – sugiere que el comportamiento también se aprende por la imitación, la observación, las creencias y expectativas.

Estos modelos comparten la idea común de que el aprendizaje es aprendido. De acuerdo a la perspectiva del comportamiento social todos los problemas de vida humanos pueden ser definidos en términos de comportamiento indeseable, y todo comportamiento puede ser definido, medido y cambiado (Mizrahi, T. & Davis, L., 2008). Dos teóricos que se han destacado en esta área son Albert Bandura y Martin Seligman, de los cuales exponemos sus conceptos teóricos con mayor detalle por entender que pueden ser de gran utilidad para los trabajadores sociales en el proceso evaluativo, así como para desarrollar planes de intervención y recomendaciones de tratamientos efectivos. Durante nuestros estudios doctorales enlazamos estas teorías para desarrollar un modelo sistemático de intervención en las cortes de drogas con el objetivo de modificar la conducta de los participantes logrando su autoeficacia. Este modelo aparece en el 2do capítulo de este libro.

A) Teoría de Aprendizaje

Albert Bandura (1992). Establece que el aprendizaje ocurre por el mecanismo de respuesta condicional u el operante. Postula que el aprendizaje también puede ocurrir vicariamente por observación del modelo y por la observación de las consecuencias del comportamiento del modelo. La teoría de Aprendizaje social de Bandura postula el determinismo recíproco entre ambiente, conducta y características personales, y los procesos cognitivos como la auto eficacia y el auto control.

- Teoría de auto eficacia

Un elemento central de la teoría de Aprendizaje Social de Albert Bandura (1992), es el concepto de auto eficacia. La teoría de Bandura nos provee un marco conceptual que explica los orígenes de las creencias de eficacia personal, su estructura y función, los procesos mediante los que operan y los efectos que producen. Esta teoría aporta pautas explícitas sobre el modo de desarrollar y fomentar la eficacia humana.

De acuerdo con Bandura la auto-eficacia es producto de las creencias de la persona sobre sus capacidades y el control percibido para enfrentarse a los eventos o circunstancias que se presentan en su vida. Señala:

> "El nivel de motivación, los estados afectivos y las acciones de las personas se basan más en las creencias que en la información objetiva del caso. Por lo tanto, las creencias de las personas en sus capacidades causales constituyen el principal centro de interés en cuestión" (1999:20).

El control de los sucesos y el poder predecirlos le da a la persona la capacidad para ejercer influencia sobre los eventos que le afectan, lo que aumenta su creencia en sus capacidades o auto-eficacia. Por el contrario, cuando no se cree capaz de ejercer control para prevenir los eventos que le son adversos, entonces siente aprensión, apatía o desesperación. Por lo tanto, el ejercicio de control personal promueve y desarrolla la confianza que conduce al sentido de eficacia y al éxito personal (Bandura, 1998: 2, 1999).

Se define auto eficacia percibida como: "los juicios que cada individuo hace sobre sus capacidades, a base de las cuales organizará y ejecutará sus actos de modo que le permitan alcanzar el rendimiento deseado" (Bandura, 1997: 21). Es por ello que un rendimiento adecuado de la persona requiere tanto de la existencia de habilidades como la creencia por parte del sujeto de que dispone de la eficacia suficiente para utilizarla. Para generar cambios en el sujeto, es crucial que éste crea en sus propias capacidades para organizar y ejecutar los cursos de acción para manejar situaciones futuras. Las creencias de eficacia influirán sobre el modo de pensar, sentir, motivarse y actuar de las personas. Varios factores influirán en la interpretación de las experiencias de eficacia, entre las que se encuentran: las personales, sociales y situacionales. Las creencias sobre la capacidad del individuo para alcanzar el éxito puede ser influida a través de cuatro formas, de acuerdo con la teoría de auto eficacia. Estas son:

1. Experiencias de dominio – Es la fuente de información de mayor influencia en el desarrollo de la eficacia personal. De acuerdo a Bandura el éxito contribuye a desarrollar una creencia fuerte en la eficacia personal, mientras que el fracaso la debilita; especialmente si el fracaso ocurre antes de que se establezca un sentido firme de eficacia. Igualmente si la persona experimenta sólo éxitos de manera fácil, esperará resultados rápidos y se desalentará fácilmente por el fracaso. Para que se desarrolle un sentido flexible de eficacia, se requiere haber experimentado la superación de obstáculos a través de esfuerzos perseverantes. En este proceso las dificultades y obstáculos servirán para aprender que el éxito generalmente requiere de esfuerzos persistentes. El individuo logrará la superación de obstáculos a través del esfuerzo perseverante cuando esté convencido de que cuenta con lo necesario para alcanzar el éxito. La experiencia de dominio requiere la adquisición de instrumentos cognitivos, conductuales y auto reguladores para enfrentarse de modo apropiado a las circunstancias cambiantes de la vida.

2. Experiencia vicaria – Observar a personas similares alcanzar el éxito, tras esfuerzos perseverantes, aumenta las creencias del observador con relación a que él tam-

bién posee las capacidades necesarias para dominar actividades comparables (Bandura, 1996; Schunk, 1987, en Bandura, 1998). Cuanto mayor sea la similitud percibida con los modelos, más persuasivos serán los éxitos y los fracasos de los modelos. Es así, como el modelaje se convierte en herramienta para promover el sentido personal de eficacia. Las personas juzgaran sus capacidades y adecuacidad en relación a cómo otros se desempeñan. Ver a otras personas similares a ellos ejecutar exitosamente aumenta las creencias de eficacia en el observador de que también el posee la capacidad para manejar actividades similares. La persona se persuade a sí mismo de que si otros pueden hacerlo, él también tiene la capacidad para hacerlo. Igualmente observar los fracasos de otro a pesar de los esfuerzos, reduce los juicios de los observadores sobre su propia eficacia y debilita su nivel de motivación (Brown & Inouye, 1978, en Bandura, 1999). De esta manera la comparación social se convierte en un elemento para aumentar la eficacia personal. Si los modelos son muy diferente a la persona, su creencia de eficacia no se verá influidas por la conducta del modelo y sus resultados. Las personas buscan modelos efectivos que posean las competencias a las que ellos aspiran. Estos modelos efectivos trasmiten conocimiento y enseñan a los individuos destrezas y estrategias para manejar las demandas ambientales a través de su conducta y los pensamientos expresados (Bandura, 1998: 88).

3. Persuasión social - Las personas a las que se persuade verbalmente de que poseen las capacidades para dominar determinadas actividades tienden a movilizar más

esfuerzo y a sostenerlos durante más tiempo que cuando dudan de sí mismos y cuando piensan en sus deficiencias personales ante los problemas (Litt.1988; Schunk, 1989, en Bandura, 1998). En la medida en que se persuada a la persona a esforzarse para lograr el éxito, se fomenta el desarrollo de destrezas y la sensación de eficacia personal. Aquellas personas a las que se les ha debilitado su eficacia personal, por haber sido persuadidas de que carecen de las capacidades, tienden a evitar actividades retadoras que desarrollen sus potencialidades y abandonan rápidamente cualquier esfuerzo ante las dificultades.

Las personas que contribuyen a potenciar la eficacia de otros no se limitan a trasmitir una estimación positiva, van más allá, al estructurar condiciones que favorecen el éxito y evitan colocarles en situaciones de alta probabilidad de fracaso. Además animan a los individuos a medir sus éxitos más en términos de auto mejora que de triunfos sobre otros.

4. Favorecer el estado físico y emocional - Las personas responden parcialmente a sus estados psicológicos y emocionales al juzgar sus capacidades. Sus estados de ánimo influyen también sobre los juicios que hace de su eficacia. El modo en que se perciben e interpretan las reacciones emocionales y físicas dependerá del sentido de eficacia del individuo. Es por ello que el sentido de eficacia puede ser alterado también al favorecer el estado físico, reducir el estrés y las reacciones emocionales negativas, así como modificar el modo de percibir e interpretar las reacciones emocionales. Se señala que las personas con alto sentido de eficacia tienden a consi-

derar su estado de activación afectiva como facilitadores de la ejecución, mientras que los que tienen dudas sobre sus capacidades, lo verán como un elemento debilitador. En general los indicadores psicológicos de eficacia desempeñan un rol influyente en la salud y en actividades que requieren esfuerzo físico y persistencia.

Las creencias de eficacia regulan el funcionamiento humano mediante los procesos cognitivos, motivacionales, afectivos y selectivos, los cuales expondremos brevemente a continuación.

- **Procesos cognitivos:**

Gran parte de la conducta humana se regula mediante el pensamiento anticipado de los objetivos deseados. Muchas de las acciones del individuo se organizan inicialmente en el pensamiento. A través del pensamiento las personas pueden predecir sucesos y ensayar formas para ejecutar sus acciones que le lleven al éxito. Estas destrezas de resolución de problemas requieren un funcionamiento cognitivo efectivo de la información. Para ello es necesario que la persona use su conocimiento para construir opciones, para sopesar e integrar los factores predictivos, para probar y revisar sus juicios a través de los resultados inmediatos. Cuando las personas enfrentan situaciones de fracaso y reveses que tienen repercusiones personales y sociales, si cuentan con una eficacia baja, su pensamiento analítico se verá afectado, se reducirán sus aspiraciones y se deteriorará la calidad de su ejecución (Wood & Bandura, 1989, en Bandura, 1988). Por el contrario cuando se tiene una eficacia firme se establecerán metas retadoras y se usará un buen pensamiento analítico que se reflejará en la ejecución.

• **Procesos motivacionales:**

La creencia de eficacia es clave en la auto regulación de la motivación. La motivación se genera, en gran parte, cognitivamente. Cuando la persona puede anticipar los resultados de sus acciones futuras mediante el pensamiento, establece objetivos para sí mismo y planifica los cursos de acción para lograr éstos motivándose a sí mismo, de manera que pone todos sus recursos y esfuerzos para lograr el éxito. Se han identificado como motivadores cognitivos, las atribuciones causales, las expectativas de resultados y las metas cognitivas. Sobre éstas se han elaborado las teorías de la atribución, la teoría del valor de la expectativa y la teoría de las metas, respectivamente.

1. Teoría de Atribución Causal – (Chwalisz, Altamaier & Russell, 1992; Relich, Debus & Walker, 1986; Schunk & Gunn, 1986, en Bandura, 1998).

De acuerdo a esta teoría cuando las personas altamente eficaces, se enfrentan al fracaso, atribuirán éste al esfuerzo insuficiente o a las condiciones situacionales adversas, mientras que aquellos que se consideran ineficaces lo atribuirán a su escasa habilidad. Las atribuciones causales influyen sobre la motivación, sobre la ejecución y sobre las reacciones afectivas, fundamentalmente a través de las creencias de eficacia personal.

2. Teoría del Valor de la Expectancia – La expectativa de resultados estará influida por las creencias de eficacia,

esto es, las personas actuarán a base de sus creencias de lo que pueden hacer y de los resultados posibles de su ejecución. Cuando las personas se trazan metas explícitas y desafiantes fomentan su motivación. Este proceso de auto influencia, implica un proceso de comparación cognitiva de la ejecución percibida con el estándar personal adoptado. De esta manera la persona guiará sus acciones hacia la meta trazada para lograr su auto satisfacción.

3. Teoría de las Metas – (Locke, 1968) Las creencias de eficacia contribuyen a la motivación de muchas formas: determinan las metas que establecen las personas para sí mismas, la cantidad de esfuerzo que invierten, el tiempo que perseveran ante dificultades y su resistencia a los fracasos (Bandura, 1999). Cuando la persona desconfía de sus capacidades, reducirá y abandonará la meta trazada cuando enfrenta obstáculos o fracasos; mientras que cuando cree firmemente en sus capacidades, ante el fracaso, ejecutará mayor esfuerzo y perseverará hasta lograr la meta deseada.

- **Procesos afectivos:**

La auto eficacia percibida tiene gran influencia sobre el modo en que las personas reaccionan ante situaciones amenazantes y estresantes y en la activación de la ansiedad. Cuando la persona cree no poder manejar la amenaza, tenderá a magnificar la posible amenaza y se preocupará por situaciones que rara vez sucederán. Estos pensamientos de ineficacia afectarán su nivel de funcionamiento. Por el contrario, aquellas personas que creen poder ejercer control sobre las amenazas, tenderán a trasformar cognitivamente el pensamiento amenazante en situaciones benignas.

Cuando las personas tienen un fuerte sentido de auto eficacia para controlar sus propios pensamientos, tienen menos carga de pensamientos negativos y experimentan un nivel bajo de ansiedad. La creencia de ejercer control sobre amenazas potenciales hace más fácil el poder descartar pensamientos aversivos. El control eficaz del pensamiento resultará no sólo en un mejor control del propio inconsciente, sino también en los procesos constructivos (Bandura, 1998).

El control del pensamiento lleva al individuo a controlar sus sentimientos y comportamientos. Por otro lado, cuando la persona no puede controlar lo que piensa o se siente sin poder para controlar o rechazar sus pensamientos, aumenta su ansiedad y el distress, lo que tendrá un efecto negativo en su capacidad para afrontar las situaciones que surjan en su vida.

Un sentido bajo de eficacia para ejercer control genera depresión y ansiedad. La ansiedad puede surgir por:

1. Aspiraciones insatisfechas - Cuando el individuo se impone niveles de autorendimiento que juzga no podrá alcanzar, se produce en él/ella depresión.

2. Baja sensación de eficacia social para desarrollar relaciones sociales que aportan satisfacción a la propia vida. El apoyo social reduce la vulnerabilidad al estrés, a la depresión y a la enfermedad física. Cuando el individuo

se aísla y no fomenta las relaciones sociales satisfactorias, se produce una baja sensación de eficacia y, por ende, la depresión.

3. Eficacia para el control del pensamiento rumiante – (Kavanagh & Wilson, 1989 en Bandura, 1998). (Al igual que ocurre en el proceso digestivo de los rumiantes que luego de tragar los alimentos lo hace volver a la boca para masticarlo mejor, el pensamiento rumiante viene a la mente una y otra vez, causando abatimiento). Los pensamientos rumiantes contribuyen a la aparición, duración y recurrencia de episodios depresivos. Los pensamientos de abatimiento producen gran parte de la depresión. Cuanto menor es la eficacia percibida para eliminar los pensamientos rumiantes mayor es la depresión.

- Procesos de selección:

Las creencias de la eficacia personal influirán en las actividades y el estilo de vida que seleccione la persona. Mediante las alternativas que escogen, las personas cultivan diferentes competencias, intereses y redes sociales que determinan sus cursos vitales (Bandura, 1999). Cuando la persona tiene un sentido bajo de eficacia personal, percibida, evitará tareas difíciles, que consideran amenazas personales. Sus aspiraciones serán bajas, su compromiso débil con las metas que adoptan y abandonarán rápidamente sus esfuerzos ante las dificultades. Al percibir el fracaso como deficiencias en sus aptitudes, perderá fe en sus capacidades, lo que le hará víctima del estrés y de la depresión. Por el contrario cuando se tiene un fuerte sentido de eficacia, la persona enfrentará las tareas difíciles como retos a ser alcanzados y no como amenazas a ser evitadas. Al enfocar las situaciones amenazantes con la seguridad de ejercer control sobre éstas, reducirá el estrés y la vulnerabilidad a la depresión. De esta manera se potenciarán sus logros y el bienestar personal.

Una perspectiva optimista de las capacidades personales para ejercer influencia sobre los sucesos que influyen sobre la vida fomenta el bienestar y los logros humanos. De acuerdo a Bandura las personas que tienen éxito, las que aman las aventuras, las sociables, las no ansiosas, las no depresivas, los reformadores sociales y las innovadoras, tienen en común esta característica de optimismo (1998: 30).

Los conocimientos que aportan las teorías de aprendizaje social y auto-eficacia son de suma importancia para los profesionales de ayuda y los trabajadores sociales que laboran en los tribunales con menores en libertad condicional y los diferentes programas con enfoque jurídico terapéutico. Es esencial que se logre con los participantes la motivación para el cambio, generando la auto-eficacia necesaria para el logro de sus metas.

B) Teoría de la indefensión aprendida: Martín Seligman (1975). El sentido de indefensión que desarrollan los individuos ante situaciones en las que su expectativa es de poco o ningún control.

Contrario a las creencias de optimismo está el concepto de indefensión aprendida, desarrollado por Martín Seligman. Esta teoría trata de explicar la manera cómo habitualmente la gente explica las causas de los eventos negativos que le ocurren. Las personas con estilos pesimistas de explicación atribuirán los eventos negativos como personales, permanentes y universales/globales. Estas personas son más propensas a la depresión que aquellas con estilo optimista, que atribuyen los eventos negativos a circunstancias externas, transitorias y específicas. Establece Seligman que para que las personas cambien tienen que asumir su responsabilidad. Expone:

> "Si queremos que la gente cambie, la dimensión de internalidad no es tan crucial como la dimensión de permanencia. Si uno cree que la razón de sus adversidades es algo permanente: estupidez, falta de inteligencia, fealdad, entonces no actuará para cambiar. Lo que se sienten así no actuarán para mejorar. En cambio, cuando se cree que la razón es circunstancial, como podría ser el mal humor, un esfuerzo insuficiente, el exceso de peso... entonces se actuará para cambiar las cosas. Si deseamos que las personas sean responsables de lo que hacen, entonces si queremos que interioricen. Lo que es más importante todavía, se podrá tener una pauta circunstancial para la adversidad. Creerán que, cualesquiera que sean las causas de las cosas malas que le sucedan, se podrán cambiar" (1998: 76-77).

Resumiendo, cuando se piensa que la razón de la adversidad es permanente y duradera entonces el individuo no actuará para cambiar, por el contrario, cuando se ve el evento o situación como algo circunstancial entonces actuará para cambiar la situación que le afecta (Ibíd. 76).

Para Seligman la indefensión aprendida tiene mucho que ver con la depresión. Señala: "Cuando uno atraviesa un estado de ánimo pesimista, melancólico, está pasando por una versión suave de un desorden mental más grave: la depresión" (Ibíd. 80).

Éste hace una diferenciación entre la depresión normal que surge del dolor y sentimiento de pérdidas, la depresión unipolar y los desórdenes bipolares, éstas últimas, alteraciones biológicas que se tratan con medicación (bicarbonato de litio). La depresión normal y la unipolar son una misma cosa para Seligman. En ambas los síntomas se caracterizan por cambios negativos en el pensamiento, el humor, el comportamiento y las respuestas físicas. Considera que estas formas de depresión son el resultado de hábitos de pensamiento conscientes que se desarrollan en la niñez y en la adolescencia (Seligman, 1998, 2003).

Para entender por qué algunas personas se derrumban ante situaciones de crisis o pérdidas, mientras otras las enfrentan como situaciones circunstanciales y retos que han de superar, Seligman desarrolla los conceptos de indefensión aprendida y las pautas explicativas dentro de la teoría de control personal. Define indefensión como: la reacción a darse por vencido, a no asumir ninguna responsabilidad y a no luchar, como consecuencia de creer que cualquier cosa que podamos hacer carece de importancia (Ibíd. 30-31). En otras palabras, es el estado psicológico que se produce frecuentemente cuando los acontecimientos son incontrolables. "Un acontecimiento es incontrolable cuando no podemos hacer nada para cambiarlo, cuando hagamos lo que hagamos siempre ocurrirá lo mismo" (Seligman, 1975, 1998, 2003). Cuando una persona o animal cree que no puede hacer nada para cambiar una situación, tampoco tendrá ninguna motivación para intentarlo.

Las pautas explicativas son los criterios que utilizamos para explicarnos a nosotros mismos por qué suceden las cosas. La forma en que las personas se explican las razones de lo que les sucede, determinará el grado de desamparo. Si su pauta explicativa es optimista detendrá el sentimiento de impotencia, mientras que si es pesimista lo acrecentará. Estas pautas explicativas son el modo de pensar que se derivan directamente de la propia opinión respecto al lugar que se ocupa en el mundo: si piensa que es valioso y merecedor de algo, o si es inútil y sin esperanzas.

El sentimiento de impotencia y desamparo constituyen el núcleo del fenómeno del pesimismo. Esto es, nada de lo que uno pueda elegir habrá de afectar lo que ocurra. Para los pesimistas lo desagradable durará siempre o muchísimo, socavarán lo que se proponen hacer y generalmente piensan que es su culpa cualquier evento o situación negativa que les ocurre. Los optimistas, al enfrentarse a situaciones parecidas, piensan todo lo contrario: la derrota es sólo un contratiempo pasajero, que sus problemas se reducen a esa única circunstancia, los problemas no se atribuyen a la propia culpa, sino a la mala suerte, los provocan otros, o sencillamente suceden, no se desconciertan frente a las derrotas, enfrentan los problemas como un reto y los intentan otra vez con más energía. Estas dos formas de considerar los problemas, según Seligman, tiene sus consecuencias. Mientras los pesimistas se rinden más fácilmente y se deprimen con mayor frecuencia, los estudios demuestran que a los optimistas les va mejor en los estudios, en el trabajo y en los deportes; sobrepasan regularmente los promedios de las pruebas de aptitud, gozan de una buena salud, envejecen bien y la evidencia sugiere que podrían vivir más tiempo.

Vemos que la manera como pensamos afecta nuestra manera de enfrentarnos a las situaciones de la vida. Como pensamos puede acentuar o reducir el control que tenemos sobre la vida. El control personal nos da la capacidad para modificar las cosas según nuestra voluntad. Lo contrario es la impotencia. De acuerdo a Seligman (1998: 19) "Nuestras ideas y pensamientos no son simplemente reacciones frente a los acontecimientos, esos pensamientos e ideas cambian las consecuencias".

Concluye que el sentimiento de impotencia adquirido podrá llevar a la persona a una depresión momentánea, pero son sus sentimientos pesimistas los que podrán llevarle a sentirse desvalido y a una depresión mayor. El acto de rumiar los pensamientos (ir sobre la situación una y otra vez) y los hábitos de pensamientos pesimistas llevan a la depresión mayor, mientras que en los optimistas el fracaso producirá una breve desmoralización. Es por ello que si se modifican los hábitos del pensamiento se logrará curar la depresión. La terapia cognitiva desarrollada por Aaron Beck y Albert Ellis trata de modificar cómo piensa el paciente depresivo acerca del fracaso, la derrota, la pérdida y el desamparo. Esta teoría cognitiva afirma que las emociones se generan por los pensamientos. Para Seligman existe gran cantidad de pruebas que confirman esta perspectiva. Señala:

> "Los pensamientos de los sujetos deprimidos están dominados por interpretaciones negativas del pasado, del futuro y de las propias aptitudes, y aprender a luchar contra dichas interpretaciones negativas alivia la depresión casi tanto como los fármacos antidepresivos, e incluso evitan en mayor medida recaídas y reapariciones" (2003: 96).

Considera Seligman que esta terapia funciona porque modifica la pauta explicativa, la trasforma de pesimista en optimista y reduce el acto de rumiar los pensamientos. Además, porque confiere al yo diversas técnicas para modificarse a sí mismo, de manera que surja un cambio en los hábitos de pensamiento. Esta terapia aplica cinco tácticas que exponemos a continuación:

1. Aprender a reconocer los pensamientos automáticos que aparecen en nuestra mente en el momento en que se siente peor.

2. Aprender a impugnar los pensamientos automáticos.

3. Aprender a establecer diversas explicaciones, que se denominan retribuciones y usarlas para poner en tela de juicio los pensamientos automáticos.

4. Aprende a buscar algo que le distraiga de los pensamientos automáticos (sacudirse los pensamientos, no sólo controlando lo que se piensa, sino cuándo se piensa).

5. Reconocer y cuestionar las suposiciones que nos gobiernan y sumen en la depresión. Ejemplo: "No puedo vivir sin amor". "Si no me sale todo bien es porque soy un fracaso".

Estudios realizados por el Dr. Seligman con pacientes deprimidos en terapia cognitiva le llevaron a concluir que aquellos cuyas pautas explicativas se habían vuelto optimistas eran menos propensos a recaer que los que mantuvieron pautas pesimistas.

La teoría de indefensión surge inicialmente de la experimentación con animales a los que al poner en situaciones en que tenían poco o ningún control se volvieron indefensos e impotentes al desarrollar la expectativa de que su conducta futura no tendría ningún efecto en su entorno. De acuerdo con Seligman la incontrolabilidad produce una amplia variedad de perturbaciones conductuales, cognitivas y emocionales. En sus experimentos con perros, ratas y personas encontró que éstos se vuelven pasivos frente a las situaciones traumáticas y no son capaces de resolver problemas discriminatorios sencillos. Además, como consecuencia de la indefensión se debilita la motivación para responder a posteriores situaciones traumáticas. La capacidad de aprender una respuesta que pudiera controlar el resultado de manera efectiva se ve afectada aun cuando la situación cambie y puedan ejercer control sobre el acontecimiento, lo cual evidencia que se produce distorsión cognitiva. Al enfrentarse el individuo a situaciones traumáticas donde no se tiene ningún control se produce miedo, e indefensión, lo que lleva a la depresión. Para Seligman el sentimiento de impotencia aprendida puede curarse demostrando al sujeto que sus propios actos pueden hacer que las cosas cambien. También puede curarse enseñándole que piense de manera distinta a cerca de su fracaso. Recomienda para prevenir, antes de que pasen las cosas, enseñar al sujeto que su manera de proceder es la responsable de su adversidad. Concluye que el pesimista puede cambiar a optimista, aprendiendo a dominar habilidades para lograr el control personal (1998: 96-97).

En sus trabajos más recientes, tras años de investigación concluye:

> "No todos los conejillos de India y los perros se vuelven indefensos tras una descarga ineludible, ni tampoco todas las personas después de que se le presenten problemas insolubles o ruidos inevitables. Uno de cada tres nunca se da por vencido, independientemente de lo que hagamos. Además uno de cada ocho se muestra indefenso ya al empezar; no hace falta ninguna experiencia con lo incontrolable para que se rindan" (2003: 42-43).

En sus investigaciones sobre las emociones positivas Seligman discute como lograr la auténtica felicidad. Expone que los resultados de estudios basados en la Psicología Positiva han llevado a concluir que todos tenemos un rango fijo de emoción positiva y negativa el cual heredamos. Aunque señala que cada uno tiene un rango de felicidad determinado, aclara que ésta puede aumentarse de forma duradera. Los rasgos son características positivas o negativas que se repiten a lo largo del tiempo y en distintas situaciones; y las fortalezas y virtudes son las características positivas que aportan sensaciones positivas y gratificaciones. Los sentimientos por el contrario son acontecimientos momentáneos y no tienen que ser rasgos de personalidad recurrentes (Ibíd. 25). Para Seligman "la verdadera felicidad deriva de la identificación y el cultivo de las fortalezas más importantes de la persona y de su uso cotidiano en el trabajo, el amor, el ocio y la educación de los hijos" (Ibíd. 13).

Concluye:

> "Los progresos alcanzados en la prevención de la enfermedad mental se deben al hecho de conocer y desarrollar una serie de fortalezas, capacidades y virtudes en la gente joven, tales como la visión de futuro, la esperanza, las habilidades interpersonales, el valor, la fluidez, la fe y la ética laboral" (Ibíd. 48).

Estas fortalezas actuarán como barreras contra las tribulaciones que hacen que las personas corran el riesgo de sufrir enfermedades mentales. Como ejemplo señala el desarrollar la capacidad de optimismo y esperanza en aquellos jóvenes que tienen un riesgo genético de caer en depresión y para aquellos en peligro de caer en la drogadicción debido al tráfico de drogas en su barrio, sugiere que serán menos vulnerable si tienen visión de futuro, consiguen desarrollarse en los deportes y cuentan con una buena ética laboral.

De acuerdo a Seligman los mejores terapeutas no sólo curan los daños, sino que ayudan a las personas a identificar y desarrollar sus fortalezas y virtudes: (valor, objetividad, integridad, equidad y lealtad), así como mayor emotividad positiva (seguridad, esperanza y confianza). Los estudios concluyen que si desarrollamos más emotividad positiva en nuestra vida; desarrollamos amistad, amor, una mejor salud física y mayores logros (Ibíd. 68). De esta manera, se logrará encontrar significado a la vida y la auténtica felicidad.

9.1.4 Teoría de Conflicto:

La teoría de conflicto ve el conflicto como parte central de la sociedad y focaliza en el poder y la inequidad en la vida social, y el rol del conflicto en generar cambios sociales. La perspectiva de la teoría del conflicto generalmente busca las fuentes de conflicto y las causas del comportamiento humano en las esferas económicas, políticas y culturales. Esta teoría tiene sus orígenes en los trabajos de Karl Marx y Friedrich Engels, sobre el sistema de clases generado por el capitalismo y la explotación de los trabajadores y los recursos. Más recientemente, Wallerstein (1979), haciendo uso de esta teoría ha señalado que la globalización de la economía produce inequidad a nivel internacional.

De acuerdo a la teoría de conflicto, la opresión de los grupos no dominantes los lleva a la alineación, indiferencia y hostilidad. Los profesionales del trabajo social han usado la teoría del conflicto para desarrollar teorías de prácticas orientadas al empoderamiento, sobre los procesos de opresión y para proponer estrategias de acción para aumentar el poder entre los miembros de grupos no dominantes (Lee, 2001, en Encyclopedia of Social Work 20th ed. P. 126).

9.1.5 Selección Racional

Esta teoría también es conocida como teoría de la elección o teoría de la acción racional. La TSR, es una perspectiva teórica general de las ciencias del comportamiento humano. Es utilizada para entender y modelar formalmente el comportamiento social y económico. Su origen como disciplina se basa en los trabajos de Kenneth Arrow (1972). Desde esta perspectiva el comportamiento del individuo se guía racionalmente por su interés personal. Se asume que los individuos son básicamente egoístas y tiene la capacidad racional, el tiempo y la independencia emocional necesaria, para elegir la mejor línea de conducta desde su punto de vista.

Esta teoría es usada también en las ciencias políticas para interpretar los fenómenos políticos a partir de conceptos básicos que derivan de principios de la economía: "el comportamiento de los individuos en el sistema político es similar a los de los agentes en el mercado, tienden a maximizar su utilidad o beneficio y a reducir los costos o riesgos". Es una perspectiva interdisciplinaria, y tiene raíces en la filosofía, economía y comportamiento social. Algunas de las teorías enmarcadas en la selección racional son: intercambio social, el modelo de organismo racional, la teoría de la selección pública, teoría de las ciencias políticas y la teoría de redes sociales.

La teoría de intercambio social propone que el comportamiento está basado en el deseo de maximizar los costes en las relaciones sociales y la dinámica familiar. La perspectiva de la selección racional ha sido usada para hacer recomendaciones de políticas sociales y otros tipos de incentivos para promover comportamientos pro sociales y solidaridad social (Coleman, 1990). Se ha utilizado para entender el comportamiento sano y desarrollar estrategias preventivas de políticas de salud para atender una amplia gama de problemas de salud. Con el surgimiento de una nueva modalidad en la comunicación, se ha utilizado para evaluar la reciprocidad en el intercambio de comunicación en las redes sociales.

9.1.6 Constructivismo y Construccionismo social:

El constructivismo es una teoría de enfoque psicológico que trata de explicar cuál es la naturaleza del conocimiento humano. Sostiene que el aprendizaje es esencialmente activo. Una persona que aprende algo nuevo, lo incorpora a experiencias previas y a sus propias estructuras mentales. Cada nueva información es asimilada y depositada en una red de conocimientos y experiencias que existen previamente en el sujeto, como resultado, el conocimiento no es pasivo ni objetivo, por el contrario es un proceso subjetivo que cada persona va modificando constantemente a la luz de sus experiencias (Abbott, 1999).

La teoría postula que los seres humanos son seres sociales que interactúan con el objetivo de compartir el entendimiento sobre el mundo, lo que en sí misma, se desarrolla en la interacción social. De acuerdo a este enfoque, el hombre aprende a través de la interacción con otros para clasificar el mundo y su lugar en el. El ser humano se ve como el producto y a la misma vez como la fuerza motriz de la interacción social.

A) Constructivismo Social:

El constructivismo social se refiere a la creación del sentido de un individuo con conocimiento dentro de un contexto social (Vigotski, 1978, citado en http://www.arqhys.com/contenidos/construccionismo-social-constructivismo.html, 6/27/2013.

Uno de sus exponentes principales, Lev Vygotsky, considerado como padre de Psicología Cognitiva rusa, plantea que el individuo es el resultado del proceso histórico y social donde el lenguaje desempeña un papel esencial. Para éste el conocimiento se da en un proceso de interacción entre el sujeto y el medio, entendiéndose el medio como lo social y cultural; de manera que los procesos psicológicos superiores (lenguaje, razonamiento, comunicación) se adquieren en interrelación con los demás. Para Vygotsky la inteligencia en los seres humanos es un proceso activo. Aprender es el resultado de internalizar el mundo mediante los procesos complejos de la percepción y la mediación (construcción de los significados del mundo mediante lo que recibe cada ser humano de otro y sus propias interpretaciones). Para este psicólogo lo que el individuo puede aprender de acuerdo a su nivel real de desarrollo, puede variar significativamente si recibe la guía de un adulto o puede trabajar en conjunto con otros compañeros. En resumen para Vygotsky, sólo en un contexto social se logra aprendizaje significativo. De manera que el origen del conocimiento humano no es la mente humana, sino una sociedad dentro de una cultura en una época histórica. El lenguaje es la herramienta cultural del aprendizaje, por lo que el individuo construye su conocimiento porque es capaz de leer, escribir, preguntar a otros y preguntarse a sí mismo sobre los asuntos que le interesan. El individuo construye su conocimiento a través de un dialogo continuo con otros seres humanos. Es en este proceso de pensar, comunicar lo pensado y confrontar sus ideas, que va construyendo el conocimiento.

Jean Piaget y Lev Vygotsky son considerados figuras

claves del constructivismo. Mientras que Piaget (constructivismo psicológico), se centra en cómo se construye el conocimiento partiendo desde la interacción con el medio, Vygotsky (constructivismo social), se centra en como el medio social permite una reconstrucción interna. "Ambos describen la cognición como el producto de la interacción entre lo biológico y lo social y ven la inteligencia como una capacidad que se trasforma y cambia cualitativamente" (Vázquez y Vázquez, p. 221, 2010). El constructivismo psicológico sostiene que el individuo tanto en los aspectos cognitivos, y sociales del comportamiento como en los afectivos, no es un mero producto del ambiente, ni un simple resultado de sus disposiciones internas, sino una construcción propia que se va produciendo día a día como resultado de la interacción de estos dos factores. En consecuencia el conocimiento no es copia de la realidad, sino una construcción del ser humano. Vygotsky, aunque, no niega los postulados del constructivismo psicológico, considera está incompleto, ya que para él, lo que pasa en la mente del individuo es fundamentalmente un reflejo de lo que pasó en la interacción social.

B) Construccionismo Social:

El construccionismo social se refiere al desarrollo de los fenómenos relativos a los contextos sociales, por lo que es descrito como un concepto sociológico. La raíz del construccionismo surge de la fenomenología filosófica y la teoría de la interacción simbólica. Para los construccionistas sociales el foco principal es entender las maneras como los individuos y los grupos participan en la creación de su percepción social de la realidad. Implica mirar la forma en que son creados, institucionalizados los fenómenos sociales, y convertidos en tradiciones por los seres humanos. Para éstos no hay una sola realidad objetiva que existe fuera de la persona, por el contrario, hay múltiples realidades sociales y culturales o sea no hay una realidad objetiva. Peter Berguer y Thomas Luckmann, sostienen en su libro "La construcción social de la realidad" (1966), que todo conocimiento, incluido el más básico, que se da por sentado en el conocimiento del sentido común de la realidad diaria, se deriva y se mantiene por las interacciones sociales. Cuando las personas interactúan entendiendo que sus percepciones de la realidad están relacionadas, y actúan sobre esta comprensión del sentido común, la percepción de la realdad se refuerza. Dado que este conocimiento del sentido común es negociado por la gente, se generan de esta manera las caracterizaciones humanas, significado e instituciones sociales que se presentan como parte de una realidad objetiva. Es en este sentido que se puede decir que la realidad se construye socialmente.

Otros construccionistas modernos creen que hay "objetos reales" en el mundo, pero esos objetos nunca son conocidos objetivamente, solo son conocidos a través de la interpretación subjetiva que hacen los individuos y grupos.

Aunque son conceptos teóricos distintos, el constructivismo y el construccionismo comparten en común ciertas presunciones sobre el comportamiento humano y las formas en que los fenómenos sociales se desarrollan. A continuación algunas suposiciones en común y diferencias entre ambos conceptos.

Suposiciones Comunes	Diferencias: Construccionismo	Constructivismo
Los seres humanos participan activamente en la construcción de la realidad a la que responden.	Los seres humanos participan interactivamente comparten un lenguaje en comunidad en el que se genera su propia realidad social.	Los seres humanos son vistos como seres proactivos con una estructura cortical superior que es capaz de generar mecanismos para guardar percepciones sensoriales y memorias y usarlas para anticipar metas y expectativas para motivarse y auto regular su comportamiento.
Ambas sostienen que la cognición humana y el comportamiento forman un sistema interactivo que no puede separarse uno del otro.	Los seres humanos no pueden percibir la realidad absoluta objetivamente y sus propias construcciones deben ser consideradas.	Constructivismo cognitivo postula que los esquemas cognitivos y emocionales de la persona (matriz de significado a la atención, memoria e interpretación de los estímulos del ambiente), entran en juego.
	Focaliza en el arraigo de la cultura, lenguaje y comunidad y como las construcciones cognitivas son formadas y mantenidas.	
	Focaliza en la integración de la naturaleza social de la cognición y como los procesos sociales y políticos no pueden ser separados de las historias que las personas cuentan en la comunidad y el lenguaje que utilizan entre sí.	Constructivistas cognitivos focalizan en la narrativa psicosocial, incluyendo la narrativa sobre sí mismos, sistema de construcción personal, y procesos.
	El contexto social y su significado es el foco principal. El comportamiento es mejor entendido por un análisis sistémico, complejo y aspectos	El desarrollo a lo largo de la vida y los cambios del organismo en el tiempo son importantes.

	recíprocos de causalidad. Este análisis del comportamiento deberá incluir los aspectos interpersonal, cultural y social.	
		El conocimiento es producto de la interacción social y la cultura. El intercambio social genera representaciones inter psicológicas, que eventualmente se han de trasformar en representaciones intra psicológicas.
		El origen del conocimiento no es la mente humana, sino una sociedad dentro de una cultura, dentro de una época histórica.

9.1.7 Teoría Psicodinámica:

La perspectiva psicodinámica focaliza en cómo los procesos internos, tales como las necesidades, motivaciones y las emociones, motivan el comportamiento humano. Esta teoría ha evolucionado desde la visión clásica donde la conducta es interpretada como resultado de las motivaciones innatas e inconscientes, hacia un énfasis en la capacidad adaptativa de los individuos en su interacción con su ambiente. El origen de esta teoría surge del acercamiento clásico psicoanalítico de Sigmund Freud. La perspectiva psicodinámica ha evolucionado en la formulación de la psicología del Ego, las relaciones objetales y las teorías del desarrollo del ego.

- Psicología del ego- da atención a la parte racional de la mente y a la capacidad humana de adaptación y reconoce tanto el consciente como el inconsciente en este proceso.

- Teoría de relaciones Objetales- estudia como las

personas desarrollan actitudes hacia otros y como estas actitudes afectan las relaciones sociales y la visión del yo.

- Psicología del yo- enfoca en las necesidades individuales para organizar la personalidad en un sentido coherente del yo y construir relaciones que le apoyen.

Todas las versiones de esta perspectiva enfatizan la importancia de las experiencias tempranas en la vida, (lo cual ha sido validado por estudios longitudinales, que también indican que la personalidad continúa su desarrollo a través del curso de la vida). También existe evidencia creciente de la importancia del rol del apego temprano en el desarrollo saludable del cerebro (Applegate & Shapiro, 2005, en Encyclopedia of Social Work, 20th, ed., 2008).

A) La teoría de Apego:

La teoría de apego desarrollada por John Bowlby inicialmente (1969) y ampliada por las investigaciones de Ainsworth, Blehar, Walter y Wall (1978) postula que la tendencia a establecer lazos emocionales íntimos con ciertos individuos es un componente básico de la naturaleza humana que está presente en forma embrionaria en el neonato y prosigue a lo largo de la vida adulta, hasta la vejez. En la infancia, estos lazos se establecen con los padres o padres sustitutos a quienes se recurre en busca de protección, consuelo y apoyo; en la adolescencia y en la adultez sana, estos lazos persisten, y son complementados por nuevos lazos, generalmente de naturaleza heterosexual. Inicialmente, la comunicación entre el niño/a y madre se dan a través de la expresión emocional y la conducta que le acompaña, posteriormente complementada por el diálogo, la comunicación mediada emocionalmente persiste como característica principal de las relaciones íntimas a lo largo de la vida (Bowlby, 1979).

De acuerdo a esta teoría, la capacidad de establecer lazos íntimos con otros individuos es considerada como un rasgo importante del funcionamiento efectivo de la personalidad y de la salud mental. Se han identificado tres componentes básicos en el desarrollo de estos lazos íntimos:

1. Buscador de cuidados - Generalmente el buscador de cuidado es un niño o persona adulta (débil o menos experimentada) quien busca protección en alguien más fuerte o más sabio y se mantiene próximo al cuidador. El grado de proximidad o accesibilidad dependerá de las circunstancias. De ello, se deriva el concepto de apego.

2. Proporcionar cuidados - Papel que corresponde a los padres o padres sustitutos que es complementario a la conducta de apego. Es considerado también un componente básico de la naturaleza humana,

3. Exploración del entorno (incluyendo juego y las diversas actividades con compañeros). Considerado como el tercer componente básico, antitético (contrario) de la conducta de apego. Cuando el niño/a se siente seguro, tenderá a explorar lejos de la figura de apego; cuando esta alarmado ansioso, cansado, enfermo, siente la necesidad de la proximidad. Se considera esta pauta típica de interacción entre el hijo/a y padres como exploración a partir de una base segura. El niño sano se sen-

tirá seguro para explorar cuando confíe que el padre es accesible y responderá cuando recurra a él/ella.

Se ha evidenciado que la pauta de apego que un individuo desarrolla durante la primera infancia, la niñez y adolescencia, está influida por el modo en que sus padres (u otras figuras parentales) lo tratan. Se han identificado tres pautas principales de apego (Ainsworth,1971, Cassidy, Shaver, 1999):

1. Pauta del apego seguro- Madre responde a las necesidades físicas y emocionales del niño(a). La seguridad en la accesibilidad de la madre es lo que se convierte en auto-confianza, y promueve la exploración. Cuando el individuo confía en que sus padres (o figuras parentales) serán accesibles, sensibles y colaboradores si se encontrara en una situación adversa o atemorizante se atreverá a explorar su entorno. Esta pauta se desarrolla en los primeros años de vida, especialmente cuando la madre se muestra accesible y sensible a las señales de su hijo/a y responde amorosamente sensible cuando este busca protección o consuelo. Los niños (as) con apego seguro, crecen especiales, importantes, valorados y muestran un comportamiento de más obediencia. Internalizan los sentimientos positivos de sus madres.

2. Apego ansioso resistente – el individuo esta inseguro de si sus padres serán accesibles o sensibles o si le ayudarán cuando les necesite, lo cual le causa incertidumbre y tenderá a sentir ansiedad por la separación, es propenso al aferramiento y se mostrará ansioso ante la exploración del mundo. Esta pauta se ve favorecida cuando el progenitor se muestra accesible y colaborador

en algunas ocasiones y en otras no, y por las separaciones o amenazas de abandono como medio de control.

3. Apego ansioso elusivo – el individuo no confía en que cuando busque cuidados recibirá una respuesta servicial, sino por el contrario será desairado. Si el comportamiento es acompañado por una madre irresponsable, abusiva o ausente, el coraje del infante se convierte en frustración. Sin el amor y el apoyo de otras personas este individuo se vuelve emocionalmente autosuficiente y desarrollan un comportamiento de evadir lo que quieren, amor, cariño, comprensión. Esta pauta es el resultado del rechazo constante de la madre cuando el individuo se acerca en busca de consuelo y protección. Puede ser diagnosticado más tarde como narcisista o poseedores de un falso si-mismo.

Características de la madre: aversión al contacto físico, ruidos, ofensivas, alimentan a la fuerza a sus niños, rechazan, egocentristas, no se fijan en las necesidades del bebe, les gusta controlar el comportamiento del bebe, inaccesibles a los pedidos del niño.

Ainsworth y colaboradores (1978), llevaron a cabo investigaciones con niños entre 12 a 20 meses de edad, diseñados para la observación de la conducta de apego y el comportamiento de exploración bajo condiciones de estrés moderado, y clasificar la conducta dentro de estas tres pautas. Los hallazgos demostraron que aunque en la mayor parte de los casos la pauta observable se ajusta a uno de estos tres tipos, se registraron excepciones, las cuales Ainsworth, denominó "situación desconocida". En estos estudios en que el niño y la madre eran observados en interacción durante una serie de episodios breves, algunos niños parecieron estar desorientados y/o desorganizados. Luego de muchos estudios se llegó a la conclusión, que formas peculiares de conducta se producen en niños que muestran una versión desorganizada de una de las tres pautas típicas, a menudo, la del ansioso resistente (Main y Weston, 1981; Main y Salomon, en prensa, en Bowlby, 1999, Salomon, George, 1999).

Ejemplos de esta respuesta se encontró en:

- niños que han sido maltratados físicamente y/o totalmente descuidados de sus padres
- en parejas en que la madre padece una forma grave de enfermedad afectiva bipolar y trata al niño/a de modo desigual e imprevisible
- niños cuyas madres están ocupadas en el duelo de una figura paterna perdida durante su infancia
- niños/as cuyas madres sufrieron de niñas maltrato físico o sexual.

Los hallazgos sobre el origen de estas pautas desviadas confirman la influencia que ejerce el modo en que los padres tratan a los niños(as) y la pauta de apego que se desarrolla. Durante los dos o tres primeros años la pauta de apego es una característica de la relación del niño con la madre o del niño con el padre; si los padres tratan al niño de un modo distinto, la pauta cambiará de acuerdo con ello. A medida que el niño/a crece, la pauta se convierte cada vez más en una característica del niño/a y tiende a imponerla en las nuevas relaciones que establece con maestros, madre adoptiva u otros.

Para explicar cómo la pauta de apego se convierte en una característica del niño/a la teoría de apego utiliza los conceptos de los modelos operantes del sí mismo y de los padres. Durante los primeros años de vida los niños/as construyen modelos operantes de su madre, del modo en que se comunica y se comporta con él, y un modelo comparable del padre, junto con los modelos complementarios de sí mismo en interacción con cada uno de ellos, lo que se establece como estructuras cognitivas influyentes. Posteriormente el modelo de sí mismo que construye también refleja las imágenes que sus padres tienen de él, imagen comunicada por cómo cada uno lo trata, así cómo lo que cada uno le dice. Una vez construidos estos modelos de un padre y un sí mismo en interacción tiende a persistir y llegan a operar a nivel inconsciente. Establecida la pauta de interacción se vuelve habitual, generalizada y en gran medida inconsciente, persisten en un estado invariable, aun cuando el individuo, en años posteriores, se relacione con personas que lo tratan de manera diferente a las adoptadas por sus padres cuando era niño/a (Ibid, 1999, p. 152). No obstante distinto a los modelos de desarrollo que postulan otras teorías en el que el individuo atraviesa una serie de etapas en que puede quedar fijado, o en las que puede regresar, la teoría de apego postula que el individuo avanza a lo largo de uno u otro camino de desarrollo potencial. Este modelo de camino de desarrollo considera que en el momento del nacimiento, el bebé tiene una serie de caminos que se abren potencialmente ante él, y que aquél por el cuál avanzará está determinado por el entorno en que se encuentra, sobre todo por el modo en que los padres (o figuras sustitutas) lo tratan, y por el modo en que el responde. De modo que los niños de padres sensibles estarán mejor capacitados para desarrollarse mentalmente saludable, mientras que aquellos cuyos padres son insensibles a sus necesidades, negligentes o rechazantes, probablemente al enfrentarse a situaciones seriamente adversas serán vulnerables a la depresión y problemas de salud mental. Esta teoría por otro lado no es determinista ya que aunque señala que la capacidad de cambio de desarrollo disminuye con los años, se reconoce que el cambio continúa a lo largo de todo el ciclo vida, por lo que los cambios favorables o desfavorables, siempre serán posibles (ibid, 1999, p. 158).

- **Apego en la adolescencia:**

La adolescencia se caracteriza por ser un periodo de profundas trasformaciones específicamente en el área emocional, cognitiva y conductual, en el que el individuo evoluciona de ser un buscador de cuidado a ser un dador de cuidado. La clave de este periodo es desarrollar la autonomía, para no depender tanto del apoyo de los padres. Las investigaciones han demostrado que esta autonomía no se logra acosta del apego y relaciones con sus padres, sino por el contrario por la experiencia previa de la relación de apego con sus padres, que perdurará más allá de la adolescencia (Allen y Land, 1998).

Durante este periodo los padres tienen que lidiar con los cambios emocionales del adolescente. Frecuentemente aparecerán en forma de crisis emocionales donde el adolescente siente que no puede seguir adelante o lidiar con una situación que ha sido juzgada como intolerable. La relación previa de apego con los padres le ayudará a proveerle una base segura emocional, de donde podrá experimentar una variedad de estados emocionales que surgen cuando está aprendiendo a vivir como un adulto relativamente autónomo. La función más importante de los padres o cuidadores en esta etapa es apoyar la capacidad del adolescente para manejar los efectos generados al aprender a vivir independientemente del cuidado de los padres. La organización del apego se convierte en una propiedad interna estable en el desarrollo individual cuando el adolescente logra la regulación emocional sin que esta sea un reflejo de la relación con sus cuidadores primarios. Esto se logra cuando el adolescente desarrolla la capacidad para establecer estrategias para manejar afecciones intensas, independientemente de sus cuidadores.

La teoría de apego ha sido ampliamente estudiada y hoy día goza de mucha aceptación entre los profesionales de la conducta humana. Es aceptada como un marco conceptual válido para organizar y analizar los datos. Estudios llevados a cabo por psicólogos del desarrollo sobre el desarrollo socioemocional durante los cinco primeros años de vida, entre los cuales se encuentran los iniciados por Ainsworth y colaboradores (1985), se ha corroborado que los problemas emocionales de la vida adulta tienen su origen en la infancia y en la pauta de apego que se establece con los cuidadores principales.

9.1.8 Teoría Humanista:

La perspectiva humanista da énfasis a la capacidad humana de dirigir su propia vida y el deseo humano de crecimiento, significado personal, competencia y conectarse con otros. Esta teoría se desarrolla como una reacción al determinismo contenido en las primeras versiones en la perspectiva psicodinámica y de comportamiento. Dentro de esta perspectiva se encuentran las teorías de Abraham Maslow y Carl Roger's.

La Teoría de la Jerarquía de Necesidades Humanas propuesta por Abraham Maslow en su obra: Una teoría sobre la motivación humana (en inglés, A Theory of Human Motivation, 1943), éste formula una teoría basada en una jerarquía de necesidades humanas, la cual representa como una pirámide. Éste defiende que conforme se satisfacen las necesidades más básicas como las fisiológicas; de seguridad y protección; afiliación; y reconocimiento, (parte inferior de la pirámide), los seres humanos desarrollan necesidades y deseos más elevados de autorrealización (parte superior de la pirámide.

El proceso terapéutico propuesto por Carl Roger's, Terapia basada en la Persona ("Person-Centered Approach", PCA, por sus siglas en inglés). Ésta última propone el uso de la empatía, la cordialidad, y autenticidad, para lograr la comunicación con el cliente. Para Rogers la relación entre el cliente y el terapeuta es el elemento fundamental para que se logre el proceso de sanación del consultante. Propone el uso de escuchar con empática, la congruencia propia del terapista y la aceptación incondicional, para promover un ambiente libre de amenazas donde el cliente pueda expresarse libremente. Rogers experimenta su "terapia centrada en el cliente" con pacientes psicóticos obteniendo óptimos resultados que publica en 1967 en su libro The Therapeutic Relationship and its Impact: A Study of Schizophrenia (Rogers, 1977).

La perspectiva teórica Humanista ha ganado mayor interés en la práctica del Trabajo Social por la relación de la dimensión espiritual en el comportamiento humano. La frase en trabajo social, "empezar desde donde el cliente está", proviene desde esta perspectiva. La perspectiva humanista ha sido usada también para entender las organizaciones, así como al individuo.

9.1.9 Otros acercamientos teóricos en el estudio del comportamiento humano:

El estudio de la mente y del cerebro ha tenido un gran desarrollo a partir de los 90, declarada como la "década del cerebro". Ello por los adelantos científicos que hicieron posible el desarrollo de nueva tecnología que proporcionaron los instrumentos y metodología avanzada para estudiar el funcionamiento del cerebro. Surgen investigaciones en diversos campos de la ciencia y disciplinas, por tratarse de un tema relevante, en las áreas de Neurociencia, Neuropsicología, Neurolingüística, Psicología evolucionista, Psicología evolutiva, Psicología cognitiva, Inteligencia artificial, Antropología o Filosofía. Las investigaciones del funcionamiento del cerebro en la Neurociencia se realizan desde varios modelos y teorías, abarcando los niveles moleculares, neuronal, redes neuronales, conductual y cognitivo. Este análisis diverso requiere de distintos conceptos, modelos, teorías y metodología, dando origen a nuevos campos de la ciencia, en el marco general de la Neurociencia (Garcia, 2001). Dentro de estas disciplinas, la neuropsicología, ha revolucionado la manera de entender nuestras conductas, cómo aprende, cómo guarda información nuestro cerebro, y cuáles son los procesos biológicos que facilitan el aprendizaje. De ella se han derivado diversas teorías para explicar cómo los seres humanos aprendemos, cómo difiere este aprendizaje de un individuo a otro, y se han diseñado instrumentos para medir la inteligencia de forma objetiva. Acorde con las investigaciones de diversas ciencias cognitivas, se plantea una concepción modular de la mente. Esto es, la mente está constituida por un conjunto de módulos especializados, sistemas funcionales, inteligencias múltiples, memorias diversas. Cada módulo es especifico y especializado en un tipo de proceso o actividad, como por ejemplo, los sistemas responsables del lenguaje, la capacidad de fabricar herramientas, orientarse en el espacio o interaccionar adecuadamente con otras personas en las relaciones sociales (Ibíd., 2000, 2001). Surge de este campo las investigaciones sobre las inteligencias múltiples y los diferentes estilos de aprendizaje.

Los conceptos de inteligencia emocional e interpersonal, así como el papel que desempeñan las emociones en la salud física y mental de los individuos, son parte de los resultados de investigaciones realizadas en esta área de la psicología cognitiva y otras áreas relacionadas. Los estudios han demostrado la relación que existe entre factores emocionales y los factores psicológicos en el desarrollo de enfermedades tales como las de tipo cardiovasculares (enfermedad coronaria, hipertensión arterial), gastrointestinales (ulcera péptica, trastornos esofágicos, intestino irritable, colitis ulcerosa, enfermedad de Crohn), trastornos dermatológicos (prurito, urticarias, , dermatitis, alopecia), respiratorios (asma bronquial, síndrome de hiperventilación) y trastornos inmunológicos. Aunque se reconoce que estos trastornos psicofisiológicos tienen una etiología multicausal por la variedad de factores que interaccionan y que pueden desencadenar la condición, se han asociado como agentes que propician el desarrollo y mantenimiento de estos trastornos los siguientes factores: la ansiedad, ira y/o hostilidad, estilo de vida, aspectos ambientales, resistencia del sujeto al estrés, factores genéticos, características de la personalidad, factores cognitivos y estilos de enfrentamientos.

Conocer estos aspectos relacionados al área de la salud y el papel de las emociones en las condiciones físicas puede ayudar al/la trabajador/a social a un mejor entendimiento o razonamiento del funcionamiento del individuo que tiene ante sí.

A) La Neurociencia y el comportamiento humano:

La neurociencia estudia la estructura y la organización funcional del sistema nervioso (SN). El estudio del cerebro incluye sistemas como la corteza cerebral o el cerebelo, así como el Sistema Nervioso y cómo sus diferentes elementos interactúan, dando lugar a las bases biológicas de la conducta. El estudio biológico del cerebro es un área multidisciplinar que abarca muchos niveles de estudio, desde el puramente molecular hasta el específicamente conductual y cognitivo. De la Neurociencia convergen distintas disciplinas que se han venido desarrollando a partir del siglo XX. La neurociencia cognitiva proporciona una nueva manera de entender el cerebro y la conciencia, pues se basa en un estudio científico que une disciplinas tales como la neurobiología, la psicobiología o la psicología cognitiva para tratar de explicar los procesos mentales implicados en el comportamiento y sus bases biológicas. Al explicar cómo funcionan millones de células nerviosas en el encéfalo para producir la conducta y cómo a su vez estas células están influidas por el medio ambiente, la neurociencia trata de desentrañar la manera de cómo la actividad del cerebro se relaciona con la psiquis y el comportamiento. Para la neurociencia el comportamiento humano es el resultado de la integración de los dos aspectos fundamentales, lo emocional y lo racional.

En el siglo XXI las investigaciones en el área de la neurociencia han contribuido a aumentar el conocimiento sobre la genética humana y su relación con el comportamiento humano. En el 2000 se anunció el adelanto científico de mayores repercusiones para entender la historia genética de los seres humanos, la lectura del genoma. Con este descubrimiento ha quedado planteado como un reto para la ciencia establecer cuánto de nuestro comportamiento está determinado genéticamente o, por el contrario, depende de factores ambientales. ¿Hasta qué punto son los genes responsables de que una persona sea optimista o pesimista, emocionalmente estable o neurótica, tolerante o dictatorial, inteligente o no, violenta o pacífica? El Dr. Humberto Nicolini jefe de la Unidad de Genética Molecular Psiquiátrica del Instituto Mexicano de Psiquiatría, señala que no se puede generalizar que en la conducta humana hay necesariamente una base genética, ya que en algunos aspectos va a tener más peso el factor genético y en otros el ambiente. Considera que ambos factores siempre se van a estar modulando, por lo que será difícil predecir el comportamiento humano ciento por ciento por los genes. Sin embargo, señala que al conocer cómo actúan los genes de la patología mental va a llevar a entender mejor cómo los genes determinan los comportamientos "normales".

Sobre este aspecto Matt Ridley (2001), en su artículo "El fin de un gran misterio, el verdadero inicio de la Biología", señala:

> "Si los genes responden al comportamiento, pero el comportamiento también responde a los genes, entonces nuestras acciones pueden ser determinadas por fuerzas que se originan en nosotros, así como por influencias externas. Por tanto la voluntad es una combinación de instintos y de influencias externas. Esto la hace determinista y responsable, pero no pronosticable".

Como ejemplo, podemos señalar, la aportación de la neurociencia para entender mejor los procesos que se dan en las personas con problemas de abuso de drogas o alcohol.

Estos avances científicos en la neurociencia y en las ciencias del comportamiento han revolucionado los conocimientos sobre el abuso y la adicción a drogas, logrando establecer que el abuso de drogas es más un problema de salud que uno social.

Los científicos han identificado circuitos neurales envueltos en el abuso de drogas y han encontrado que existen diferencias en el cerebro del adicto al compararse con los no adictos. Estas diferencias se manifiestan por cambios en la actividad metabólica del cerebro, habilidad receptiva, expresión genética y sus respuestas al medio ambiente.

De acuerdo a las investigaciones el uso prolongado de drogas produce cambios en la estructura y funcionamiento del cerebro. Estos cambios están relacionados al flujo de la dopamina (neurotransmisor) asociado a las sensaciones de placer. La cantidad de dopamina que produce el cerebro está limitada por las sustancias que usa el cerebro para producirla, por lo que al desarrollase el desorden de uso de sustancias, la persona pierden la habilidad de mantener activo su sistema de dopamina en forma normal. Al liberarse la sustancia en forma artificial, el cerebro producirá menos dopamina, lo que significa que el individuo tendrá dificultad de sentir placer en eventos normales que harían feliz a cualquier persona (Brady, Volkow, 2004, 2008). Se ha corroborado que el uso de drogas afecta la parte del cerebro que controla el placer, la motivación, la emoción y la memoria. Estos cambios, de acuerdo a las investigaciones científicas, pueden generar en la enfermedad de la adicción a drogas.

Estos cambios han podido detectarse a través de la tecnología desarrollada como la tomografía de emisión de positrones. Los cambios estructurales y funcionales que se evidencian en el cerebro por la adicción han llevado a concluir que ésta es una enfermedad del cerebro (Leshner, 1997).

Estudios llevados a cabo a principios de los 90 por los

científicos Keneth Blum y Ernest P. Noble evidenciaron que existe una conexión genética entre el alcoholismo y el gen mutante para el receptor de la dopamina 2 (DRD2). Se ha señalado que algunas personas heredan una variante del gen para el receptor de la dopamina localizado en el cromosoma 11 que le predispone al consumo de alcohol y drogas (Coperias, E., 1998).

Al considerar las adicciones como una condición del individuo que puede estar influida por una predisposición genética, tenemos que preguntarnos si han sido correctos los enfoques políticos, sociales y médicos que se han llevado acabo hasta ahora para enfrentar este problema. Si bien es cierto que inicialmente el uso de drogas es un comportamiento voluntario del individuo, en la medida en que usa la sustancia se mueve a un estado de adicción caracterizado por la compulsión de búsqueda y uso de drogas, el cual puede estar respondiendo a su necesidad genética del receptor de la dopamina, como lo han establecido los estudio de la genética humana.

Los trabajos en genética y en la neurociencia han resultado de gran ayuda para entender aspectos del comportamiento humano que anteriormente eran consideradas como conductas desviadas y estigmatizadas socialmente. Los estudios del cerebro relacionados a las conductas violentas y comportamiento criminal que se llevan a cabo en la actualidad pueden tener repercusiones en la manera como se administre la justicia en el futuro. Cuánto del comportamiento criminal puede estar regulado por aspectos neurológicos/fisiológicos, cuanto por el ambiente, será un reto a superar tanto para los profesionales de la salud, así como para los del área legal. Los trabajadores sociales y especialistas en conducta humana tienen que estar alertas a estos nuevos conocimientos e incorporarlos en los análisis o ponderación de los casos, es de esta manera que pueden ayudar a otros profesionales especialmente en el área legal a tomar decisiones informadas, así como a promover cambios a nivel de política pública y de la sociedad.

CAPITULO 10

Integración de la Teoría en el Análisis de los Casos

> "Sin una buena teoría como guía, es probable que resulte difícil planificar la investigación y que esta sea improductiva, y que resulte difícil interpretar los datos. Sin una teoría razonablemente valida de la etiología nunca serán apoyadas las medidas sistemáticas y acordadas de prevención" (John Bowby, 1998, p.52).

Como señaláramos en el capítulo anterior, una dificultad que consistentemente muestran algunos trabajadores sociales al momento de realizar la ponderación del caso es integrar la teoría en el análisis para sustentar los hallazgos. En muchas ocasiones se limitan a citar lo que dice la teoría sin individualizar o establecer la vinculación con el caso que tienen ante sí. En otras ocasiones la conceptualización errónea del caso y la metodología de investigación puede afectar el análisis y por consiguiente los resultados. Es esencial que desde el inicio el/la profesional puedan lograr conceptualizar el caso y establecer las hipótesis que le ayudarán a dirigir la investigación y a seleccionar la teoría o teorías que pueden aplicar para explicar la conducta observada de manera objetiva y científica. Este es un proceso analítico que requiere destrezas para discernir, seleccionar los datos relevantes, y redactar de modo preciso y claro.

Este proceso inicia con la evaluación, actividad fundamental para entender al cliente antes de tomar una acción. El método de la evaluación es uno exploratorio al igual que en la investigación científica. La información a ser obtenida del usuario del servicio dependerá del escenario en el cuál éste sea visto, la petición presentada o el problema establecido. En el escenario legal, la función primordial es asesorar al juez, abogado de partes o fiscal (dependiendo de la situación) para que pueda tomar una decisión informada basada en conocimiento. (Ver capítulo 5, La metodología científica como guía de la evaluación forense. "La práctica especializada en trabajo social forense", López Beltrán, 2009).

El proceso evaluativo comienza con la recolección de los datos relevantes sobre el participante o usuario de los servicios y se formulan las hipótesis o inferencias. Una vez completada toda la investigación se procede a interpretar los datos, dando significado a los hechos o eventos, relaciones, sentimientos, comportamiento, influencias del ambiente; se buscan la relación de los eventos significativos, las fechas, y situaciones que puedan explicar el comportamiento observado. En este proceso las destrezas del profesional descansan en su juicio profesional, guiado por la teoría y la aplicación de la misma. Es fundamental identificar la teoría o teorías que mejor puedan explicar el comportamiento y funcionamiento del individuo o individuos que tenemos ante nuestra consideración.

Es importante recalcar que aun cuando las destrezas de razonamiento sean buenas, si la selección de los datos es inexacta y se define erróneamente el problema, entonces se fallará en la ponderación y las recomendaciones que se brinden.

En su función de testigo experto en el Tribunal el/la trabajador(a) social tendrá la responsabilidad de asesorar al juez(a) para que pueda tomar una decisión basada en conocimientos. Luego de concluir su evaluación, deberá someter un informe escrito con sus hallazgos y recomendaciones, exponiendo la información con claridad y en forma sencilla para que pueda ser entendida por los funcionarios del ámbito legal.

Se considera un testigo experto aquel individuo que ha desarrollado mediante: "conocimientos, experiencias, adiestramiento, o educación", la habilidad para interpretar o explicar información compleja. Un(a) trabajador (a) social actuando como testigo experto puede ser solicitado para proveer testimonio que lleve a conclusiones basadas en sus observaciones personales, como resultado de su educación, adestramiento formal, y experiencia. Una vez cualificado como testigo experto el/la trabajador(a) social puede ser llamado para explicar conceptos que son básicos en la profesión de trabajo social y cualquier área de práctica en la que tenga una particular experiencia; puede pedírsele que llegue a conclusiones, ofrezca su opinión basado en ejemplos hipotéticos, o interprete los datos y hechos existente en evidencia (NASW, 2004). (Ver capítulo 7, Conociendo los Procedimientos del Tribunal), libro: "La práctica especializada en trabajo social forense", 2009).

Esta función de interpretación de los datos basados en hechos y evidencia es de suma importancia ya que de ello dependerá las recomendaciones a ser brindadas al juez(a) para la toma de decisión en el caso y que resulten en el mejor bienestar para el/la menor(es) o familias bajo la consideración. En el proceso de testificar el/la trabajador(a) social deberá proyectar conocimiento y seguridad al exponer los datos, integrando las teorías y el conocimiento especializado para explicar el comportamiento de las personas evaluadas. Esta exposición deberá ser hecha en forma clara, precisa y sencilla.

Proceso Evaluativo:

Compartimos a continuación el proceso analítico que a través de los años hemos utilizado para organizar, seleccionar los datos relevantes, corroborar las hipótesis y finalmente redactar el informe social.

Primeramente hacemos una lectura concienzuda de todos los datos recopilados y la evidencia revisada (es sumamente importante tener redactados todos los historiales de las entrevistas). Seguidamente nos preguntamos: ¿Qué tengo aquí? Lo que me lleva a repasar y enumerar los datos más relevantes.

1. Alegaciones de las partes (en casos de familia) o historia, relato de la persona (resumida).

2. Identificar eventos significativos (nacimientos, pérdidas significativas, evento traumático o estresante, enfermedad, etc. Explorar si esto tuvo algún impacto o alteró el comportamiento del individuo o la vida familiar).

3. Correlacionar fechas de eventos; hora en que ocurrió evento (en caso de menores infractores es importante conocer la hora en que se alega la comisión de la falta

o faltas, ya que nos puede arrojar información sobre posible falta de controles o supervisión por parte de los padres o encargados).

4. Identificar las incongruencias en el relato (información no cónsona con evidencia existente que puede ser corroborada por documentación, por información de colaterales o profesionales objetivos, o por conocimiento sobre la conducta humana).

5. Enumerar las hipótesis que estableció al inicio de la evaluación. ¿Cuál de éstas se sostiene con los datos y evidencia obtenida?

6. Identificar la teoría/s que puede aplicarse en el caso, así como otras áreas de conocimiento científico que puedan explicar la conducta observada.

Este proceso reflexivo y analítico nos lleva finalmente a una ponderación objetiva de los hallazgos, lo que nos ayuda a formular las conclusiones y recomendaciones en el caso.

El diagrama a continuación presenta los aspectos que consideramos esenciales para realizar una evaluación social forense con base en conocimientos científicos actualizados y siguiendo los postulados éticos de la profesión.

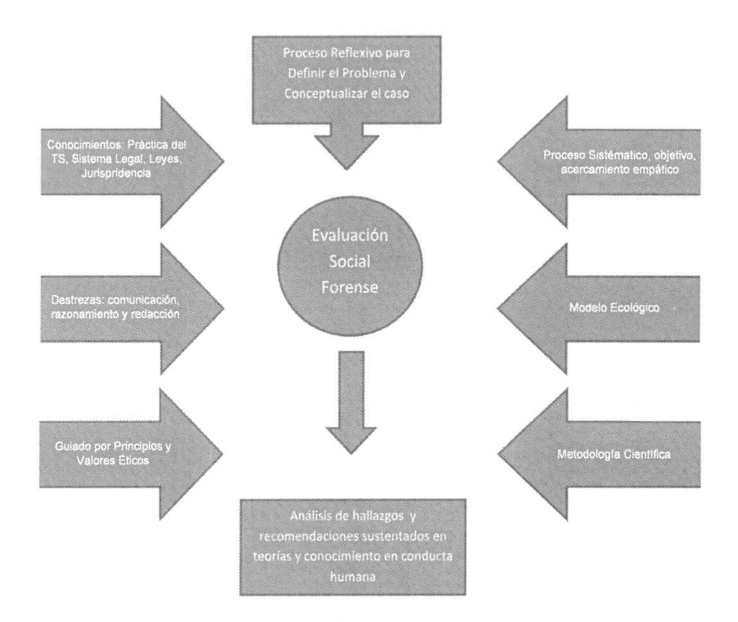

A continuación se exponen ejemplos de casos en los que se integra la teoría en el análisis para sustentar las recomendaciones. También se hacen observaciones sobre los procedimientos llevados a cabo en la Evaluación Social Forense en los que se identifican subjetividad en el proceso evaluativo, parcialidad hacia una parte, o se conceptualiza el caso incorrectamente.

Caso I:

Aplicación de la teoría

En esta situación se evaluó los posibles efectos sicosociales de registrarse una menor bajo el apellido materno, siguiendo el Estado de Derecho del país donde nació el padre, esto con el propósito de asesorar al abogado de la parte solicitante, en los argumentos a presentar al Tribunal.

El Sr. X recurre al Tribunal para solicitar se permita que su hija sea registrada con su apellido paterno. El Sr. X nacido en Brasil, de padres puertorriqueños, fue inscrito con el apellido materno como su apellido inicial seguido del apellido paterno de acuerdo al Estado de Derecho de ese país. A los tres años es traído por sus padres a territorio norteamericano donde se expide identificación bajo el apellido paterno. Surge la controversia al nacer su primera hija e iniciar el proceso de inscripción en el Registro Demográfico, donde se señala debe ser inscrito con los apellidos que aparecen en el certificado original del padre. Esto plantea un conflicto cultural para esta familia ya que en Puerto Rico distinto al Brasil, se sigue la línea paterna para la inscripción. Si bien es cierto que la menor se estaría registrando con el apellido con que aparece inscrito el padre, no es éste con el cual se identifica el Sr. X, ya que para todos los efectos en su vida cotidiana éste utiliza como primer apellido el de su padre. Para la menor, ser inscrita con el apellido materno del padre, tendría implicaciones tanto a nivel social como psicológico. En el área emocional a largo plazo podría afectar su sentido de identidad y pertenencia. Los apellidos para las personas son la base de identidad con la familia de origen. Tal es así que la familia se identifica por su ascendencia que se recoge en su árbol genealógico.

De esta menor ser registrada con el apellido del padre por descendencia materna no sólo rompería con la tradición de nuestra cultura, sino con los vínculos de su ascendencia paterna. La teoría de pensamiento de lenguaje de Vygotsky, (1995), establece que hay un vínculo fuerte entre los factores sociales, en especial los histórico y culturales en el desarrollo del individuo. Tomando de base esta teoría los apellidos desde el contexto cultural proveen una base para su identidad y socialización.

El cambio de apellido de la menor afectaría no sólo su estado emocional sino también su derecho a la intimidad, ya que la expondría a un continuo cuestionamiento de su compañeros de clase, maestros u otras personas sobre las diferencia de su apellido y el de su padre biológico. En adición a esto tendría unas implicaciones a nivel legal en situaciones de hospitalización, viajes al exterior, herencias, entre otros. Lo que requeriría del padre mostrar su certificado de nacimiento para evidenciar su paternidad dada la diferencia en los apellidos.

Si tomamos en consideración la teoría psicosocial de Erickson, (1983), relacionada a la socialización y como esto afecta su sentido de identidad personal, podemos concluir que todos los elementos anteriormente citados pondrían en riesgo el desarrollo del sentido de identidad de esta menor. De acuerdo a Erick Erickson en la etapa de los 6 a 12 años (industria vs. inferioridad) el niño debe aprender las habilidades de la cultura o afrontar sentimientos de incompetencia. Por lo que de sentirse diferente a los demás dentro de nuestra norma cultural podría poner en riesgo su sentido de identidad.

Para el Sr. X, padre de la menor, el uso del apellido paterno no le creó conflictos ya que contó con documentación oficial que facilitó el uso del apellido paterno, lo que le ayudó a conformar con las normas sociales vigentes, sin que ello implicara una acción ilegal

Caso II:

Se identifican incongruencias en el relato y parcialidad de/la trabajador/a social

La Sra. V recurre al Tribunal en solicitud de la custodia de su hijo de 8 años, quien se encuentra residiendo con el padre en Puerto Rico desde hace cuatro años. Alegó que tras la separación, su ex esposo se llevó al menor, que ella desconocía dónde se encontraban, por lo que durante un tiempo no pudo relacionarse con éste. Durante el tiempo que estuvieron casados la pareja residió en un estado de los EEUU. La Sra. V. de nacionalidad peruana, tras su separación regresó a su país de origen, donde reside con su nueva pareja. Interesa obtener la custodia de su hijo y llevarlo a su país a residir con ella y su nueva familia. Durante la entrevista con la trabajadora social del tribunal ésta describió a su ex esposo como machista, agresor físico y emocional, inestable emocionalmente y con problemas en el trabajo, que le causaron su despido. Esto lleva a la TS a conceptuar el caso como uno de violencia doméstica donde se presenta al Sr. X como un agresor que ejerce poder y control tanto en su relación con su pareja como en la de su hijo. Sin embargo, al analizar el caso encontramos que la trabajadora social en su informe no recogió información de las alegaciones del Sr. X sobre la conducta de su ex esposa relacionadas al cuido del niño, así como sus planteamientos de que la acusación de maltrato físico fue una forma de ésta obtener beneficios para tener la custodia del niño y poder llevárselo a su país, dado su estatus de no residente en EE.UU.

En nuestro análisis concluimos que la manera en que se exponen los datos en el informe muestra falta de neutralidad y objetividad de la trabajadora social en el proceso evaluativo ya que ésta dio entera credibilidad a las alegaciones y comentarios traídos por la Sra. V a pesar de las incongruencias en su relato y de los datos o evidencia que contradecían sus alegaciones.

Exponemos a continuación algunos ejemplos que evidencian la falta de objetividad y parcialidad en el proceso de evaluación llevado a cabo en este caso:

- La Sra. V opina sobre la vida familiar de su ex esposo. En el informe la TS expone: "Según V observa a madre de éste como mujer reprimida y al padre como "muy macho". Por otro lado los datos que se recogen sobre la vida familiar del Sr. X presentan a un padre (abuelo) afectivo con sus hijos que delega la supervisión y controles en la madre, lo cual responde a los patrones culturales en Puerto Rico. No obstante se recoge en detalles la información ofrecida de la Sra. V sobre una familia que apenas conoció, vinculándolos a un posible patrón de violencia doméstica. ¿Por qué no se le dio igual peso a las alegaciones del Sr. X, y otros colaterales entrevistados sobre la actitud de colaboración que asumía en las actividades del hogar tales como: cuidar al niño, preparar los alimentos, ayudar en las tareas de limpieza y compras? Así, como su disposición a permitir los continuos viajes de la Sra. V para visitar sus familiares en su país de origen tanto previo como posterior al nacimiento de su hijo. La manera en que la trabajadora social expone los datos, obviando las alegaciones del Sr. X, evidencia falta de objetividad y triangulación hacia una de las partes. Se deja establecido que el Sr. X es una persona controladora y machista, imagen que no corresponde a la actitud de colaboración y confianza asumida por éste hacía su pareja.

• Es significativo que al evaluar la dinámica de la pareja desde sus comienzos se adjudique los sentimientos de frustración y estado de ánimo de la Sra. V a la supuesta conducta machista y controladora del Sr. X hacía su esposa. Ésta refiere que observaba a su esposo poco comunicativo. Para esa época no tenían automóvil ni televisión, y ella no trabajaba. Se indica que se sentía abrumada por la situación. La madre de V confirma haber encontrado a su hija llorando y frustrada. Que le expresaba no podía salir, ni podía manejar un auto y no conocía a nadie. Es desde este momento que el padre V le gestiona un permiso médico para que Inmigración le permita viajar a su país por lo menos cada seis meses.

• No se analizó objetivamente la información traída por la Sra. V en relación a que comenzó a desencantarse de esta relación desde los tres meses de casados y que luego del nacimiento de su hija ya tenía intención de divorciarse. Esto debió ser tomado como señal de alerta para la trabajadora social en el proceso de evaluación, sin embargo esta información se toma como una confirmación de la conducta machista y controladora, obviándose los procesos de ajustes que estaban ocurriendo en esta situación.

Veamos: Ajuste al matrimonio – De acuerdo al Ciclo de Vida Familiar en el primer año de matrimonio la pareja pasa por un periodo de ajuste que se caracteriza por un proceso de adaptación a las funciones que demanda el nuevo rol social como esposa(o), padre/madre, asumir responsabilidades de proveedor y de las tareas del hogar. Lo cual lleva en muchas ocasiones a experimentar reacciones emocionales de nostalgia, soledad, cambio en costumbres para ajustarse a la pareja. Este es el periodo en el que cada uno tiene que complementarse como pareja, rompiendo con las costumbres y estilos de funcionamiento de la familia de origen y negociar para construir una vida en familia.

• Ajustes a vivir en un país distinto donde su estatus migratorio le limita para trabajar y su movilidad, adicional a no contar con la red de apoyo de sus familiares y amistades.

• Ajustes de tipo social y económico – La Sra. V proviene de un nivel socioeconómico alto donde contaba con el apoyo económico de su familia, así como con ayuda en las tareas domésticas. La descripción de su estado de ánimo de llanto y frustración podrían ser indicadores de una posible depresión o Desorden de Ansiedad, según lo establece el DSM IV.

Todos los ajustes que tuvo que hacer la Sra. V a sus nueva circunstancias de vida, unido esto al poco tiempo que tuvieron como pareja para conocerse y cimentar su relación previo a casarse (cinco a seis meses), evidencian la falta de lazos afectivos sólidos que hubieran ayudado a la estabilidad de la pareja. Lo cual no se da en parte porque la Sra. V no logra cortar la relación con su familia de origen y los frecuentes viajes a su país que no le permiten adaptarse a su nueva situación de vida.

Analizadas estas circunstancias la TS debió explorar las alegaciones del Sr. X relacionadas a los motivos de la Sra. V para radicarle cargos por agresión física y emocional, evitando así la parcialidad con que se evalúan los hechos en este caso.

- Se presenta al Sr. X como agresivo, con pobre auto control. Se describe situación de maltrato físico y emocional contra la Sra. V. Ésta alega que le escupía la cara, en una ocasión quiso asfixiarla, que le pegó durante y después del embarazo, que en una ocasión le arrastró por las escaleras y le decía que le iba a tirar por la ventana. Se señala que ésta indicó que toleró la situación por su hijo. Relato que es confirmado por la madre de Dña. V la cual afirma haber encontrado a su hija con diferentes moretones en los brazos. Se detalla el incidente del 1 ro de mayo de 200.. cuando se presentó la denuncia a la policía y demás gestiones a través del Consulado de xxx en ----. En el informe policiaco se indica que se observó un pequeño rasguño rojizo en la parte inferior derecha de la quijada. No había hinchazón y no le dolía para hablar. También se indica que la Sra. V no quiso que él fuera arrestado, que ella "V", sólo deseaba que la información estuviera en record. No se reporta en este informe policiaco otras señales de maltrato físico u otros incidentes previos de agresión.

• Este informe también debió ser tomado como señal de alerta para la TS en el proceso evaluativo ya que la información era cónsona con las alegaciones del Sr. X sobre las intenciones de la Sra. V de fabricarle un caso de violencia doméstica para obtener privilegios como emigrante en la obtención de la custodia de su hijo. De la información que recoge la TS sobre los periodos de convivencia posterior a este incidente no se mencionan otras conductas de violencia entre la pareja. Quedando esto documentado por el propio abogado de la Sra. V quien en el documento de Contestación de Demanda y Reconvención presentada el 13 de noviembre de 200.., inciso cinco (5) señala: "El último de los eventos de violencia doméstica a los que sometió el demandante- reconvenido a la compareciente ocurrió el 1ro de mayo de 200.. en la ciudad de …, donde mantenían la residencia conyugal, cuando éste la agredió físicamente. La compareciente dio parte a las autoridades policiales, quienes intervinieron con el demandante-reconvenido y cumplimentaron un informe oficial sobre el particular". La información que se recoge sobre las gestiones hechas por la Sra. V en el Consulado General de… en …, el 3 de mayo de 200.., establece que ésta informó haber sido víctima de violencia doméstica en tres ocasiones, lo cual no es cónsona con la información brindada a la policía previamente y que contrasta con la información ofrecida sobre un patrón constante de maltrato y abuso que se recoge en el informe de evaluación. De acuerdo a Lenore Walker (1979) las relaciones violentas siguen un patrón cíclico que tiende a escalar en frecuencia y severidad y que se da en tres fases, tensión, incidente violento agudo para dar paso a un acto de arrepentimiento, con periodos de reconciliación. Si bien es cierto que esta pareja tuvo varios intentos de reconciliación, no se evidencia en las convivencias posteriores este patrón del ciclo de violencia. La literatura y estudios sobre el perfil del agresor señalan que esta conducta se repite en la relación de pareja ya que esta violencia es una forma de ejercer poder y control sobre la mujer. Esta conducta no se ha evidenciado en la relación del Sr. X con la joven H, con la cual mantiene una relación de noviazgo desde hace dos años. La descripción que hace ésta de su relación es una de respeto y de mucha comunicación. Considera al Sr. X como una persona tranquila, atento, cariñoso y de muchos detalles con ella, que cuando ha habido diferencias nunca ha respondido en forma agresiva o ha tratado de imponerse y que se lleva muy bien con su familia.

• Otra información no cónsona con la información traída por la Sra. V sobre el continuo abuso físico y emocional que sufrió durante su embarazo y que debió ser ponderado por la trabajadora social como un hecho objetivo lo es el nacimiento del menor. Este nació en término (9 meses), saludable y sin ninguna evidencia de traumas. La evidencia médica establece que cuando la madre sufre maltrato físico y emocional durante el embarazo, el desarrollo del neonato se ve afectado. En casos graves puede abortar o la criatura puede nacer bajo peso y antes de término, lo cual no fue el caso de el menor en referencia.

• La TS al recoger el historial de salud mental señala: "Don X negó en la primera entrevista que tenía historial de salud mental. Cuando exploramos con su mamá, esta acepta que Don. X fue un niño muy inquieto en su niñez y adolescencia, aunque nunca fue diagnosticado. Con este comentario la TS subjetivamente da por sentado que la conducta inquieta es sinónimo de problema emocional. De esta manera se da credibilidad a información no corroborada ofrecida por Dña. V y su familia y obvia ponderar los resultados objetivos de las pruebas neurológicas, psiquiátricas y psicológicas practicadas a éste como parte de proceso evaluativo.

Tanto la evaluación psiquiátrica como la neurológica descartan trastornos mentales en el Sr. X, sin embargo en la evaluación psicológica se hace referencia a indicadores de preocupación, ansiedad, hipersensibilidad hacía su medio ambiente con un matiz de paranoia, que bien pudieran estar relacionados con las circunstancias que enfrenta en el tribunal al sentir que no ha sido tratado con equidad en el proceso evaluativo y a su temor de perder la custodia de su hijo.

- Existe incongruencia en la información brindada por la Sra. V en varios asuntos como la información que brindó a la Trabajador Social que realizó el estudio Socioeconómico de su hogar en su país de origen. En este se indica que la Sra. V alegó ignorar el paradero de la niña por espacio de dos años hasta que con el apoyo de la Embajada de … en E.U. y posteriormente en Puerto Rico, el menor fue localizado en la Provincia de PR, en donde se encuentra actualmente viviendo con su padre, el señor X. Información que no es compatible con el hecho de que ésta sabía el teléfono y donde vivía en Puerto Rico la familia del Sr. X, ya que había estado de visita en una ocasión. Estas incongruencias no fueron detectadas o no se les dio la importancia en el proceso evaluativo lo que afecta el análisis objetivo y razonamiento critico que debe llevarse en este proceso para poder asesorar al juez(a) en la toma de decisión del caso.

En el análisis que hace la TS para fundamentar su recomendación de entregar la custodia a la madre ésta expone entre otras razones las siguientes:

- "A pesar de que el menor muestra un buen funcionamiento escolar, en el ámbito familiar se encuentra que no tiene actividades gratificantes durante la semana. En esos periodos de tiempo las personas con las que comparte al salir del Colegio son adultos. Su abuela paterna, tiene dificultades de salud que con el pasar del tiempo se agudizarían y no tendría las fortalezas físicas para las atenciones que requiere el niño" (Con esta observación la trabajadora social descarta al padre como la figura primaria de cuido e inclusive no considera los planes de éste de formar una nueva familia, ni la relación favorable del niño con la compañera del padre. Tampoco se toma en consideración las diversas actividades en que participa con su familia extendida, así como en la iglesia).

- El menor necesita continuar las etapas de desarrollo y fortalecer la relación materna, con quien es necesario que se dé un proceso de identificación saludable propio para su edad. Si mantiene el vínculo inseguro con el padre, se promueve la dependencia del niño hacía la figura del padre, lo que podría afectarle en la forma de establecer vínculos de pareja en el futuro, según la teoría de apego. (No se describe la conducta de apego inseguro que muestra el niño)

En este análisis no se toma en consideración la información objetiva sobre el funcionamiento del niño en el área escolar, social y emocional que evidencian que su desarrollo psicosocial ha sido bien atendido tanto en el aspecto afectivo como material. La información traída por las maestras y Trabajadora Social del Colegio... se expone en el informe pero no se profundiza y pondera objetivamente como indicadores de estabilidad y ajuste del menor.

Analizados estos datos objetivamente obtenemos que todos los funcionarios escolares entrevistados por la trabajadora social describieron al Sr. X como un padre responsable, cooperador, que mantiene buenas relaciones interpersonales con los maestros y funcionarios de la escuela. No surge de ésta ninguna información que pueda sugerir problemas de inestabilidad emocional o problemas de personalidad de parte de este padre. Al considerar que éste ha interactuado con personal escolar por alrededor de los últimos cuatro años, debió ser tomado en consideración esta apreciación sobre otra información no corroborada traída por personas vinculadas a una de las partes. Igualmente, la conducta que se describe del niño evidencia un ajuste adecuado que no corresponde a la información que sugiere maltrato físico por parte de su padre y abuela paterna, así como dependencia hacia la figura paterna. Por el contrario evidencian que el niño recibe la atención y amor de sus cuidadores primarios, así como de su familia extendida. Su comportamiento demuestra un buen ajuste a la etapa de desarrollo en que se encuentra; de acuerdo a la teoría de Erik Erikson, etapa de pre adolescencia donde se desarrolla competencias relacionadas a iniciativa, responsabilidad, creatividad. Su ejecución a nivel conductual y emocional es cónsona con el desarrollo saludable en esta etapa. El niño participa activamente en actividades y proyectos en su familia, iglesia (participa del coro) y escuela; y se le reconocen sus logros. Se proyecta con iniciativa, sociable, activo, cariñoso, extrovertido e independiente, todo lo cual descarta que exista una relación de apego inseguro con su padre.

Conclusión:

Observamos que en la evaluación de este caso se toman como hechos los datos y alegaciones traídos por una de las partes, la Sra. V, y no se explora de igual manera las alegaciones del Sr. X resultando en un desbalance en la ponderación de los datos y en la parcialización del proceso. Se obvian hechos o datos que pueden ser corroborados con evidencia documental y no se profundiza en el análisis e interpretación de la información obtenida a través de fuentes objetivas.

Luego de evaluar todos los datos concluimos, que en esta evaluación se erró al conceptuar el caso como uno de violencia doméstica y dar completa credibilidad a las alegaciones de la Sra. V sin profundizar y hacer un análisis crítico de los hechos objetivos disponibles. Los hallazgos relacionados a la poca objetividad y parcialización hacia una de las partes, nos llevan a concluir que la doctrina que guió el proceso de la evaluación no está centrado en el mejor bienestar del menor, sino más bien en la preferencia hacia la figura de la madre como custodia de los hijos.

El Tribunal Supremo ha dejado claramente establecido que al determinarse la custodia debe velarse por los mejores intereses, bienestar físico y emocional de los menores. En el caso Santana Medrano vs. Acevedo Osorio, 116 DPR 298, (1985), el Tribunal expresó lo siguiente: "Dicha decisión es una a la que el tribunal debe llegar después de realizar un análisis objetivo, sereno y cuidadoso de todas las circunstancias presentes en el caso en ese momento ante la consideración del tribunal, teniendo como único y principal objetivo el bienestar de los menores".

Caso III

El siguiente caso representa un ejemplo de las distintas situaciones o conflictos que pueden generar en una controversia por la incapacidad de las partes para ponerse de acuerdo en asuntos relacionados al bienestar de sus hijos/as.

En la investigación y análisis de este caso encontramos que en la evaluación realizada por la trabajadora social del tribunal no se consideraron aspectos como la condición de salud de la madre y la conducta presentada por la menor que evidenciaba estar en un conflicto de lealtades. Se dio completa credibilidad a una de las partes (el padre), sin analizar las incongruencias y datos objetivos que pudieron ser claves en el proceso de evaluación. A continuación exponemos algunos de los aspectos analizados en este caso y el análisis y recomendaciones sometido. Se aclara que para proteger la confidencialidad de la familia evaluada se hicieron algunos cambios en los datos que se ofrecen.

• Revisión de documentos:

En este caso se revisaron documentos relacionados al divorcio y otros asuntos del proceso del caso, así como documentos, certificaciones e informes de evaluaciones realizadas a las partes y a la menor. En total se revisaron diez documentos, los cuales se omiten para salvaguardar la confidencialidad de la familia objeto de la intervención.

• Revisión de literatura y teoría relacionadas a:

√ Conflicto de lealtades,

√ Teoría de apego,

√ Children and High Conflict Divorce: Theory, Research, and Intervention, (Doolittle and Deutsch, 1999);

√ Stress system response and rheumatoid arthritis: a multilevel approach (Walker, Littlejohn, Mc Murray and Cutolo, 1999);

√ Does Stress Trigger Rheumatoid Arthritis or Worsen Symptoms? http://arthritis.about.com/b2008/06/03/does-stress-trigger-rheumatoid

√ Depresión, estrés y desesperanza en pacientes con artritis reumatoide del Caribe colombiano (Caballero-Uribe, Venegas, Padilla, Paternina, Peña y Peñuela, 2004).

• Búsqueda en la Internet sobre los ofrecimientos de distintos colegios en áreas cercanas a residencia de la menor.

IV. Resumen de los Aspectos Sociolegales en el caso:

La menor M de ocho años de edad, producto de la relación marital de sus padres, Sr. X y la Sra. A. Este matrimonio estuvo constituido por diez años, desde ----200- hasta ---- de 200- en que se separan y concluye en -----de 200- cuando se dicta sentencia de divorcio por la causal de separación y se adjudica la custodia provisional de la menor a la Sra. A. Desde sus inicios la relación se caracterizó por ser una conflictiva entre la pareja, existiendo discrepancia en sus expectativas el uno del otro. El Sr. X, por su profesión dedicaba muchas horas a su trabajo, situación que contribuyó al alejamiento emocional de la pareja. La Sra. A, enfermera de profesión, deja de ejercer luego de casarse, por lo que manifiesta sentirse sola la mayor parte del tiempo. En los primeros seis meses de casados ya presentaban dificultades en la comunicación, lo que los llevó a recurrir a terapia de familia. De la información obtenida se infiere que ya antes del nacimiento de la menor en el 200_ la relación entre la pareja se había deteriorado. Para la Sra. A su esposo la maltrató emocionalmente ya que la criticaba constantemente y desvalorizaba al señalarle que no servía. Por su parte el Sr. X, verbalizó frustración y coraje ya que considera que su ex esposa nunca le quiso y le rechazaba. Indicó que durante el tiempo en que estuvieron casados ésta hacía uso de alcohol y medicamentos, dormía hasta tarde, presentaba falta de energía, aletargo, actitud hostil hacia él, indiferencia por las tareas del hogar y cuidado de la menor. Considera que ésta ha tratado de impedir y obstaculizar la relación con su hija, enajenándolo de la vida de ésta.

Al presente el conflicto surge por desacuerdos en el área

académica y escolar de la niña. El Sr. X expresa que desea que M, permanezcan en el Colegio xxx donde considera, recibe un programa de educación de excelencia. La Sra. A desea una escuela con un programa académico bilingüe, con menos presión académica para la niña de modo que pueda disfrutar de otras actividades extracurriculares. Su interés por el cambio de escuela responde a que entiende se ha creado un el ambiente negativo para la menor y para ella, debido a la actitud asumida por maestras y funcionarios escolares al parcializarse a favor del Sr. X. Verbaliza haber perdido confianza en el personal escolar (administración y maestras). Relató varios incidentes en las que considera se actuó prejuiciadamente hacia ella, lo que la ha hecho sentirse incómoda con el personal escolar.

VI. Análisis y Recomendaciones:

Es objeto de este estudio la evaluación de la conveniencia o no de cambio de colegio de la menor M de ocho años de edad producto de la unión de sus padres Sr. X y la Sra. A. Luego de diez años de convivencia matrimonial, caracterizada por ser una relación conflictiva desde sus inicios por falta de comunicación, alejamiento emocional, y discrepancia en las expectativas que tenían uno del otro, la pareja se divorcia. Posterior a la separación y divorcio los conflictos entre las partes se han exacerbados, mostrando un alto contenido emocional en las relaciones que les afecta para tomar decisiones en interés de su hija. Todo ello ha contribuido al conflicto de lealtades en que se encuentra la niña. El Sr. X muestra frustración, coraje y sentimientos de pérdidas que han afectado su capacidad emocional para lograr unas relaciones y comunicación adecuada con su ex esposa en interés de su hija. Por su parte la Sra. A, aunque ha logrado estabilidad emocional y manifiesta sentirse con mayor control de su vida, tras su separación, le observamos sobrevigilante y a la defensiva ante la conducta de su ex esposo e interés de asumir la custodia de su hija. Todo lo cual les ha llevado a cuestionarse cada uno su capacidad de padre asumiendo posiciones opuestas, criticándose y proyectando en la niña sus conflictos.

Del análisis realizado en este caso, encontramos que la Sra. A desde los dos años presenta historial de Artritis Reumatoide. "Esta es una enfermedad del tejido conectivo, de etiología desconocida, que afecta las esferas biológica, psicológica, y social de la persona (Caballer- Uribe et all, 2004). Su condición estuvo en remisión por años, sin embargo, en evaluación realizada en septiembre de 200_ por el reumatólogo, Dr. M, éste diagnóstico la reactivación de la enfermedad.

Al revisar la literatura sobre esta condición encontramos que los estudios llevados a cabo a nivel mundial han reportado que la depresión parece ser más frecuente en los pacientes con AR, que en la población en general. Esto podría explicar el comportamiento de la Sra. A de auto medicarse para manejar su condición de salud física, así como su estado emocional. Los conflictos interpersonales entre la pareja al parecer fueron el detonador para la reactivación de la condición de la artritis y subsecuente conducta de la Sra. A. Esto ha sido documentado en estudios sobre el estrés y los efectos en el sistema endocrinológico que señalan que cuando se confronta con estresores psicosociales que son considerados como amenazas puede resultar en respuestas asociadas al afecto y comportamiento. Esto puede explicar las alegaciones del Sr. X sobre la conducta errática y disfuncional manifestada por su ex esposa durante varios años de su convivencia, (dormir hasta tarde, falta de energía, aletargo, actitud hostil hacia él, uso de alcohol y medicamentos, indiferencia por las tareas del hogar y cuidado de la menor, etc.), todo ello como posible consecuencia de síntomas asociados a la depresión generados por su condición de artritis reumatoide (AR).

La Sra. A logra recuperar su estabilidad emocional luego de recibir tratamiento para su condición de dependencia de alcohol con el Dr. B, (se encuentra en remisión del uso de alcohol desde 200_), y posteriormente con el Dr. L, Psiquiatra de Familia quien les ofreció terapia marital a la pareja. Los conflictos existentes finalmente llevaron a la separación y posterior divorcio de la pareja. Sin embargo, los conflictos y falta de comunicación han continuado al grado de afectar la capacidad de ambos como padres para ponerse de acuerdo en los asuntos relacionados al bienestar de su hija. Situación que ha generado una continua pugna por las relaciones filiales que los ha llevado a litigar constantemente en los Tribunales y que ha provocado un conflicto de lealtades en la niña que amenaza su seguridad emocional.

Aun cuando de los datos se obtiene que la menor M presenta en estos momentos un funcionamiento social y académico adecuado, consideramos que ésta se encuentra en un conflicto de lealtades evidenciado en sus reacciones, verbalizaciones y conducta durante las relaciones paterno filiales. La información obtenida sobre las frecuentes quejas relacionadas a su salud, (dolor de barriga, garganta, espalda), sugieren una posible somatización como su forma de manejar el conflicto entre sus padres.

Los comentarios de las maestras en relación a las observaciones sobre la manera afectiva con que la niña se despide de su padre cuando la deja en la escuela, así como su aceptación hacia la compañera actual de éste, contrastan con la información que la niña brinda a su mamá y a los profesionales que trabajan con ella. Lo cual confirma el conflicto de lealtades existente. La literatura señala que la capacidad de los niños para manejar los conflictos de sus padres en los procesos de divorcio difiere según su edad, nivel de desarrollo cognitivo y la manera en que interpreta el conflicto de sus padres. En la etapa en que se encuentra M, los estudios señalan que estos toman responsabilidad por el conflicto de sus padres y pueden experimentar ansiedad y tratar de solucionar el problema. En esta etapa (4 a 8 años) los niños son egocéntricos y se perciben con poder por lo que pueden intentar asumir el cuidado del padre que considera está sufriendo o tratar de resolver el problema que consideran es el motivo del conflicto; creen que lo que hacen o piensan tiene efectos en su entorno o ambiente. Cuando descubren que no tiene el poder de cambiar o proteger a la figura con la que se identifica, son propensos a confusión y desorganización que puede expresarse en conductas agresivas o de sentido de indefensión (Doolittle and Deutsch, 1999, Children and High Conflict Divorce: Theory, Research, and Intervention).

M, a quien se le describe como fuerte de carácter, celosa de sus cosas, dulce y cariñosa cuando quiere serlo, evidencia somatización y conducta agresiva, rechazo más abierto al padre y apego a la figura materna como su forma de manejar el conflicto entre sus padres. El conflicto de lealtades en que se encuentra la niña representa para ésta una sobre carga emocional. El deseo de agradar a los padres y que esos les trasmitan aceptación, es esencial para el desarrollo emocional de los hijos. Sin embargo cuando existen conflictos entre los adultos y le es difícil al niño/a agradar a las dos partes porque tienen intereses contrapuestos, entonces surge el conflicto de lealtades, inducido por la incapacidad de los padres de asumir que el hijo/a les quiere a ambos. Esta sobrecarga emocional se manifiesta en la somatización de malestares físicos que la niña expresa como un mecanismo de defensa.

Estudios sobre los efectos estresantes y psicopatología infantil señalan la relación del funcionamiento familiar (problemas económicos, inestabilidad conyugal, hostilidad hacia los hijos y problemas emocionales conductuales) con conductas agresivas, depresión, ansiedad y problemas escolares. Sobre los efectos negativos que tiene el divorcio en los niños/as se pueden encontrar trastornos somáticos y afectivos, disminución del rendimiento escolar, ansiedad, conducta externalizantes, desgaste de fortaleza, miedo al abandono, sentimiento de auto culpa, entre otros (Buendia, 1998, Conger, 1994, Lemos, 1996, Avila,B, 2006).

Al considerar la controversia relacionada a la conveniencia de cambio o no de escuela, los datos evaluados nos llevan a recomendar el cambio como un elemento esencial para la estabilidad y bienestar de la menor. Basamos nuestra opinión en que al presente la escuela se ha convertido en un escenario más en el que la niña se mantiene en el eje de la controversia. A pesar de que en estos momentos las relaciones de los maestros con ambos padres se describen como buenas, el hecho de que se hubiese involucrado personal de la escuela en la controversia al parcializarse hacia una de las partes, mantiene a la menor en el conflicto de lealtades, lo que no le permite tener un ambiente que perciba como neutral. Esto se evidencia en las reacciones e interpretaciones que ésta hace de comentarios o situaciones que se dan en la escuela y que luego comunica a su madre. Por su parte la Sra. A, manifiesta no sentirse cómoda en la escuela ya que ha perdido la confianza por considerar que han tomado parte a favor de su ex esposo. Aunque señala ha tratado de colaborar y mantener la comunicación, siente que aún persisten situaciones que le afectan a ella y a su hija.

Otro factor que nos lleva a considera el cambio de colegio de la niña es la estabilidad en la condición de la salud de la Sra. A. La condición de artritis reumatoide (AR) que ésta padece puede exacerbarse ante la exposición a situaciones estresantes. Los estudios señalan que el estrés ha sido considerado como una variable importante en la etiología y activación de la condición de artritis reumatoide por su relación con el sistema endocrinológico e inmune (Walker, Littlejohn, Mc Murray and Cutolo, 1999, Stress system response and rheumatoid arthritis: a multilevel approach, Does Stress Trigger Rheumatoid Arthritis or Worsen Symptoms?, http://arthritis.about.com/

b2008/06/03/does-stress-trigger-rheumatoid), así como a trastorno de depresión (Caballero-Uribe, 2004).

La estabilidad de la Sra. A, tanto a nivel físico como emocional tiene un impacto directo en la estabilidad emocional de la menor, por lo que es necesario que se considere este factor como uno de importancia.

Relacionado a las opciones de Colegios sugeridas por las partes, se realizó una búsqueda por Internet y se consultó a profesionales relacionados con la menor con el objetivo de determinar la escuela que reúna los requerimientos educativos, de seguridad y de ajuste para la menor. Se consideraron los Colegios sugeridos por ambos padres, así como el Colegio ---- y Colegio ------. El Colegio --------, similar al Colegio xxxx en sus ofrecimientos académicos, no representaría cambio en la carga académica, sugerida para M, y por otro lado los grupos por salón son grandes (30 estudiantes o más), lo que afectaría la atención más individualizada de los estudiantes. Esto último también aplica para el Colegio -------, donde los grupos son de más de 30 estudiantes. La alternativa de la Academia ----------, reúne los requisitos educativos, de grupos pequeños y seguridad que se establecieron como elementos a considerar.

Es esencial para el bienestar de la niña que sus padres logren trabajar con sus resentimientos y coraje de manera que puedan ejecutar adecuadamente sus roles, enfatizando en las necesidades de su hija para evitar futuras consecuencias en su comportamiento social y emocional. Para ello sugerimos las siguientes recomendaciones:

1. Referir a los padres a intervención terapéutica que les ayude a trabajar sus conflictos y mejorar su comunicación en beneficio de su hija. Es necesario que estos aprendan a respetarse y a trasmitir aceptación por el otro progenitor, de manera que se cree un clima donde la niña se sienta libre de relacionarse con su padre/madre, sin captar desaprobación.

2. Referir al Taller Manejo de Emociones, orientación que ofrece el Tribunal.

3. Referir a la niña a tratamiento psicológico para que pueda manejar y superar el conflicto de lealtades en que se encuentra y la ansiedad que esto le genera. Esta intervención temprana puede ayudar a prevenir problemas conductuales que afecten su estabilidad física y emocional.

4. Se ordene a ambas partes abstenerse de dilucidar situaciones relacionadas a sus conflictos frente a la niña. Aunque se percibe que ambos caen en esta práctica por los comentarios, reacciones y conflicto de lealtades en que se encuentra la niña, es el Sr. X, por su temperamento impulsivo, quien la expone más en este momento al hacer comentarios que desvalorizan a la figura materna y exponerla a información de documentos relacionados con el divorcio.

5. Se ordene a las partes abstenerse de hacer comentarios sobre su situación personal en el colegio en que se matricule a la niña de manera que se facilite la comunicación y se ofrezca a ambos la oportunidad de participar y tener acceso a la información de su hija como padres divorciados, en beneficio del mejor bienestar de ésta.

CAPITULO 11

La Evaluación Social Forense en Casos de Familia

> "..., es importante tener presente que tanto en Puerto Rico como en la jurisdicción federal, la relación entre padres e hijos está protegida constitucionalmente. Rexach v. Ramírez, 16 D.P.R. 130, 146 (2004). En Puerto Rico, los derechos de los padres con relación a sus hijos, la patria potestad, la custodia y las relaciones materno/paterno filiales, se examinan bajo el marco del derecho constitucional a la intimidad y la dignidad de todo ser humano, ambos de origen explícito en nuestra constitución" Departamento de Familia V. Cacho González, 2013 TSPR, 69

Como señaláramos en nuestro libro "La Práctica Especializada en Trabajo Social Forense", (2009, p. 38), la intervención del trabajador social en los casos de familia se inicia con un referido del juez, para evaluar un asunto relacionado a una petición de custodia/custodia compartida, relaciones paterno/materno filiales, patria potestad, tutoría u otros asuntos como; solicitud para sacar a un menor fuera de la jurisdicción o una solicitud de relaciones abuelo filiales. También estas evaluaciones pueden ser realizadas por un trabajador social contratado por una de las partes como perito independiente, para impugnar el informe o evaluación hecha por el perito del tribunal; para realizar una nueva evaluación; o asesorar al juez/a abogado/a sobre aspectos técnicos relacionados al caso que tiene ante sí.

La determinación sobre la custodia de los menores luego de un divorcio es una tarea de gran complejidad que requiere un análisis cuidadoso y objetivo sobre la capacidad de ambos padres para proveer protección, amor y afecto, así como propiciar el desarrollo intelectual, espiritual y emocional de los menores. Los jueces y juezas, así como el personal que les asesora tienen en sus manos una gran responsabilidad por la seguridad y la salud mental y emocional de los niños y niñas que son parte en los procesos de divorcio de sus padres.

Las investigaciones sobre los efectos del divorcio en los niños/as demuestran que en promedio a éstos no les va tan bien como a los niños/as de familias intactas (Amato & Keith, 1991). Los hallazgos de estos estudios han correlacionados los siguientes factores: ausencia de uno de los padres, problemas económicos, desventaja socio económica y los cambios en los procesos de la familia que acompañan el divorcio. Otros estudios han evidenciado que durante el primer mes luego del divorcio, éstos presentan algún tipo de disturbio físico, emocional o de comportamiento, tales como: problemas de sueño, tristeza, coraje, preocupación sobre sí mismo y su familia, y comportamiento agresivo (Hetherington, 1989; Kelly, 1988; Wellerstein & Kelly, 1980, en Grych & Fincham, 1999). Sin embargo hallazgos de investigaciones longitudinales sobre la adaptación de los niños/as al divorcio, encontraron que estos problemas generalmente disminuían con el tiempo. Los hallazgos sugieren que, entre el primer y segundo año luego del divorcio, es el periodo de crisis para los/las niños/as y su familia, pero que muchos de estos pueden adaptarse si no enfrentan otros estresores

(Allison & Furstenberg, 1989; Hetherington, Cox & Cox, 1982; Kurdek, Blisk, & Siesky, 1981, Ibid, 1999).

Se sugiere que mantener la relación estrecha con ambos padres después del divorcio tiene el potencial para los/las niños/as de sobrepasar estas dificultades (Bauserman, 2002, en Oyola, 2010). Cuando los padres/madres pueden mantener una relación que facilita la relación de los/las hijos/as con ambos, se logra proveer cierto grado de estabilidad y seguridad en la vida de éstos. Por el contrario cuando persisten los conflictos y se obstaculiza la relación se genera mayor estrés que afectará el ajuste de los/las menores. Aunque el nivel de conflicto tiende a disminuir con el tiempo, se reconoce que los procesos post divorcio, relacionados a pensiones, relaciones filiales, custodia, así como asuntos o conflictos no resueltos, pueden aumentar la animosidad y exacerbar los conflictos entre las partes. El impacto de este conflicto en los niños dependerá de la forma en que se exprese el mismo. El conflicto que se expresa en hostilidad y agresividad, y relacionado a los niños es más perturbador para éstos (Cummings & Davies, 1994; Grych & Fincham, 1993). Se ha establecido como mayor generador de estrés el ponerlos en situaciones en que se sienta dividido en su lealtad y afecto hacia cada uno de sus padres (Buchanan, Maccoby, & Dornbusch, 1991, ibíd., 1999). Por otro lado mantener una relación continua con ambos padres propicia que los niños/as se ajusten mejor a su nueva realidad de vida.

Con el propósito de promover mayor participación de los padres/madres en la vida de sus hijos tras la separación o divorcio, y disminuir o prevenir los problemas sociales, emocionales o conductuales generados en éstos por los conflictos post divorcio, se aprobó la Ley Núm. 223 de 2011, conocida como Ley Protectora de los Derechos de los Menores en el Proceso de Adjudicación de Custodia. En ésta se establece como política pública el considerar la custodia compartida y la corresponsabilidad en los casos de divorcio o separación de pareja consensual donde haya hijos menores. Se define la custodia compartida como: "la obligación de ambos progenitores, padre y madre, de ejercer directa y totalmente todos los deberes y funciones que conlleva la crianza de los hijos, relacionándose con éstos el mayor tiempo posible y brindándoles la compañía y atención que se espera de un progenitor responsable". Se aclara que la custodia compartida bajo el concepto de corresponsabilidad no requiere que el menor tenga que pernoctar por igual espacio de tiempo en la residencia de ambos progenitores. En este caso se dará la custodia compartida si el otro progenitor se relaciona de forma amplia y en el mayor grado posible con el menor y desempeña, responsablemente, todas las funciones que como progenitor le competen y la patria potestad le impone. Por otro lado la ley establece en su párrafo introductorio, que cuando se identifiquen graves problemas de comunicación entre las partes que interfieran con los arreglos de custodia, deberán ser referidos a la Oficina de Servicios Sociales de la Rama Judicial para una evaluación. En el Articulo 8 se indica, "La recomendación sobre custodia del trabajador social, así como la determinación sobre custodia del Tribunal tendrá como propósito garantizar el mejor bienestar del menor. El análisis debe considerar la custodia compartida como primera opción, siempre que ello represente el mejor bienestar del menor. De ello no ser así, el trabajador social y el Tribunal, cuando corresponda, hará la determinación que entienda más beneficiosa para el menor". Queda claro en la ley la importancia del proceso evaluativo y el juicio profesional del trabajador social para determinar el mejor bienestar del menor.

Se ha reconocido que la custodia compartida promueve el bienestar de los menores, por lo que se debe propiciar esta alternativa cuando ambos padres estén en igualdad de condiciones de proveer para su bienestar y seguridad. No hacerlo sería perpetuar los prejuicios valorativos y divisiones entre los géneros, así como la visión litigiosa en los procesos de divorcio donde se utilizan a los hijos como armas en el conflicto.

Para llevar a cabo esta evaluación de manera eficiente, y que se cumpla con el objetivo final: lograr el mejor bienestar para los menores involucrados en la controversia, se requiere desarrollar destrezas y conocimientos amplios no sólo de la conducta humana, sino también de los procesos que se dan en el sistema legal, de manera que el trabajador social esté mejor capacitado para ejercer la función de perito o testigo experto en el tribunal.

En este proceso de evaluar el mejor bienestar del menor hemos de guiarnos por la jurisprudencia establecida en los casos Marrero Reyes V. García 105 D.P.R. 90, 105 (1976) y Nudelman V. Ferrer Bolivar, 107 D.P.R. 495 (1978), donde se citan los elementos a considerar: habilidad de los padres/madres para satisfacer las necesidades afectivas, morales y económicas del menor, salud psíquica de todas las partes, salud mental y física, cariño que puedan brindarle los padres, grado de ajuste al hogar, escuela y comunidad del/la menor, interrelación del/la menor con los padres, sus hermanos y otros miembros de la familia. En resumen, el mejor bienestar del menor implica su estabilidad emocional y física, resultado de sentirse seguro y protegido por sus progenitores o cuidadores principales.

Para lograr un acercamiento efectivo en la intervención con los casos de familia, es esencial que el trabajador social mantenga la sensibilidad y la empatía con todas las partes. Debemos ser conscientes que por lo general las personas que acuden al tribunal con alguna de las controversias antes señaladas están experimentando emociones y sentimientos fuertes; coraje, dolor por haber finalizado una relación, angustia, culpa, o los efectos de sentirse engañados o traicionados, ira o menos valía.

En muchas ocasiones cuando llegan a la entrevista con el/ la trabajador(a) social, una de las partes o ambas, puede mostrar desconfianza hacia el proceso por interpretar algún gesto o acción de parte del entrevistador que le hace pensar que éste(a) está parcializado hacia la otra parte. Como Directora de los Servicios Sociales de la Administración de los Tribunales para los años 1996 – 2005, fuimos testigo de varias situaciones en las que una de las partes sometió quejas a nuestra oficina por considerar falta de objetividad en el proceso evaluativo. En dos de éstas, la queja se debió a que se utilizó el título profesional de la persona al llamarla (Lcdo. Fulano de Tal; Dr. Fulano de Tal). Situación que dio origen a la directriz de llamar a las personas por su nombre, evitando cualquier interpretación de parcialidad por la posición o profesión del entrevistado.

Debemos reconocer la gama de emociones y sentimientos

presentes en las personas que están enfrentando alguna situación de divorcio, separación u otros asuntos relacionados con la custodia y relaciones filiales con sus hijos y de manera empática, tratar de entender lo que ésta puede estar sintiendo. Al acudir al Tribunal las partes buscan establecer unos acuerdos que en muchas ocasiones cuando existe animosidad entre éstos, más que favorecer a los menores, se pretende ganar o prevalecer sobre el otro, obteniendo lo que desea. Ver esta actitud como parte del proceso, nos ayudará a una mayor comprensión de la situación, manteniendo la objetividad, sin pretender juzgar o parcializarnos hacia una de las partes. Entender, implica poder ponerme en el lugar de cada uno, es el concepto de empatía que conocemos, pero que en muchas ocasiones olvidamos lo que significa. Cuando me pongo en el lugar del otro, no implica identificarme con el otro, sino sensibilizarme con la situación, sin dejar de ser yo mismo, y desde mi perspectiva preguntarme: "¿Si fuera yo la que estuviera en esta situación, como me gustaría que me trataran?" Es de esta manera que podemos crear durante la entrevista un clima o atmósfera que transfiera confianza en las partes. Si siente que ponemos interés en lo que está diciendo y que mostramos comprensión de sus sentimientos y actitudes, entonces podrá sentir confianza en el proceso y en la persona que le está entrevistando.

Reconocemos que en ocasiones el trabajador/a social interviene con personas que están emocional o mentalmente afectadas, por lo que aun utilizando todas las estrategias de intervención de manera efectiva, se hace muy difícil que éste(a) acepte las recomendaciones que no favorecen sus expectativas o deseos.

Como profesionales de la conducta humana, así como en la función de evaluador forense, el trabajador/a social deberá dominar las destrezas para establecer relaciones interpersonales, habilidad en la observación e interpretación de los hechos, destrezas en la comunicación verbal y no verbal y empatía y sensibilidad para escuchar, así como capacidad de pensar y razonar manteniendo una actitud científica. Esta capacidad científica le facilitará identificar el problema que tiene bajo su consideración y conceptualizar el mismo con la mayor objetividad posible; reconociendo que como seres humanos no podemos abstraernos completamente de cierto grado de subjetividad en la interpretación de los hechos.

Proponemos aplicar los nuevos enfoques dirigidos a impartir la justicia en forma terapéutica en la intervención de los casos de familia. Aceptando y reconociendo la importancia de que los niños y niñas tengan el derecho a relacionarse de manera amplia con ambos padres y a gozar del amor y atención de éstos luego de la separación o divorcio, (siempre y cuando no exista ninguna de las causas de inhabilidad que establece la Ley Núm. 223 en el artículo 9), se estará evitando la victimización de los/las niños/as en este proceso. La aplicación del modelo Jurídico Terapéutico en estos procesos de familia, al igual que se ha hecho en otras áreas del Derecho, ayudará a crear un ambiente que fomente la comunicación entre las partes, en lugar de perpetuar la disputa. Es sólo de esta manera que se podrá atender la situación de la familia enfocando en la solución y armonía de las partes en real beneficio y bienestar de los hijos(as).

Presentación de casos:

Los informes sometidos en los casos que se exponen a continuación responden a una petición del abogado de una de las partes del litigio de custodia para impugnar los informes previos sometidos en el caso y al trabajador/a social que los rindió. Una vez el Tribunal lo autoriza, el abogado contrata los servicios de un/a trabajador/a social en la práctica independiente para que le asesore en la preparación del caso. También puede darse que el perito sea contratado por ambas partes para asesorar al juez/a en la toma de decisión de algún aspecto de la controversia. En estos casos, una vez ha sido autorizado por el Tribunal, el perito podrá tener acceso a los informes y documentos que obran en el expediente judicial para prepararse y ofrecer su testimonio. La redacción y presentación del informe en estos casos es distinto al informe inicial o Evaluación Social Forense. Su objetivo como señalamos anteriormente es impugnar el informe, por lo que las observaciones y cuestionamientos van dirigidos a cada área del informe donde se evidencie deficiencias, datos imprecisos, subjetividad y parcialidad, falta de información, entre otras.

Los casos que exponemos a continuación tenían custodia compartida al momento de ser referidos a la Unidad de Trabajo Social para evaluación y recomendación final, por una de las partes haber solicitado la custodia monoparental. En dos de los casos las/los trabajadoras/es sociales recomendaron al juez conceder custodia a la madre y relaciones paterno filiares, obviando todos los datos y hechos objetivos que validaban la conveniencia de mantener la custodia compartida por el mejor bienestar del menor.

No conforme con la recomendación sometidas por los/las trabajadores/as sociales, los padres acudieron al Tribunal solicitando a través de sus abogados la impugnación del informe. Esto por considerar que el proceso de la evaluación no fue objetivo ya que se omitió información ofrecida por estos y se le dio toda credibilidad a una de las partes (madre), sin tomar en consideración el mejor bienestar de los niños. (Estos casos se dieron previo a la aprobación de la Ley Núm. 223).

A continuación presentamos algunos datos que evidencian la falta de objetividad en la evaluación en cada uno de estos casos, en los que se percibe parcialidad o sesgo hacia una de las partes. Se aceptan como hechos datos ofrecidos por una parte, sin corroborar, obviándose la información objetiva disponible. En nuestra opinión los/las trabajadores/as sociales que trabajaron estos casos no creían en la custodia compartida por lo que ignoraron los hechos objetivos que evidenciaban la conveniencia de continuar con este arreglo de custodia en beneficio de los menores. En el tercer caso se recomienda la custodia compartida, aun cuando la información obtenida en la evaluación sugería que en ese momento no era lo más conveniente para el mejor bienestar del menor, por el alto nivel de conflicto que aún presentaban los padres.

Aclaramos que algunos de los datos han sido omitidos o cambiados con el objetivo de conservar la confidencialidad de las familias evaluadas. Al exponer estos casos lo hacemos únicamente con un interés didáctico, con el objetivo de mostrar como aplicamos en cada uno de los casos el conocimiento especializado en conducta humana, las teorías y hallazgos de investigaciones científicas, así como leyes y jurisprudencia que puedan aplicarse. Todo ello dirigido a sustentar las recomendaciones con hallazgos validados de hechos objetivos y confiables, haciendo un análisis guiado por la metodología científica para mayor confiabilidad del proceso.

Caso 1

El Sr. X radica petición de custodia en el Tribunal de Primera Instancia. El caso es referido por el juez a Relaciones de Familia para que rinda informe sobre custodia y se ordena que se mantenga al menor bajo la custodia provisional del padre. Se señala que la madre cuidara al menor durante el día y se establecen relaciones maternas filiales fines de semanas alternos. Cada padre será responsable de los gastos del menor mientras lo tenga bajo su cuidado.

Del análisis del informe sometido por la TS y de las evaluaciones psicológicas realizadas se obtiene que hubo parcialidad hacia una de las partes (la madre). Se da completa credibilidad a la información ofrecida por ésta, obviando la información ofrecida por el padre y otros colaterales entrevistados. Se adjudica la paternidad de un niño por nacer al Sr. X a pesar de que éste lo niega y sostiene que la Sra. M mantenía una relación con otra persona luego de su rompimiento como pareja. Se aceptan como verdades las alegaciones de la Sra. M sin validar las mismas en aspectos como: uso de alcohol y sustancias por parte del padre, condición de hepatitis relacionada con problema de alcoholismo (aun cuando fue negada y tenía evidencia médica de su condición), que el menor siempre estuvo bajo la custodia de la madre mientras ésta estudiaba, que el Sr. X no quería aceptar la responsabilidad paterna de su segundo hijo, razón por la que la Sr. M, decidió terminar la relación.

En la evaluación psicológica se señala que el Sr. X no fue capaz de mencionar ningún aspecto positivo de su ex compañera, describiéndola como inestable, volátil, impulsiva, mentirosa, compulsiva y agresiva. Más adelante expone: "Aceptó sin embargo, que la madre cuidaba y atendía bien al niño, nunca obstaculizó las relaciones filiales y promovió que el niño se relacionara con él y la familia". Se observa que no se tomó en consideración que el día anterior a la evaluación la Sra. M había radicado una orden de protección en contra del Sr. X, por lo que éste estaba reaccionando con coraje por lo que consideraba había sido una acusación injusta. (Del expediente civil se pudo corroborar las numerosas denuncias que ambas partes se radicaron en el trascurso del año). Sin embargo, no se reconoció que el Sr. X pudo separar sus sentimientos de coraje hacia su ex pareja al reconocer sus cualidades como madre.

La psicóloga, también, da completa credibilidad a la adjudicación de la paternidad del niño por nacer, aceptando como cierta la versión de la Sra. M. Expone: "Al parecer ha asumido el cuidado y crianza de su hijo con la ayuda de sus familiares. Se entiende sin embargo, que sus sentimientos hacia la que fue su compañera por 8 años y madre de su hijo de dos años y del hijo que está por nacer, está afectando su capacidad de juicio e introspección y lo está llevando a concentrarse más en sus propias necesidades y deseos que en la necesidades afectivas y bienestar del menor". Por otro lado al referirse a la Sra. M, hace un juicio valorativo a favor de ésta al exponer: "Se entiende que la madre ha sido una joven que ha luchado por superarse profesionalmente y que ha podido atender las necesidades de su hijo a pesar de que no es tarea fácil atender a un niño sola mientras se estudia y trabaja, sin embargo, lo ha hecho en forma responsable y sin enajenar al padre de relacionarse con éste".

Tanto la trabajadora social como la psicóloga no dieron ninguna credibilidad a las alegaciones ofrecida por el Sr. X y su señora madre sobre la conducta errática y de poca responsabilidad alegadamente asumida por la Sra. M tanto antes como después del nacimiento del niño, lo que motivó la petición del Sr. X para obtener la custodia de su hijo.

Exponemos a continuación el análisis y recomendaciones que realizamos en este caso, recogidas en el informe sometido al tribunal.

VI. Análisis y Recomendaciones:

Se nos refiere este caso para evaluar si la Custodia Compartida del menor R de 4 años de edad, sirve a su mejor bienestar. El menor es producto de la relación entre el Sr. X y la Sra. M. Estos mantuvieron una relación consensual durante siete años, (2001 al 2007). La pareja nunca convivio bajo el mismo techo, a excepción de breves periodos de tiempo durante vacaciones o fines de semanas en visitas que realizaba el Sr. X a su novia mientras ésta estudiaba. Su hijo R nació en el 2007, tras seis años de relación. En el verano de 2008 finaliza la relación de pareja, no obstante continúan relacionándose por su hijo.

La relación entre las partes se deteriora tras la petición de custodia del menor por parte del Sr. X y luego de suscitarse un incidente en -----del 2009, donde alegadamente la Sra. M le amenazó de muerte si le quitaba a su hijo. Éste recurre al Tribunal para solicitar la custodia del niño a través de la Ley 140 (Ley Sobre Controversias y Estados Provisional de Derecho). Luego de escuchar los hechos del incidente la juez orienta a que se radique caso por la Ley 177 y la Ley 54. El Tribunal le concede la custodia provisional del niño. Luego de este incidente la comunicación entre las partes se afectó al grado de mantener una continua disputa por la custodia del niño, en la que se han presentado numerosas querellas y órdenes de protección uno contra el otro, involucrándose también las abuelas y familiares.

En petición de custodia radicada por el Sr. X en el Tribunal de Primera Instancia de ------ en ---- de 200- el caso fue referido a Relaciones de Familia para estudio de custodia y se ordena que se mantenga al menor bajo la custodia provisional del padre y que la madre le cuidara durante el día. Se fijan las relaciones materno filiales durante fines de semanas alternos y se indica que cada padre será responsable de los gastos del menor mientras lo tenga bajo su cuidado.

En el informe sometido por la trabajadora social B, con fecha de ... 201-, ésta recomienda custodia a madre y relaciones paternas filiales fines de semanas alternos. No conforme con estas recomendaciones el Sr. X somete petición para contratar perito e impugnar el informe social, por considerar que la trabajadora social no fue objetiva en el proceso de evaluación ya que dio completa credibilidad a las alegaciones de la Sra. M relacionados a: que el menor siempre estuvo bajo su custodia cuando residía en ----; el uso de sustancias y alcohol por parte del padre y la implicación de que la condición de pancreatitis que sufrió estaba relacionada con su problema de alcoholismo; la adjudicación de la paternidad del segundo hijo; la decisión de terminar con la relación, luego de su segundo embarazo, por considerar que X no aceptaba responsabilidades y no deseaba establecer una relación formal.

De la evaluación realizada obtuvimos que la Sra. M mintió al alegar que el niño que esperaba era de su ex pareja X. Ésta tuvo que reconocer que el niño era de su actual pareja por el enorme parecido de éste con su padre biológico. Quedó también en evidencia su credibilidad al alegar que no había mantenido ninguna otra relación en el 200_ a excepción del Sr. X. También surge de las versiones de madres del Centro donde su niño estudia información sobre el carácter voluble y falta de compromiso con los acuerdos asumidos como miembro del grupo de padres.

Este carácter voluble queda confirmado por la actitud asumida por la Sra. M, luego de iniciar y suscribir un acuerdo para compartir la custodia del menor con su padre, el Sr. X. Tras la decisión tomada por el juez de entregarle la custodia monoparental por desconocer que las partes habían llegado a acuerdos y suscrito un informe de custodia compartida, ésta alegando no querer tener problemas con el Tribunal se negó a facilitar la relación como se había acordado en los arreglos de custodia compartida, dando por final la decisión del juez en su beneficio.

Al tomar en consideración el funcionamiento socio emocional del menor R, hasta el momento presente en el que ambos padres han compartido su custodia, llegamos a la conclusión de que el acuerdo de custodia compartida obra en su beneficio. Así lo confirman funcionarios escolares como otros colaterales y su pediatra. R es descrito por su maestra y familiares como un niño feliz. Su maestra señaló que su ejecución en la escuela está a su nivel, y su comportamiento es de un niño normal, que no demuestra estar afectando emocionalmente por los arreglos de custodia. Citamos: "quien lo ve puede pensar que está en una familia funcional, que vive junto a papá y mamá." Ha observado que la respuesta de apego del niño es igual para ambos padres al despedirse de estos cuando lo llevan o recogen. Para la Sra. A, supervisora del Centro Head Start, con experiencia como perito en casos de custodia, considera que en este caso la custodia compartida ha funcionado ya que el niño responde a ambos padres sin evidenciar problemas en su funcionamiento. Entiende que un cambio de custodia en estos momentos sería catastrófico para el niño, ya que este responde a ambos padres y considera que estos trabajan excelentemente.

Entre los argumentos presentados por la trabajadora social para no recomendar la custodia compartida en este caso se presenta la decisión del Tribunal Supremo en el caso Nudelman vs. Ferrer Boliva, 107 DPR 495, 1978. En este caso se establecen los criterios para establecer la custodia basada en el Mejor Bienestar de los menores en casos de custodia. También se establece la preferencia a la madre a la hora de adjudicar la custodia, estableciéndose: "Examinados y considerados los factores en relación al bienestar de los (las) menores si las madres se encuentran esencialmente en la misma posición que los demás incluyendo al padre, en ausencia de otras circunstancias excepcionales que justifiquen lo contrario, el tribunal debe adjudicar la custodia a la madre". (Nudelman v. Ferrer Bolivar, 107 D.P.R. 495, 1978).

Considerando las circunstancias de este caso donde el padre ha estado presente en la vida del niño desde su nacimiento, que existen fuertes vínculos emocionales entre éstos y que las partes habían estado compartiendo la custodia por orden del Tribunal, nos cuestionamos el uso de esta Jurisprudencia, que no responde a la realidad del caso. Todo lo cual nos sugiere que la trabajadora social nunca consideró o evaluó el caso como uno de custodia compartida.

Los hallazgos de esta investigación nos sugieren que la custodia compartida en este caso obra en beneficio de los mejores intereses y bienestar del menor R, ya que durante el tiempo en que se ha mantenido bajo una relación continua con ambos padres su funcionamiento socio emocional ha sido descrito como uno normal, evidenciando apego por ambos padres.

De la investigación realizada surge que el menor R, ha logrado un ajuste satisfactorio en los arreglos de custodia compartida que se establecieron previamente en el tribunal. Funcionarios escolares, así como su pediatra y familiares, dan fe del amor y cariño del niño por ambos padres y el buen funcionamiento que éste presenta en todos los aspectos psicosociales. La Sra J, expresó que en este caso ha podido observar que la custodia compartida ha funcionado ya que el niño responde a ambos padres sin evidenciar problemas en su funcionamiento. Concluyó su observación señalando: "Que un cambio de custodia en estos momentos sería catastrófico para el niño, ya que este responde a ambos padres y considera que estos trabajan excelentemente".

Al presente no existen marcadas diferencias de comunicación entre los padres, lo cual fue confirmado a través de toda la investigación. Las partes se comunican en beneficio de su hijo, comparten actividades e inclusive planificaron y realizaron en conjunto el cumpleaños del menor. La propia trabajadora social Sra. B, así lo reconoció en su informe al señalar: "Examinamos el expediente civil y encontramos que tras el nacimiento del menor nunca las partes acudieron al Tribunal para el establecimiento de pensión alimentaria o cualquier otro asunto, lo que demuestra que las partes pudieron lograr acuerdos sobre los asuntos del menor y eran efectivos".

Las diferencias que experimentaron las partes en un momento dado surgieron tras un incidente y posterior petición de custodia por parte del Sr. X, no obstante esto ha sido superado por el interés de ambos padre de lograr el mejor bienestar de su hijo.

Estudios realizados sobre los resultados de la custodia compartida confirman que estos arreglos son beneficiosos para los hijos. Exponemos a continuación los resultados de investigaciones en esta área. Estudio longitudinal realizado en España sobre la custodia compartida que cubrió una muestra de casos entre 1981 al 2005, arrojó que los niños que mejor aceptaban este arreglo fueron los menores de seis años, ya que esto aportaba para el sentimiento de seguridad, por la presencia continua de su papá y mamá. El 81% de los menores de seis años aceptaban esta solución como algo normal. Se señala en el estudio: "Más adelante van aceptando cada vez más esta nueva situación, cuando comprueban que sus vidas siguen siendo más o menos felices, ya que ven con mucha regularidad a ambos progenitores y con buenas conductas de comunicación. Los menores entre seis y doce, tienen una evolución muy parecida". Una de las conclusiones del estudio señala que las familias han mejorado la forma de relacionarse y comunicarse cuando existe custodia compartida, lo que ha significado un ahorro económico y de costes emocionales, por lo que el bienestar de padres, madres e hijos ha sido muy alto. Se reconoce, sin embargo en este estudio que los arreglos de custodia compartida en semanas alternas produce mucho estrés en la vida de todos. (Sarrillo Morrillo, J., 2009).

Por otro lado, estudios coinciden en señalar que la custodia exclusiva a uno de los padres (salvo en situaciones donde existe riesgo para la seguridad del menor), es perjudicial para el menor ya que le afectará negativamente en su desarrollo emocional y socialización, al interrumpir la libre y espontánea relación con ambos progenitores (Sarrillo Morrillo, J., 2009).

Se establece como principal causa de defensa de la custodia compartida, que ambos padres pueden influir sobre el desarrollo y la evolución física y psicológica de sus hijos, y tener un contacto permanente con los mismos. Es por ello que tanto el Tribunal Europeo de Derechos Humanos como la ONU apelan a la custodia compartida como una vía de igualdad y protección de los derechos del niño (Wikipedia- Enciclopedia Libre, Carta de Derechos de los Niños de las Naciones Unidas).

En Puerto Rico se ha tratado de legislar para establecer la custodia compartida como un derecho de los niños al momento de la disolución del matrimonio o ruptura de la relación consensual de sus progenitores. El Senado de Puerto Rico aprobó una medida a estos fines (P.del S. 63), la cual fue referida a la Cámara de Representantes para los trámites correspondientes. El estatuto define custodia compartida como: "la obligación de ambos progenitores, padre y madre, de ejercer directa y totalmente todos los deberes y funciones que conllevan la crianza de los hijos, relacionándose con éstos en el mayor grado posible y brindándoles la compañía y atención que se espera de un progenitor responsable, de forma que se garantice en el mayor grado posible la mejor salud mental de los menores, La custodia compartida no conlleva por obligación el hecho de que un menor tenga que pernoctar por tiempo igual en la residencia de ambos progenitores. No obstante, en el caso de que un menor solo pernocte en el hogar de uno de los progenitores, se dará la custodia compartida si el otro progenitor se relaciona en forma amplia y en el mayor grado posible con el menor y desempeña responsablemente todas las funciones que como progenitor le competen y la patria potestad le imponen" (P.del S. 63, 2009).

Recomendaciones:

Al evaluar todos los aspectos en este caso y considerando el buen funcionamiento sicosocial y académico del menor durante el periodo en que estuvo bajo los arreglos de custodia compartida, recomendamos favorablemente que se otorgue nuevamente la custodia a ambos padres para el mejor bienestar del niño RXM. Bajo el concepto de corresponsabilidad dentro de los arreglos de custodia compartida que provee para unas relaciones amplias sin que necesariamente el niño pernocte tiempo igual en la residencia de ambos padres, estamos recomendando:

- Durante los fines de semanas alternos que le corresponda al padre compartir con el niño, le recogerá en la escuela desde el jueves y lo llevará a la escuela en la mañana del lunes siguiente.

- Durante las semanas alternas al fin de semana que le corresponde, el menor permanecerá de miércoles a viernes con el padre. Éste lo llevará el viernes en la mañana a la escuela para que pueda disfrutar con su mamá todo el fin de semana que le corresponde.

- Que de haber dificultad para el recogido del menor durante actividades socio recreativas o de la escuela durante el tiempo en que está bajo la custodia de la mamá o el papá, se de prioridad al padre/madre que no lo tenga, de asumir corresponsabilidad en todos los asuntos del niño, lo cual ayudará a dar mayor estabilidad y estructura a éste. Ello sin restar la importancia de la participación de los abuelos en aquellas actividades o eventos que se solicite su colaboración.

- Cuidado del menor a cargo de mamá/papá o abuelas. Para el cuidado del menor tendrán prioridad los padres y luego las abuelas.

- Aun cuando no se percibió problemas significativos en la comunicación entre las partes, se sugiere que para lograr que estos acuerdos de custodia compartida se den exitosamente, ambos padres asistan al Instituto de Terapia Familiar para recibir apoyo terapéutico en este proceso de responsabilidad compartida o a un Centro de Mediación que les ayude a manejar las diferencias que puedan surgir.

Caso II

VI. Análisis y Recomendaciones:

Se nos refiere este caso para evaluar si la Custodia Compartida del menor G, de seis años de edad, sirve a su mejor bienestar. El menor es producto del matrimonio del Sr. C y la Sra. S. Durante los primeros años de matrimonio la pareja compartía en actividades sociales y de trabajo, lo que los mantuvo unidos. La relación fue descrita por el Sr. C como una de poca intimidad sexual ya que su esposa rehuía la intimidad. Para el 200_ la relación se había deteriorado, no existía buena comunicación, surgían frecuentes discusiones y había alejamiento emocional. Por iniciativa del Sr. C, acuden a talleres de ayuda con una consejera psicológica. Durante este proceso se reconoce el interés del Sr. C para mejorar la convivencia matrimonial, no así en la Sra. Santiago quien deseaba salir de la relación. Surgen alegaciones de infidelidad por parte de la Sra. S, lo que finalmente es corroborado por el Sr. C.

Tras la confrontación la pareja se separa y luego de once años de convivencia se divorcian por la causal de Mutuo Acuerdo, acordándose la custodia compartida del menor. No obstante, la Sra. S alegó que nunca estuvo de acuerdo con la custodia compartida y considera que este arreglo de custodia le fue impuesta en el proceso de divorcio.

Transcurridos diez meses de haberse establecido los arreglos de custodia compartida, en octubre de 200_, la Sra. S presenta moción al Tribunal solicitando la custodia del menor, que se establecieran relaciones paternas filiales y se fijara pensión conforme a derecho. Basó su petición en las siguientes alegaciones: el menor se está afectando en su salud (se recoge datos sobre condición de salud del niño y se señala que el padre ha sido negligente al no proveerle los servicios médicos y tratamiento; fue matriculado en grupo de soccer y luego de acuerdo el padre se negó por el costo y porque interfería con sus clases de Yoga; falta de estructura en el hogar del padre; no existe comunicación efectiva entre las partes; padre paga tarde la mensualidad del Colegio.

En resolución dictada el 29 de----- de 20--, se concedió la custodia provisional a la madre, estableciendo las relaciones paterno filiales fines de semanas alternos y de jueves a viernes el fin de semana que no le corresponde.

Luego de evaluar todas las alegaciones presentadas por la Sra. S para oponerse a la custodia compartida encontramos que no existe base que fundamente la misma. No se corroboró ninguna de las alegaciones presentadas, entre éstas: Padre no ha fallado en sus obligaciones de pagar la mensualidad del colegio a tiempo, lleva y recoge al niño en el horario establecido y cuando han surgido problemas hace arreglos previos e informa; en el área de salud se descartan las alegaciones de negligencia, el pediatra confirma que el padre (igual que la madre) es responsable y acude al médico inmediatamente ante cualquier síntoma que presenta el niño relacionada a su asma u otras condiciones; de acuerdo a la Dra. B, el Sr. C tiene la capacidad de introspección, manejo de emociones y destrezas sociales que le habilitan para desempeñar su rol paterno en forma eficiente y asumir la custodia compartida de su hijo en el mejor bienestar de éste; la falta de consistencia y estructura en el hogar del padre no se sustenta ya que éste establece estructura en la rutina de estudios, juegos y alimentos del niño durante el tiempo en que permanece con él, lo cual fue confirmado por las maestras y su señora madre, y de acuerdo a la Dra. B, éste mostró preocupación por mantener una estructura para el niño durante el tiempo en que estuvo casado, ante las frecuentes ausencia de la madre, (durante los fines de semanas se le permite mayor flexibilidad en el horario de acostarse, levantarse, ver televisión y jugar); no existe diferencias sustanciales de comunicación entre las partes, estos se comunican a través de mensajes de texto y llamadas telefónicas, e inclusive se notifican y acuden a citas médicas y actividades del menor en beneficio de éste, lo que sugiere que las partes han logrado una relación o comunicación de negocio, lo que se espera en estos casos.

El menor T fue descrito como un niño muy amoroso, con destrezas de comunicación, sociable e inteligente y que muestra apego y amor hacia ambos padres. A través de sus dibujos y relatos evidencia que fantasea con que sus padres vuelvan a unirse.

Durante el periodo de enero de 200- a marzo de 200-, en que ambos padres compartieron la custodia y patria potestad del menor, la información que se recoge de maestras y Directora Escolar reflejan que no se habían observado cambios en el niño, no evidenciaba síntomas de ansiedad, lucía tranquilo y feliz, compartía vivencias de su estadía con papá y con mamá y no verbalizaba extrañar a ninguno de sus padres. El informe sometido por la trabajadora social, Sra. M, con fecha de ---- de 20--, así lo confirma. En éste se recoge la descripción que hacen sus maestras sobre el ajuste y comportamiento del niño para ese momento, describiéndolo como: niño feliz, equilibrado, sigue instrucciones, centrado, con iniciativa, excelente vocabulario; que fue promovido al primer grado por haber cumplido con las expectativas esperadas para su edad. Como dato que indica algún grado de problema de ajuste, se menciona el informe del psicólogo en el que se diagnostica, desorden de ajuste por el proceso de divorcio y separación de los padres; lo cual es normal que ocurra en estos procesos.

Todo esto contrasta con la descripción que se hace del funcionamiento actual del niño, tanto por su pobre rendimiento y ajuste académico, como de su estado emocional, al señalar una de sus maestras que "YA NO VE EL BRILLO EN SUS OJOS", y que no se percibe como el niño feliz de antes. Éste comenzó a presentar síntomas de ansiedad, somatiza quejándose de distintos dolores (cabeza, barriga, espalda), su rendimiento y funcionamiento escolar se ha afectado, hace lo mínimo, no está trabajando a su nivel, no se concentra, socializa en la clase y la maestra tiene que dar seguimiento para que realice sus trabajos. Estos cambios en su ejecución y funcionamiento psicosocial coinciden cuando se inician los reclamos de custodia uniparental por parte de su señora madre y se intensifican luego del cambio de custodia. El niño percibe esto como una continuación de la pelea de sus padres, lo cual ya había sido superado cuando en la entrevista con la trabajadora social, Sra. M le expresó: "que se sentía feliz porque ya sus padres no peleaban como antes; me gusta estar con los dos, ahora no pelean ni discuten; me gusta estar con los dos, ellos me aman y yo los amo a ellos".

De las entrevistas realizadas al menor T, confirmamos que éste ama a ambos progenitores, sin embargo en todos los ejercicios proyectivos sus respuestas fueron consistentes en su deseo de permanecer más tiempo con el padre, con el que se siente identificado. En la Prueba de Oraciones Incompletas las respuestas del niño sugieren preocupación por las peleas y lo que pasa con mamá y papá. Aunque ambos padres expresaron que no discuten frente al niño, éste está consciente de que se está peleando por su custodia en los Tribunales. A juicio del psicólogo que lo atiende, esto le produce ansiedad y somatiza presentando diferentes dolores y condiciones relacionadas al asma. La versión de los padres de que no discuten frente al niño fue corroborada por colaterales (médico, psicólogo, maestros) que los han observado en actividades o en entrevistas donde su relación es una cordial y de respeto. No se reporta que ninguno hable mal del otro, por el contrario ambos, reconocen sus buenas cualidades como padres por lo que no se percibe hayan tratado de enajenar al niño el uno del otro.

Sin embargo la percepción del niño sobre la relación de sus padres y la pelea por su custodia, es motivo de preocupación para éste. La literatura señala que la capacidad de los niños para manejar los conflictos de sus padres en los procesos de divorcio difiere según su edad, nivel de desarrollo cognitivo y la manera en que interpreta el conflicto de sus padres. En la etapa en que se encuentra T, los estudios señalan que estos toman responsabilidad por el conflicto de sus padres y pueden experimentar ansiedad y tratar de solucionar el problema. En esta etapa (4 a 8 años) los niños son egocéntricos y se perciben con poder por lo que pueden intentar asumir el cuidado del padre que considera está sufriendo o tratar de resolver el problema que consideran es el motivo del conflicto; creen que lo que hacen o piensan tiene efectos en su entorno o ambiente. Cuando descubren que no tiene el poder de cambiar o proteger a la figura con la que se identifica, son propensos a confusión y desorganización que puede expresarse en conductas agresivas o de sentido de indefensión (Doolittle and Deutsch, 1999, Children and High Conflict Divorce: Theory, Research, and Intervention).

Los hallazgos de esta investigación nos sugieren que la custodia compartida en este caso obra en beneficio de los mejores intereses y bienestar del menor T ya que durante el tiempo en que mantuvo una relación continua con ambos padres su funcionamiento fue satisfactorio, siendo mínima y normal los ajustes presentados por la separación de sus padres. Estudio longitudinal realizado en España sobre la custodia compartida que cubrió una muestra de casos entre 1981 al 2005, arrojó que los niños que mejor aceptaban este arreglo fueron los menores de seis años, ya que esto aportaba para el sentimiento de seguridad, por la presencia continua de su papá y mama. El 81% de los menores de seis años aceptaban esta solución como algo normal. Se señala en el estudio: "Más adelante van aceptando cada vez más esta nueva situación, cuando comprueban que sus vidas siguen siendo más o menos felices, ya que ven con mucha regularidad a ambos progenitores y con buenas conductas de comunicación. Los menores entre seis y doce, tienen una evolución muy parecida". Una de las conclusiones del estudio señala que las familias han mejorado la forma de relacionarse y comunicarse cuando existe custodia compartida, lo que ha significado un ahorro económico y de costes emocionales, por lo que el bienestar de padres, madres e hijos ha sido muy alto. Se reconoce, sin embargo en este estudio que los arreglos de custodia compartida en semanas alternas produce mucho estrés en la vida de todos (Sarrillo Morrillo, J., 2009).

A similares conclusiones llegó Robert Bauserman, Ayudante del Departamento de Salud e Higiene Mental de los Estados Unidos, quien luego del analizar treinta y tres (33) estudios donde se comparaba la adaptación de los niños en contextos de custodia compartida y de custodia exclusiva o monoparental. Se concluye en este estudio que los niños bajo custodia compartida están mejor adaptados que los niños de régimen de custodia exclusiva. Asimismo, los padres sujetos a regímenes de custodia compartida notifican menores niveles de conflictividad en sus relaciones (Oyola, M., 2006).

Por otro lado, estudios coinciden en señalar que la custodia exclusiva a uno de los padres (salvo en situaciones donde existe riesgo para la seguridad del menor), es perjudicial para el menor ya que le afectará negativamente en su desarrollo emocional y socialización, al interrumpir la libre y espontánea relación con ambos progenitores (Sarrillo Morrillo, J., 2009).

Se establece como principal causa de defensa de la custodia compartida, que ambos padres pueden influir sobre el desarrollo y la evolución física y psicológica de sus hijos, y tener un contacto permanente con los mismos. Es por ello que tanto el Tribunal Europeo de Derechos Humanos como la ONU apelan a la custodia compartida como una vía de igualdad y protección de los derechos del niño (Wikipedia, Enciclopedia Libre, Carta de Derechos de los Niños de las Naciones Unidas).

En el 2007 la Cámara de Representantes y el Senado de los Estados Unidos aprobaron resoluciones dirigidas a motivar a los Estados a aprobar legislación que promueva la custodia compartida. En la exposición de ambas resoluciones se señalan los beneficios de la custodia compartida, entre estos: resultados positivos en importantes medidas de ajuste y bienestar de los niños; menor morosidad en la pensión alimentaria.

Recomendaciones:

Al evaluar todos los aspectos en este caso y considerando el buen funcionamiento sicosocial y académico del menor durante el periodo en que estuvo bajo los arreglos de custodia compartida, recomendamos favorablemente que se otorgue nuevamente la custodia a ambos padres para el mejor bienestar del niño, T. Reconociendo que los arreglos de custodia compartida de semanas alternas pueden presentar dificultades y elemento estresante para los padres y el ajuste del menor, recomendamos otras alternativas de arreglo que han demostrado ser más efectivas. Bajo el concepto de corresponsabilidad dentro de los arreglos de custodia compartida que provee para unas relaciones amplias sin que necesariamente el niño pernocte tiempo igual en la residencia de ambos padres, estamos recomendando:

- Que durante las semanas alternas al fin de semana que le corresponde, se permita que el menor pueda permanecer de miércoles a viernes con el padre. Éste lo llevará el viernes en la mañana a la escuela para que pueda disfrutar con su mamá todo el fin de semana que le corresponde a ésta.

- Que durante los fines de semanas alternos que le corresponda compartir con el niño, el padre le recogerá en la escuela desde el jueves y lo llevará a la escuela en la mañana del lunes siguiente.

- Que de haber dificultad para el recogido del menor durante actividades socio recreativas o de la escuela durante el tiempo en que está bajo la custodia de la mamá, se dé prioridad al padre para asumir corresponsabilidad en todos los asuntos del niño, lo cual ayudará a dar mayor estabilidad y estructura a éste. Ello sin restar la importancia de la participación de los abuelos en aquellas actividades o eventos que se solicite su colaboración.

Aun cuando no se percibió problemas significativos en la comunicación entre las partes, se sugiere que para lograr que estos acuerdos de custodia compartida se den exitosamente, asistan a un Centro de Mediación que les ayude a manejar las diferencias que puedan surgir en beneficio de su hijo T.

Caso III.

El caso a continuación representa un ejemplo de una petición para establecer las relaciones de unos abuelos con su nieta. Estas relaciones abuelo/a filiales han sido reguladas mediante la Ley 182 de diciembre de 1997. En ésta se reconoce el derecho de los abuelos de acudir al tribunal para ser escuchados en relación a que se establezcan las relaciones con sus nietos menores no emancipados, cuando alguno de los padres haya muerto, en caso de divorcio, nulidad o separación, o cuando el padre, madre o tutor se oponga injustificadamente a que su hijo/a se relacione con sus abuelos/as. La Ley reconoce al Tribunal la facultad para regular estas relaciones cuando las circunstancias del caso lo requieren, tomando en consideración los mejores intereses del/la menor.

En este caso se hizo análisis de documentos legales, informe social e informes de evaluaciones psicológicas. Luego de una revisión minuciosa de la información redactada, concluimos que la manera en que se exponen los datos evidencia sesgo hacia una de las partes, a la que se da total credibilidad desde el inicio. Se identifica falta de objetividad al evaluar los datos, información expuesta tal como se recoge, sin profundizar en la investigación, ni analizar las incongruencias. Se toma de referencia informe previo sometido por un trabajador social que había sido relevado administrativamente del caso, luego de que la Sra. C presentara una queja de que éste había hecho expresiones prejuiciadas en su contra.

Informe sobre el Análisis de Documentos Legales, Informes Sociales Forense e informes de Evaluación Psicológica, en el caso Núm. ----------------

Antecedentes:

La Sra. C y el Sr. V, abuelos maternos acuden al Tribunal para solicitar se establecieran las relaciones con su nieta de 8 años. En resolución emitida por el Tribunal de Primera Instancia Sala Municipal de --- se otorgó la custodia de la menor a su padre, Sr. A y se establecieron las relaciones abuelo/a filiales fines de semanas alternos desde viernes a las 3:00 hasta domingo a las 6:00 pm. Posteriormente el Sr. A, a través de su representante legal acude al Tribunal de Primera Instancia Sala de Relaciones de Familia para solicitar la custodia de su hija y somete una petición para que los abuelos de interesar las relaciones abuelo/a filial las soliciten a través del Tribunal.

El caso es referido a la Unidad Social de Familia y Menores para realizar un estudio social de custodia. En informe sometido por el TS el --- éste recomienda custodia a padre y relaciones abuelos filiales y con familia materna extendida, en fines de semanas alternos y pernoctando desde sábado a las 3:00 hasta domingo a las 2:00. Señala el Trabajador Social en sus recomendaciones:

"Entendemos que es muy importante que la menor pueda relacionarse con la abuela materna y muy especialmente con su tía materna y sus hijos quienes han sido figuras claves muy importantes y con quienes ha desarrollado fuertes vínculos de amor, identidad y pertenencia".

El 16 --- de 200-, en vista señalada para dilucidar la solicitud de Custodia, se plantea una moción urgente por alegaciones presentadas por la Sra. C sobre abuso sexual contra la niña por parte del tío paterno. El Tribunal ordena la suspensión de las relaciones abuela filial y ordena al TS que deberá ampliar su informe social.

En vista sobre custodia celebrada el -----, el Tribunal reitera la decisión anterior y ordenó al Trabajador Social R que amplié su investigación con relación a las alegaciones de la abuela materna, sobre abuso sexual y actos lascivos de parte del tío paterno hacia la menor.

El caso es re asignado a la TS X por disposición administrativa de su supervisora, luego de que la Sra. C, sometiera a través de su representante legal Declaración Jurada donde exponía que el TS V había hecho expresiones prejuiciadas en su contra.

El --- de agosto de 20-- la TS X somete informe al Tribunal recomendando se limiten las relaciones abuela filial a sábados o domingos alternos, sin pernoctar, por espacio de una o dos horas y supervisadas por el padre. Sugiere que las visitas se efectúen en un lugar público y que el horario sea acordado por las partes.

I. Metodología:

• Revisión de Documentos: El análisis de este caso se llevó a cabo mediante la revisión de los siguientes documentos:

1. Examen del expediente judicial -----

2. Informe Social rendido por el Trabajador Social Sr. V del --

3. Informe Social rendido por la Trabajadora Social X sometido el ----

4. Evaluación Psicológica realizada a las partes y menor por la Dra. N, Psicóloga.

5. Informe de Intervención del Departamento de la Familia rendido el ---- por la TS G, del programa de Emergencias Sociales relacionado a la querella --------.

• Revisión de literatura:

1. ClarK, C. (1992). Better not Bitter. Cap. 2 . Camdenton, MO; COPS Inc.

2. Cope, J. (2004). El Arte del Buen Morir. El duelo y su expresión (Cap. 4) Texas: Mundo Hispano.

3. Departamento de la Familia, Protocolo Integrado para la Coordinación de Servicios en Situaciones de Maltrato a Menores según la Ley 177 para el Bienestar y la Protección Integral de la Niñez

4. El Duelo por la muerte de un hijo. [On line] Disponible www.aperturas.org/articulos.php?id=00002168¿a=el-duelo-por-la-muerte-de-un- hijo (2010/12/12)

5. Institutos Nacionales de la Salud (2010) Aflicción, duelo y manejo de la perdida http://www.cancer.gov/espanol/pdq/cuidados-medicos-apoyo/duelo/Patient/page9.

6. Ley 177 del 1ro de agosto de 2003, conocida como Ley para el Bienestar y la Protección Integral de la Niñez, Estado Libre Asociado de Puerto Rico.

7. López, A. (2009). La Práctica Especializada en Trabajo Social Forense. San Juan Puerto Rico: Bibliográficas.

8. McGleughlin, J., Meyer, S. & Baker, J. (1999). The Scientific Basis of Child Custody Decisions. In R. M. Galatzer- Levy & L. Kraus (Ed.) Assessing Sexual Abuse Allegations in Divorce, Custody, and Visitation Disputes. Chapter 17, p. 357-388. New York: John Wiley & Sons, Inc.

9. Monteleone, R. Abuso Sexual Infantil: La retractación de la victima y sus consecuencias procesales. [On line]. Disponible www.espaciosjuridicos.com.ar/datos/areas%20tematicos/pend/abusosexualinfantil.htm (2010/12/12).

10. Romey , C. Research Findings on the Reliability and Validity of the Clinical Model Used in the Validation of Sexual Abuse. Adiestramiento ofrecido a personal de la Sociedad para Asistencia Legal de Puerto Rico, Julio 9. 2010.

En el análisis de este caso se encontró que la TS X inicia su evaluación haciendo referencia a la información del informe de su compañero relacionado a las alegaciones de abuso sexual que le había informado la Sra. C. Previamente el caso había sido asignado al TS V para ampliar la investigación, pero fue relevado al surgir cuestionamiento sobre su objetividad por comentarios hechos a la Sra. C que le hicieron sentir que se daba por cierto que ella había mentido sobre las alegaciones de abuso sexual con el objetivo de quedarse con la custodia de su nieta.

La manera en que la TS X redacta el informe presenta dudas sobre su imparcialidad en el proceso evaluativo. En este se exponen las alegaciones de una de las partes y se abunda en la información sometida por las distintas agencias (PES, Delitos Sexuales y evaluación médica), sin entrar en un análisis reflexivo sobre los datos recopilados. Utiliza la información tal como se le presenta sin someter a cuestionamiento las incongruencias o falta de información. No se evalúa con objetividad como ocurrió el descubrimiento de las alegadas imputaciones de abuso, el proceso de evaluación de las agencias que intervinieron y subsecuentes acciones que pudieron descarrilar o contaminar la investigación. Se presenta a la Sra. C, abuela materna, como una persona que pone en riesgo la estabilidad emocional de la menor por lo que su recomendación va dirigida a limitar las relaciones abuela filial a unas estructuradas y supervisadas.

Observaciones sobre los datos que se exponen en los informes de los trabajadores sociales, Sr. V y Sra. X:

La información que se recoge sobre la comunicación y relaciones entre las partes evidencian que ha existido conflictos entre las familias desde que se inicia el noviazgo de los jóvenes. La manera como se expone la información da completa credibilidad a las alegaciones del Sr. A donde plantea que por la influencia negativa de la Sra. C y la oposición de ésta a la relación con su hija, afectó y dañó la relación.

- En el informe del Sr. V se señala: "Según el Sr. A conoció a la madre de B en el 200-. Él tenía 18, era estudiante del Programa de ----. La Sra. L. tenía 14 años, era estudiante de noveno grado y residía en el hogar de sus abuelos maternos. Establecieron una relación amorosa de 8 meses, descrita como buena, pero rechazada por los padres y los abuelos de ésta. Debido al rechazo de la familia ambos decidieron establecer una relación consensual. En el 200-, fueron a vivir en el hogar de los abuelos paternos. Según el Sr. A, la Sra. L. quedó embarazada para ---de 200-. El embarazo fue planificado. (¿?) A los dos meses de embarazo su madre vino a Puerto Rico y se la llevó a vivir a -------, EU. Se fue contra su voluntad".

Al analizar esta información con datos traídos por ambas partes, encontramos que al momento de iniciarse la relación y establecerse la unión consensual entre los jóvenes, L, (hija de la Sra. C), sólo tenía 14 años de edad y el Sr. A 18 años. La actuación de la Sra. C de oponerse a esta relación fue una esperada en un padre/madre responsable. El hecho de que regresó a Puerto Rico tan pronto se entera de la relación y se lleva a su hija con ella proveyendo para su cuidado durante el embarazo y posterior nacimiento de la menor B, son evidencia de que esta asumió su responsabilidad como madre protectora de su hija menor de edad.

Si bien es cierto, que al momento de ocurrir estos hechos, en Puerto Rico no existía ninguna ley que prohibiera estas relaciones ya que la joven había cumplido los 14 años, (edad mínima en ese momento para consentir), no debe verse como normal y aceptada esta unión, lo cual hubiese constituido un delito de violación bajo los estatutos actuales. Al analizar los hechos bajo esta perspectiva podemos entender por qué la Sra. C actuó de la manera que lo hizo y sus motivos para rechazar la acción de la familia que aceptó la convivencia de los jóvenes sin considerar que su hija era menor de edad.

Se recoge en detalles las alegaciones expuestas por el Sr. A, de varios incidentes relacionados al litigio por la custodia de la menor como: abuela materna le acusó de maltrato físico a la menor por parte de su ex esposa, lo cual fue sin fundamento. Posteriormente hubo litigio en el Tribunal por la custodia de la menor y se establecieron relaciones abuela filiales tres fines de semanas al mes. En ---- de 200- hizo nuevo referido a PES alegando abuso sexual por parte de tío paterno, lo cual fue descartado por el Programa de Emergencias Sociales (PES), como caso sin fundamento. Se expone: "El Sr. A padre de la menor indicó solicita la suspensión de las relaciones abuela filiales. El padre teme por la estabilidad emocional de la menor. Considera que la abuela materna intentó manipular a la menor para tener su custodia e indisponerla contra él y su familia. El padre teme que la abuela materna realice nuevas acusaciones en su contra o en contra de su familia".

De la evaluación de los relatos de las partes se observa que se da completa credibilidad al Sr. A, no así a la información traída por la Sra. C. Si bien es cierto que en casos donde se está litigando la custodia de un/a menor, se debe tomar con cautela las alegaciones de abuso sexual, también es cierto que no debe ser descartado tan fácilmente, como aparenta haber sido en este caso. Exponemos a continuación nuestras observaciones sobre los procedimientos que se llevaron a cabo en el caso que llevaron a descartarlo como infundado, sin llevar acabo otros procedimientos ulteriores recomendados.

- El relato de la Sra. C es cónsono con la información que brinda abuela paterna relacionada al tiempo (1 hora), que permaneció la Sra. C frente a su casa antes de entregar a la menor. Ésta alega estaba muy nerviosa y que no supo qué hacer cuando la niña mencionó al tío como la persona que le tocaba y que temía entregarla. Por otro lado la abuela paterna relata que cuando la niña entró estaba triste y cabizbaja y le dijo "mi tío me toca y luego expresó: "sí me toca, sí me toca en el cuarto."

Nos cuestionamos por qué esperar a este momento para inducir a la niña a mentir, habiendo tenido la oportunidad y el tiempo para hacerlo cuando la tuvo bajo su custodia durante todo el fin de semanas.

- Se obtiene de los distintos relatos que la Sra. C dejó a la niña en la casa de los abuelos paternos en horas de la tarde y tras ésta revelar la información a la abuela paterna la familia entra en crisis. El Sr. A admite que al enterarse salió para su casa del trabajo cegado por el coraje y decidió llamar a su hermana quien habló con la niña. La Sra. C presentó una querella a través de la policía y por limitaciones de personal en el Programa de Emergencias Sociales, no es hasta horas de la madrugada en que se presentan al hogar para entrevistar a la menor y a los familiares. Luego de las entrevistas y de llevarla a un examen médico se descarta como infundado el caso y no se refiere a procesos ulteriores de evaluación. Se observa que en todos los informes sometidos (médico, PES, Policía) se recoge como datos para descartar las alegaciones la negación de la niña, así como su estado anímico. La TS de PES indica: "Al momento de la investigación la menor se mostró conversadora, activa, alerta y comunicativa"; la Agente A señala: "Caso cerrado o infundado ya que de la entrevista a la menor ésta desmintió todas las alegaciones sobre abuso sexual o actos lascivos por parte del tío paterno. Caso no fue consultado con Fiscalía ya que no se validó las alegaciones. La menor se mostró tranquila, fue convincente, no se mostró temerosa, no titubeó o cambió la versión". En el informe médico se señala que la menor se encontraba saludable, aunque tenía infección en la vagina a causa de que al orinar no se limpia bien. Médico indica descarta abuso sexual, tenía himen intacto, no se observó rasgos de contacto sexual, laceraciones, cortaduras o sangrado, razón por la que no se realizó otro referido. Añadió que la menor se encontraba alerta, activa y no se observó retraída.

Los estudios realizados con menores víctimas de abuso sexual señalan que el abuso sexual infantil no siempre implica violación o acceso carnal o hecho violento, por lo que no siempre se cuenta con signos físicos que validen el abuso. Es por ello que el CAVV y en el Protocolo Integrado para la Coordinación de Servicios en Situaciones de Maltrato a Menores según la Ley 177 para el Bienestar y Protección Integral de la Niñez, recomiendan el uso del Colposcopio, instrumento fotográfico especializado que puede identificar traumas o laceraciones no observables a simple vista.

Observamos que en todas las evaluaciones se destaca el estado anímico de la menor como significativa. Según Kuehle (2002) puede haber menores que presenten síntomas de abuso sexual, como menores que sean asintomáticos (los cuales no presentan ningún síntoma). Los estudios sobre abuso a menores establecen que esto es un evento de vida no una enfermedad por lo que se descarta que exista una sintomatología que lo identifique. Cada persona reaccionará diferente según las estrategias de manejo que tenga o el acomodo que haga a su situación. Es por ello que entendemos, que el caso debió ser referido para una evaluación completa, que no dejara dudas sobre los hallazgos. Sin adjudicar si ocurrió o no ocurrió el evento, tenemos que cuestionarnos el proceso contaminando en que se llevó la evaluación. El tiempo que trascurrió entre el momento en que se reveló el evento y el momento en que se interviene (horas en la madrugada) así como la influencia o la presión que pudieron ejercer los familiares paternos sobre las consecuencias de esta revelación, pudieron llevar a la menor a retractarse, conducta común en estos casos, según la Teoría de Acomodación de Ronald Summit. Se señala que la presión ejercida sobre la victima por familiares, el mismo abusador, así como profesionales pueden llevar a la víctima a retractarse. Sin embargo esto no quiere decir que la víctima no mintió acerca del hecho, sino que generalmente es una consecuencia lógica de la intensa presión ejercida sobre ella. El retractarse les permite volver al seno de la familia y evadir el sistema legal.

- En entrevista del TS V con la menor el 00/00/20--, ésta señaló lo siguiente, "amo mucho a mi mamá a mi papá. La quería y la sigo queriendo. Mi mamá está en el cielo. Amo mucho a mi abuelita D y a mi abuelito D (bisabuelos maternos). Quiero mucho a mi tía G. Quiero mucho, a esa sí que quiero mucho, mucho, a mi prima X, y mucho, mucho a mis abuelitos C y V. A mi abuela N, la quiero mucho, mucho, mucho (abuela paterna)".

Se observa que la niña no incluyó a su tío paterno, quien reside en su misma casa, sin embargo no se exploró por qué.

Reconocemos que en estos casos donde se litiga custodia deben verse con cautela las alegaciones de abuso sexual. No obstante de acuerdo a Goldstein, (citado en López, A. 2009), se debe distinguir entre alegaciones válidas y verdaderas de aquellas mal intencionadas cuyo objetivo es ganar en corte. Luego de analizar esta tipología, entendemos que la Sra. C tuvo motivos fundados para creer en un posible abuso sexual por los comentarios hechos por la menor y por la condición de infección vaginal que ésta presentaba en ese momento. Su reacción no debe interpretarse como una mala intencionada para asumir la custodia de su nieta, ya que si así fuera la acusación hubiese sido al padre para descartarlo como recurso y no al tío.

Del informe rendido por el TS R el -- de ---, éste refiere que la Sra. C señaló estar de acuerdo en que la niña permaneciera con el padre ya que lo iba a necesitar. Reconoció que de no ser así perdería a sus amigos y compañeros de clases y se distanciaría de sus abuelos paternos. Se indica que la Sra. C estuvo de acuerdo con las relaciones filiales que se recomendaron. Información que difiere grandemente de las alegaciones de que la Sra. C deseaba tener para sí la custodia de su nieta. Es posterior al surgimiento del alegado abuso sexual, que ésta considera que la seguridad de la niña está en riesgo.

Condición emocional de la Sra. C:

De la evaluación psicológica realizada a la Sra. C se señala que ésta no refleja indicios de problemas de salud mental o psicopatología, posee introspección adecuada sobre los roles esperados en las relaciones abuela filiales. Aunque se señala que ésta presenta un proceso de perdida no resuelto que provoca ansiedad en lo que respecta a la menor que resultan en su deseo de tenerla a su cuidado para mantener los lazos afectivos extendidos con su hija. Sugiere la Psicóloga que la abuela materna se beneficie de las relaciones abuela filial, no obstante, se clarifiquen los roles esperados durante la relación filial.

Es importante poner en perspectiva el Proceso de Duelo en este caso. La madre de la menor B falleció en ---- de 200- , a consecuencia de un aneurisma cerebral. Hecho repentino, traumático y doloroso para la Sra. C y su familia, por lo cual se debe tomar en cuenta el proceso de aflicción y manejo de pérdida en que aún se encuentran. Según estudios en esta área la muerte de un hijo/a es descrito como un duelo especial por sus características especiales. Aunque se reconoce que la elaboración de un duelo depende de la historia personal y de la estructura previa de cada sujeto, se ha encontrado que estos duelos suelen ser más prolongados.

En el caso de la menor B de 8 años, el Proceso de Pérdida es diferente. Los niños a diferencia de los adultos, no experimentan un duelo intenso y continuo de reacciones emocionales y conductuales ante la aflicción. Estos pueden mostrar su aflicción de manera ocasional y breve, pero en realidad el proceso dura mucho más tiempo que en los adultos. Estos no reaccionan a la pérdida de la misma forma que los adultos y pueden no mostrar sus sentimientos tan abiertamente. Algunos niños, en lugar de volverse retraídos y tener pensamientos obsesivos acerca de la persona fallecida, se vuelven activos, por ejemplo, pueden estar muy tristes un minuto y estar jugando al minuto siguiente (Institutos Nacionales de la Salud (2010) Aflicción, duelo y manejo de la pérdida http://www.cancer.gov/espanol/pdq/cuidados-medicos-apoyo/duelo/Patient/page9).

Observación de Visitas Supervisadas:

Señala la TS en su informe que se realizaron cuatro visitas supervisadas, en las que la menor asistió con su padre. Se indica que la menor reconoció a la abuela materna, la besó y abrazó para saludarla y despedirse. Los temas de conversación fueron sobre la escuela, cuadro de honor, uniformes, salón, actividades familiares. Se señala que la abuela materna en sus expresiones hizo uso de juegos dolorosos como el mensajero, interrogatorio, conflicto de lealtades, al utilizar el recuerdo de la madre fallecida, reclamar sobre no mentir y devaluar cuidado de la figura paterna. Recoge la TS entre sus comentarios sobre la interacción que se dio entre la abuela y la menor lo siguiente: "tienes que lavarte las manos, tienes las uñas sucias, estás flacucha, etc. En el fin de semanas fui al cementerio, tienes que decirle a tu papá que te lleve. Recuerdas los dibujos de mami, les voy a sacar copias para que los tengas, se parecen a los tuyos. Se indica que hubo risas ocasionales. Concluye la TS: "Observamos que ante las expresiones de la abuela materna la menor se proyectó triste o molesta, se alejaba, bajaba la mirada, no mantenía contacto visual con la abuela materna, caminaba por todo el salón buscando distintos juegos para realizar, no mantenía una conversación y no la incluía en sus juegos".

La manera en que la trabajadora social redacta las anotaciones sobre sus observaciones nos plantea ciertas interrogantes:

- ¿Por qué se expone la información en forma general? ¿Se dio la misma dinámica en todas las cuatro visitas?

- ¿Por qué se recoge en forma detallada los comentarios que se adjudican como inapropiados y no se recogen del mismo modo las observaciones donde la interacción y dinámica resultó en risas y se habló de temas que favorecieron el flujo de la comunicación? Esta forma de recopilar la información nos levanta un cuestionamiento sobre la objetividad de la Trabajadora Social en este caso. Tal parecería que al puntualizar en las observaciones negativas, obviando toda interacción positiva tienen como único propósito sustentar sus recomendaciones finales de limitar las relaciones abuela filiales.

Otros aspectos que nos sugieren falta de un análisis basado en evidencia y subjetividad en el proceso evaluativo son los siguientes aspectos: Se plantea como inadecuado de parte de abuela el que hable a la niña de su madre. ¿En qué sentido esto puede afectar a la niña? ¿No es natural el que pretenda preservar su recuerdo? ¿Se ha analizado cómo esto puede ser de ayuda en el proceso sanador de la niña? La literatura sobre la Tanatología nos señala que la conducta de duelo que presenta la Sra. C es una reacción normal ante una situación anormal como lo es la muerte súbita de su hija. Al ser una muerte inesperada, en la que no tuvo tiempo para despedirse, el evento resulta más doloroso. Los expertos en este campo recomiendan que se permita expresar los sentimientos y compartirlos con otros sobrevivientes. Se señala que aunque es un proceso, no se puede poner un límite de tiempo que sea normal para todos, ya que el duelo es personal. Se establece que sus sentimientos y relación con la persona muerta son únicos, por lo que solamente la persona que lo sufre puede saber cómo es su dolor (Cope, J. (2004); Clark, C. (1999).

Se ha establecido que en los niños el proceso de duelo es diferente y dura por mucho más tiempo. Por lo tanto, es importante considerar que a pesar de que la menor no presente conductas y emociones de aflicción, se debe tomar en cuenta que está pasando por el proceso de la pérdida de su madre y que durante su crecimiento y entendimiento se van a presentar momentos de aflicción y dolor en su vida, por lo que requiere ayuda psicológica para superar sus pérdidas. A la luz de la información especializada en este tema, ¿pudiera también interpretarse la conducta de la niña ante los comentarios de la abuela, como indicio de que no ha superado el proceso de dolor y pérdida?

- Recomendaciones vertidas por la TS X con fecha del 00/00/00
  "Considerando hallazgos de evaluación social y el interés de la menor sugerimos que la relación abuela filial se efectúen sábados o domingos alternos, sin pernoctar, por espacio de una o dos horas y supervisadas por el padre. Sugiere que las visitas se efectúen en un lugar público y que el horario sea acordado por las partes". Además se recomendó ordenar a la abuela materna gestionar ayuda profesional para lidiar con manejo de emociones; de interesar ampliar las relaciones deberá mostrar haber recibido ayuda profesional; no ofrecer ningún tipo de información relacionada a alegaciones sobre abuso sexual y que se aperciba de que de incumplir con lo ordenado se podrán suspender visitas filiales.

Aunque en las evaluaciones realizadas en este caso se establece la importancia de mantener las relaciones filiales de la menor con su familia materna y se reconoce los lazos afectivos existentes con la abuela materna, estas recomendaciones no son cónsonas con preservar esta relación. Por el contrario, las recomendaciones van dirigidas a restringir y limitar la relación abuela filial, dando por sentado que la Sra. C es una amenaza para el bienestar de la menor, como lo sugiere el padre en sus alegaciones. Por otro lado es incongruente esta recomendación con el reconocimiento del conflicto existente entre las partes. Sugerir que las relaciones sean supervisadas por el Sr. A, quien se opone a las mismas, es un error de juicio. Esto expone a las partes a fricciones que finalmente llevarán a la suspensión de las relaciones, afectando el derecho de la menor a mantener los lazos con la familia de su mamá.

II. Conclusión y Recomendaciones:

Luego de evaluar el proceso que se llevó a cabo para ampliar la investigación en este caso llegamos a la conclusión que no se realizó una evaluación objetiva y científica. Desde el inició parece haberse aceptado la hipótesis de que la Sra. C mintió deliberadamente para obtener la custodia de su nieta, sin poner a prueba los datos o analizarlos con profundidad y críticamente. Se asume la información presentada por las agencias sin cuestionar los procedimientos que pudieron afectar los resultados de la investigación. Se ignoran aspectos fundamentales como hechos objetivos que ponen en cuestionamiento la veracidad de alegaciones de parte del Sr. A, lo que evidencia una parcialización y sesgo hacia una parte. No se fundamenta el análisis en marcos teórico o literatura relacionada a los procesos por los que están pasando las involucradas en el caso. Por otro lado se penaliza a la figura de la abuela materna por su proceso de duelo, su interés en mantener la memoria de su hija y su preocupación ante un hecho real y observable (infección vaginal de su nieta), que le llevan a actuar de manera protectora hacia la menor, denunciando un posible abuso sexual. Por todo ello se cuestiona la capacidad de la abuela para mantener unas relaciones saludables con la menor y se asume que pone en riesgo su salud emocional. Se limitan las relaciones abuela filiales sin tomar en consideración las múltiples pérdidas que ha tenido esta niña tras la muerte de su madre, la separación de la familia extendida materna, con la que se crió y los constantes cambios en su entorno por la inestabilidad en las relaciones afectivas del padre. Añade esta recomendación una pérdida más que debe enfrentar esta niña.

Por todo lo antes expuestos concluimos que los hallazgos de esta evaluación no sostienen la posición de la trabajadora social de que la Sra. C pone en riesgo la estabilidad emocional de la menor. A base de lo anterior recomendamos:

- Que se re establezcan las relaciones abuela filial como se recomendaron en el informe rendido por el TS R el 00/00/200-.

- Que se ordene por el Tribunal que este caso se refiera al Departamento de la Familia para que se complete el proceso de evaluación en el área de abuso sexual.

- Aunque la niña no exterioriza ni presenta problemas en el área de salud mental, entendemos que las situaciones que ha experimentado le ponen en riesgo de internalizar sus problemas que generen en depresión y ansiedad en un futuro. Es por ello que recomendamos sea referida a tratamiento psicológico.

Caso IV.

En el caso presentado a continuación se hizo un análisis del informe sometido por la trabajadora social del tribunal en la que ésta recomienda custodia compartida (bajo el concepto de tiempo igual). En este caso la evidencia recogida no sustentaba la recomendación de custodia compartida para el mejor bienestar del menor. Al momento de la evaluación el niño presentaba problemas en el área del sueño reflejadas en pesadillas y somatización de dolores de cabeza y estómago. Se identificó mayor apego del menor a la figura materna. Aclaramos que el análisis se hizo con fines didácticos, no para ser sometido al tribunal.

Observaciones sobre las evaluaciones realizada por la trabajadora social V., en el caso---------------.

Nombre de las partes:

Solicitante: Sr. R

Requerida: Sra. J

Menor: RJ (7 años)

Recomendación: Custodia Compartida

Observaciones sobre la metodología en la recolección de datos:

- Entrevista a las partes y a menor, observación de dinámica familiar, visita a los hogares de las partes (9 entrevistas padres y menor, 4 visitas al hogar y observación de dinámica familiar).

- Colaterales: Se entrevistaron 40 colaterales (amigos de las partes, familiares, y profesionales (maestros, médicos y psicólogos)

- De los 40 colaterales, 34 correspondían a amigos y familiares de las partes. El mayor número de colaterales entrevistados (25) eran del Sr. R. La información en su mayoría es una prejuiciada y triangulada hacia una de las partes, por lo que debió tomarse con cautela. Se expone "adverbatin" lo que cada persona indica, sin que TS pondere la información o analice las contradicciones.

Comentarios sobre los instrumentos de evaluación utilizados:

- Se indica el uso del Genograma, técnica del dibujo, foto análisis y observación de dinámica; sin embargo el informe no refleja información o resultados en la aplicación de estos instrumentos.

- Los datos obtenidos sobre la historia familiar de cada una de las partes no profundiza en la dinámica e interrelación que se dio entre los miembros de la familia. La información que recoge la TS en el informe se limita a presentar en su mayoría datos no relevantes, relacionados a la vida de adulto de los hermanos y sus uniones maritales. El Genograma se utiliza para recoger la historia familiar, la relación entre los miembros, las conductas y pautas que se repiten, las fronteras, entre otras. El informe no se recoge como fue la relación de los padres de las partes, tiempo de casados, relación entre los miembros de la familia inmediata, disciplina y patrones de crianza.

- Sobre la historia de la pareja se observa falta de información, datos no analizados e incongruencias. No se establece tiempo de duración del noviazgo, años de casados, e interrelación de las partes previo al inicio de los conflictos maritales. Por las fechas y años que se señalan en los datos recogidos por la TS inferimos, que la Sra. J se embaraza en el 2000 luego de 16 años de casada, a los 41 años, tras ponerse en tratamiento.

• Se recoge información de las partes y colaterales como lo expresan, sin que se analice los datos y las contradicciones que presentan.

• La información sobre la conducta de la Sra. J, es expuesta por el Sr. R y otros colaterales son indicadores de un posible estado de depresión; lo cual queda corroborado por la información que obtiene la TS de los servicios psicológicos que recibió la Sra. J. Sin embargo no se analiza esta información y solo se limita a exponer en el informe en forma detallada los servicios en el área de salud mental recibidos por la requerida, lo que violenta la confidencialidad.

• Las alegaciones que hace el Sr. R sobre el problema de alcohol de su ex esposa, no se profundiza. No se explora historial o patrón de bebida. Se recoge que hubo cuatro intoxicaciones al grado de la inconsciencia. Sin embargo no se explora si hubo hospitalizaciones o servicios médicos que sustenten esta alegación. Tampoco se explora como este supuesto problema de alcohol, afecta el funcionamiento de la Sra. J en su trabajo. Tampoco se profundiza en las alegaciones de uso de drogas y alcohol que hace a su vez la Sra. J sobre su ex esposo. TS solo se limita a solicitar pruebas de drogas de ambas partes.

• Información traída por colaterales (vecina y ginecóloga), sugieren que hubo un patrón de maltrato emocional de parte del Sr. R hacia su ex esposa. No se profundiza en esta información, ni se da importancia a estos comentarios de maltrato y conducta agresiva de parte del Sr. R. Tampoco se co-relaciona con el estado emocional que presentó la Sra. J. La ginecóloga, Dra. M, señalo que el Sr. R reprochaba en público y de forma despectiva a su esposa. También le describió como agresivo y autoritario como jefe. Sin embargo esta información no se explora ni se pondera en el análisis del caso.

• Se presenta información de vecinos que no conocen a la Sra. J. Éstos traen información sobre el rol del padre durante el tiempo que éste tuvo la custodia del niño tras la separación y divorcio. No obstante el no hacer claro esto y exponer que no han visto a la Sra. Maldonado en este rol, puede verse como un dato prejuiciado a favor del Sr. R.

• En la observación de la dinámica familiar sólo se presenta información que ofrece el niño y sus padres y no se incluye interpretación de la dinámica que se observó entre el niño y cada uno de sus padres. Esta técnica dentro del modelo de la Evaluación Social Forense nos permite identificar, observar y documentar la adecuacidad del ambiente social comunitario, de las facilidades residenciales, el acceso a los servicios esenciales tales como escuela y servicios de salud; y más importante aún, observar los procesos familiares en el ambiente natural en que se desenvuelve el sistema familiar (Cordova & Burgos, 1994, López Beltrán, 2008). Para que esta técnica de observación cumpla con el rigor del método científico, la observación de la dinámica familiar debe ser estructurada y programada para llevarse a cabo en similares condiciones en ambos hogares (igual tiempo de duración de la observación del niño con cada uno de sus progenitores, actividades similares como revisión de álbum familiar, entrevista individual con menor y uso de técnica de juego, dibujo libre y otras técnicas proyectivas). La responsabilidad profesional del que realiza la evaluación es interpretar y darle significado a las interrelaciones que observa entre los miembros durante el proceso de la observación de la dinámica familiar.

- En el historial de Salud Mental se recoge información del expediente médico del Instituto Psicoterapéutico Inspira en forma detallada, lo que violenta el principio de confidencialidad. Esta información debe presentarse en forma resumida (fecha de inicio de servicios, diagnóstico y pronóstico) y datos pertinentes sobre el estado de salud mental y emocional. Finaliza la TS el área de salud mental con un comentario del Sr. R, sobre los conflictos de pareja y alegaciones de que la Sra. J lo maltrataba, humillaba y agredía físicamente. Esta información tal como se trae puede dar la impresión de parcialidad de parte de la TS ya que no se le dio igual importancia a los datos traídos por otros colaterales sobre la conducta maltratante del Sr. R hacia su ex esposa.

Observaciones:

- En este caso se recomendó custodia compartida. ¿Cómo llega a esta recomendación de custodia compartida? Luego de haber analizado el informe social rendido en este caso concluimos que análisis que hizo la TS no se sustenta con los datos recogidos. Nos preguntamos, ¿basó sus recomendaciones en las brindadas por el psicólogo y psiquiatra?

- La hostilidad y resentimiento aún existente entre las partes, evidencian que estos no han logrado superar sus conflictos. Sin embargo se recomienda la custodia compartida cuando el niño no tiene la capacidad emocional para manejar los conflictos de los padres.

Como señaláramos al inicio de este capítulo, la intervención de los/las trabajadores/as sociales en los casos de familia ha de estar guiado por el principio del "Mejor Bienestar del Menor", o sea que se logre la estabilidad emocional y física del/los menores en un ambiente que propicie su pleno desarrollo, luego del divorcio o separación de sus padres. Lograrlo requerirá de un proceso evaluativo científico, siguiendo los postulados éticos, libre de prejuicios y haciendo el mejor uso del conocimiento especializado en conducta humana y de instrumentos evaluativos confiables y actualizados. Los ejemplos que hemos expuesto en los capítulos 10 y 11 tienen como propósito concienciar a los/las trabajadores/as sociales sobre este proceso reflexivo y analítico haciendo uso de las teorías y conocimientos actualizados en la conducta humana para mayor confiabilidad de los hallazgos y recomendaciones a brindar. Reconocemos que otros colegas al leer estos casos podrían ampliar o analizar otros aspectos no considerados, lo que puede servir para enriquecer el trabajo presentado. Esto es así, ya que en el proceso evaluativo también hay que considerar el juicio profesional, la experiencia y el área de peritaje del profesional.

CAPÍTULO 12

Opinión de los Jueces y Juezas de las Salas de Familia y Menores sobre la Función de los Trabajadores y Trabajadoras Sociales como Testigos Expertos en los Tribunales

> "Realizará ponderaciones profesionales que respondan a un análisis profesional basado en teorías, modelos, perspectivas y marcos de referencia de la profesión" (Canon II, Código de Ética Profesional, Colegio de Profesionales del Trabajo Social de Puerto Rico, 2010)

Como hemos señalado anteriormente este libro tiene como propósito fortalecer los conocimientos y destrezas de los profesionales del trabajo social que tienen como función asesorar en los aspectos sobre la conducta humana, a los/las jueces/as y funcionarios del área legal para que estos puedan descargar su función de hacer justicia basado en un conocimiento científico, actualizado, y de la mayor objetividad posible. Al considerar la responsabilidad que impone esta función de asesorar para una toma de decisión informada basada en conocimientos actualizados, entendimos necesario, ausculta la opinión y recomendaciones de los y las jueces/as sobre la función pericial de los trabajadores/as sociales en su rol de peritos o testigos expertos del tribunal. Con este objetivo se sometió a la Hon. Sonia I. Vélez Colon, Directora Administrativa de los Tribunales, una petición para distribuir entre los jueces y las juezas de las Salas de Familia y Menores, un cuestionario de opinión de cinco preguntas, que se desglosan a continuación:

1. Mencione algunas cualidades que debe tener para usted un testigo experto.

2. ¿Qué recomendaciones daría un trabajador social para que su testimonio pericial sea aceptado y validado en el tribunal?

3. ¿Qué reacciones en el perito pueden invalidar su testimonio?

4. ¿Qué es para usted un mal testigo?

5. Desearía compartir alguna experiencia o situación en la que la respuesta del perito (trabajador/a social) fue significativa para la resolución del caso.

El cuestionario fue contestado por trece (13) jueces/as, (once activos/as y dos retiradas). El mismo fue llenado en forma anónima, sin identificar nombre o región, para garantizar la confidencialidad y mayor certeza en las respuestas. Sólo se solicitó como dato significativo los años de experiencia como juez o jueza. Dos de los jueces no reportaron este dato, los restantes once fluctuaron entre 2 a 26 años de experiencia; 27% (3), entre 16 a 26 años, 36% (4), entre 6 a 13 años y el restante 36% (4), entre 2 a 3.5 años. Es significativo que el 63 por ciento de los auscultados, tenían entre 6 a 26 años de experiencia como jueces y juezas dentro del Sistema de los Tribunales. A continuación exponemos la opinión y recomendaciones sugeridas por éstos, con el propósito de que sirvan de orientación y guía a los/las trabajadores/as sociales para lograr una mejor proyección y exposición del caso cuando son citados a declarar como peritos o testigos expertos en los tribunales.

1. Mencione algunas cualidades que debe tener para usted un testigo experto

a. Expresar adecuadamente su conocimiento. El informe es un complemento no es el testigo.
b. Paciencia en la silla de los testigos. La molestia se nota cuando no le gusta la pregunta o lo lento del proceso.
c. Disponibilidad a escuchar las preguntas. Siempre escuchar antes de contestar, ya que a veces contestan lo que no le preguntan y se abre la puerta para impugnación. El juez no necesita un perito que se crea abogado.
d. Conocimiento académico del tema y mantenerse al día en su campo.
e. Buena investigación de campo y entrevista de testigos que sostengan o validen su recomendación.
f. Conocimiento legal básico sobre el asunto sobre el que está declarando.
g. Consistencia y claridad en su testimonio. Contestaciones claras, breves y sencillas, en lo posible.
h. Mantener el control de su testimonio.
i. No contestar en la afirmativa o negativa si no sabe la respuesta, debe ser honesto/a.
j. Proyectar humildad aunque sea el #1 de su clase. Las Divas o Divos no ayuda a su credibilidad.
k. Conocimiento y dominio de la materia que testificará.
l. Ecuánime, imparcial, conocedor del derecho.
m. Dominio de la materia, conocimiento de los detalles particulares del caso, además debe exponer en detalles

sus recomendaciones y opinión del asunto ante su consideración.

n. Preparación académica o estudios formales en la materia a tratar. Experiencia en dicha materia.

o. Que se mantenga al día con la investigación. Que tenga la acreditación para el área especializada para la cual declara. Que mantenga la objetividad.

p. Debe tener buenas destrezas de comunicación oral: concreción, lenguaje claro y sencillo, seguridad al contestar.

q. Bien preparado académicamente; conoce el asunto en controversia y su informe así lo refleja; trae su expediente; proyecta evaluación neutral y conforme el protocolo de su disciplina; explica con claridad los fundamentos de su recomendación.

r. Seguridad, conocimientos, fluidez en el testimonio/coherencia.

s. Debe ser una persona que pueda resumir sus hallazgos de forma clara y sencilla. Además, debe ser responsivo, asertivo en las contestaciones a las preguntas que se le formulan.

t. Conocedor del tema; hablar con claridad y organizado. Explicar las cosas complicadas, de manera más sencilla.

2. ¿Qué recomendaciones daría un trabajador social para que su testimonio pericial sea aceptado y validado en el tribunal?

a. Fundamentar adecuadamente su conclusión explicando la aplicación de la teoría que utiliza. En ocasiones la teoría está explicada como un libro de texto pero le falta que se aplique a los hechos concretos del caso.

b. Mantenerse al día en las teorías vigentes y las que se han descartado. Mantenerse al día en los estudios de educación continua.

c. Preciso y claro en su testimonio. Sin apariencia de parcialidad hacia ninguna de las partes y ser consistente.

d. Que conteste y fundamente las preguntas que se le hacen, no entrar en discusión con los abogados, pero defendiendo su posición con vehemencia.

e. Que haya realizado una investigación minuciosa y pueda fundamentar su testimonio con dicha información. Se presentan a diario críticas por lo poco que se entrevista a las partes y los menores.

f. La información brindada en los informes debe ser suficiente para emitir decisiones tan importantes como un cambio de custodia. No debe basarse ese informe en inferencias. El informe debe ser compatible en su totalidad con sus recomendaciones.

g. Debe haber leído y estudiado sus notas, su informe y toda la evidencia que se le presentó para no estar leyendo el informe mientras le preguntan.

h. Su testimonio debe ir dirigido a que el juzgador pueda resolver la controversia que tiene ante su atención. Su testimonio debe ayudar al juez.

i. Debe conocer los criterios de derecho a ser utilizados en el caso que tiene ante su atención. Si fuera custodia, su investigación debe ir dirigida a verificar si los padres cumplen o no con esos criterios. Que su norte sea el que garantice el bienestar de los menores.

j. Estudiar el informe que haya presentado, no contestar preguntas que no se le han formulado.

k. Conocer profundamente definiciones de su campo de especialidad y sus protocolos de intervención.

l. Explique su metodología y valide sus recomendaciones. Si resulta necesario, explique el ámbito de su investigación conforme los límites de su disciplina. No se ponga a la defensiva.

m. Conocimiento del caso. Dominio del protocolo y términos legales.

n. Que su testimonio sea completo en todas las áreas, que de su informe e investigación surja los conflictos que los traen al Tribunal y las necesidades de ambas partes, como la del menor sean adecuadamente atendidas de forma nivelada.

o. Organización, vocabulario sencillo, sin términos técnicos. Explicar con abundancia y detalles, pero en lenguaje sencillo. No asumir que el Tribunal conoce los hechos o el material investigado.

3. ¿Qué reacciones en el perito pueden invalidar su testimonio?

a. Actitud negativa en la silla de los testigos

b. Falta de conocimiento general de su profesión. Es decir si le hacen una pregunta fuera de informe aunque sea de materia que debe conocer no sabe contestar. Sólo testifica el informe como un papagayo.

c. Nunca mira al juez cuando testifica, sólo mira al abogado que lo contrató, aunque le esté preguntando el abogado de la otra parte.

d. Tartamudear al contestar una pregunta; discutir con el abogado que interroga, hacer comentarios o gestos si hay otro perito testificando.

e. Falta de conocimiento del caso, desconocimiento del derecho, mala investigación y por ende un informe no completo.

f. El desconocimiento del tema a tratar. Inferencia sin prueba. Falta de credibilidad.

g. Que se identifique con las partes a quien representa (se parcialice). Que no reconozca las áreas válidas de la parte opuesta.

h. Desconocimiento de la materia, incapacidad de reconocer que ha fallado en validar información que se le ha provisto como parte de su investigación.

i. Vaguedad y nerviosismo en sus respuestas.

j. No contesta adecuadamente, no es responsivo; confía en "porque lo digo yo"; le incomoda el interrogatorio y sobre todo el contrainterrogatorio; menosprecia el trámite judicial; luce parcializado; no conoce el asunto en controversia.

k. Se contradice/ Falta de credibilidad, inseguridad.

l. Se debe asegurar todo perito que su investigación cubrió todas las áreas biopsicosociales. Las reacciones sobre aspectos que desconozca que debió conocer e investigar podrían invalidar su testimonio así como, la falta de parcialidad.

m. No presenta un testimonio conforme a la expectativa, está prejuiciado

4. ¿Qué es para usted un mal testigo?

a) Un mal testigo es una persona que no demuestra vocación por lo que hace, que no sabe expresarse con seguridad no solo de su investigación sino de su conocimiento de su profesión.

b) Se vea desorganizado, no demuestre dominio de lo que testifica y cambie su recomendación con facilidad intentando agradar a quien hace la pregunta.

c) Desconocimiento del caso, del derecho, de su rol de trabajador/a social, que sea impreciso y ambiguo.

d) Mostrarse molesto con las preguntas, no poder fundamentar adecuadamente sus respuestas. De haber informe, no estar familiarizado con el contenido del informe.

e) Que no vaya preparado y estudiado para el día de su testimonio.

f) Un testigo que no escucha las preguntas, un testigo que no responde lo que se le pregunta, que no proyecta seguridad.

g) Quien no contesta lo que se le pregunta, que da rodeo en sus respuestas.

h) Aquel que no está preparado para testificar.

i) El que no ha investigado a cabalidad ni se a estudiado el caso antes de declarar, en el aspecto académico y el de campo.

j) El que no fija posiciones y no puede ser de ayuda al Tribunal para dilucidar la controversia.

k) El que da contestaciones complejas y sin fundamento.

l) No es responsivo y evade contestar; es repetitivo, como si tuviera un libreto; discute con su interrogador.

m) No se prepara, muestra inseguridad. Todo aquel testigo que denota desconocimiento sobre lo que testifica, parcialidad, que en vez de contestar se torna argumentativo.

n) No conoce el caso, no se expresa bien. Alega no recordarse, No profundiza en su testimonio. No representa credibilidad.

5. Desearía compartir alguna experiencia o situación en la que la respuesta del perito (trabajador/a social) fue significativa para la resolución del caso.

a. En el Derecho de Familia, los peritos son fundamentales en todos los casos, sea para bien (testigo preparado y domina su tema) o para mal (testigo sin preparar). Aunque los jueces podemos descartar el testimonio pericial, es necesario que fundamentemos porqué lo vamos a descartar.

b. Testigo estuvo dos días indicando que informe social para determinar relaciones filiales sometidas era defectuoso porque no siguió el proceso para evaluación de abuso sexual, orden que no se hizo al Trabajador Social del Tribunal.

c. Un trabajador social incluyó en su informe un término técnico relativo a la conducta humana, el abogado le preguntó, y éste no pudo contestar por desconocer la definición.

d. En un caso de Ley 246 se le preguntó la definición de maltrato de menores y contestó que no podía decir porque estaba nerviosa.

Comentarios:

1. Los trabajadores sociales deben ser más proactivos en sus investigaciones y no limitarse a recopilar información sin buscar luego la forma de confirmar las mismas.

2. Los trabajadores sociales deben ser adiestrados en práctica forense.

Conclusiones:

Las opiniones y recomendaciones de los jueces y juezas sobre la labor de los trabajadores sociales en su función de peritos expertos en los tribunales en su mayoría coincidieron en aspectos tales como: dominio de la materia de especialidad, imparcialidad, fundamentar conclusiones y recomendaciones con hechos y teorías que apliquen al caso evaluado, precisión y claridad al declarar, facilidad de expresión oral y proyectar seguridad al testificar, conocer aspectos del derecho relacionados al caso ante su consideración, preparación previa a su testimonio de manera que demuestre dominio de los hechos del caso, contestar lo que se le pregunta y no entrar en discusión con los abogados. Estas sugerencias deben servir de guías no solo para los/las trabajadores/as sociales, sino también para otros profesionales de la conducta humana que fungen como peritos en los tribunales.

Como hemos señalado, el rol principal del trabajador/a social como testigo pericial es asesor a jueces, juezas y otros funcionarios del campo legal, para que puedan descargar su función de hacer justicia basado en un conocimiento informado. Esta función requiere de trabajadores sociales comprometidos con el estudio para mantenerse actualizado en su área de especialidad y poder desempeñarse con las destrezas y conocimientos necesarios. Sólo de esta manera podrá ser reconocido como peritos en los tribunales. Una actuación pobre tanto en el proceso evaluativo como en su función de testigo le pondrá en riesgo de ser impugnado e invalidado todo el trabajo realizado. Todo ello en detrimento, no solo de la calidad del asesoramiento que debe ofrecer al juez/a para una toma de decisión basada en conocimiento, sino también para el bienestar de los y las menores objetos de la controversia.

Recordemos que el Código de Ética nos obliga a mantener la competencia profesional para proveer unos servicios de calidad a los participantes que reciben nuestros servicios. En el Canon I, Artículo 2, inciso a y c, establece: (a) "Tendrá la responsabilidad de mantenerse al día con las prácticas profesionales del escenario o modalidad de intervención en la que se preste servicio o se especialice. Esto incluye cualificaciones profesionales, cumplir con las horas de Educación Continua, según lo dispone la ley vigente, así como documentarse en áreas relacionadas que puedan ser de utilidad a la población a la cual le presta servicios". (c) "Basará su intervención en conocimientos empíricos y mejores prácticas relevantes al Trabajo Social y fundamentados en sus principios éticos".

Podemos concluir que las observaciones y recomendaciones que hacen los jueces y las juezas sobre la función de los/las trabajador/as social como asesores del Tribunal, responden a lo que el Código de Ética nos exige como parte de nuestro deber y responsabilidad de mantener una práctica profesional que cumpla con la población a la que sirve.

CONCLUSIÓN:

Algunos libros nos hacen soñar, otros nos muestran la realidad. Pero ninguno puede huir de lo más importante para un autor; la honestidad con la que escribe. Paulo Coelho en Once Minutos

Los temas discutidos en este libro, así como la secuencia de su presentación, tienen como propósito concienciar a los profesionales en trabajo social sobre la importancia del rol que desempeñan cuando ejercen como peritos en los Tribunales. La responsabilidad que conlleva el asesoramiento a jueces(as) para que puedan tomar una decisión basada en conocimiento plantea un gran reto para estos profesionales. Se requiere de trabajadores sociales comprometidos con la búsqueda continua de conocimientos actualizados en conducta humana, que sepan integrar estos conocimientos y las teorías que apliquen, en el análisis y ponderación del caso para explicar la conducta o funcionamiento de la persona/s o familia evaluada. Todo ello de manera clara, sencilla, fácilmente entendible por los profesionales del campo legal para que estos a su vez puedan descargar su responsabilidad de hacer justicia.

Para que este rol de perito forense en trabajo social pueda llevarse a cabo con eficiencia, garantizando la mayor objetividad posible en el proceso evaluativo, el/la trabajador(a) social tanto en su práctica independiente como desde las agencias públicas deberá:

- mantener una actitud científica
- mantener una actitud reflexiva sobre sus propios

valores, ideas de contenido cultural y social para evitar imponerlas a otros o que sus prejuicios permeen en su proceso evaluativo

- guiarse por los principios y valores éticos de la profesión

La práctica basada en evidencia nos provee las herramientas para un acercamiento científico y objetivo, de manera que el profesional haciendo uso de la mejor evidencia científica disponible y su juicio profesional pueda hacer la mejor decisión en el caso que tiene ante sí. Además de conocimientos especializados en conducta humana, este profesional debe conocer las leyes y jurisprudencia que aplican; así como estar relacionado con el funcionamiento del escenario legal, sus procedimientos, normas, y el rol que ejerce cada uno de los profesionales en este ámbito legal. En su rol de perito experto se espera que éste pueda realizar una evaluación minuciosa donde el análisis y recomendaciones sea el producto de una ponderación objetiva, libre de prejuicios, basada en hechos y haciendo uso de la mejor evidencia disponible. Esta función de interpretación de los datos basados en hechos y evidencia es de suma importancia ya que de ello dependerá las recomendaciones a ser brindadas al juez(a) para la toma de decisión en el caso y que resulten en el mejor bienestar para el/la menor(es) o familias bajo la consideración. Este proceso de ponderación requiere de destrezas elevadas de pensamiento, tales como: analizar, organizar, clasificar la información, identificar las controversias o incongruencias e integrar la/las teorías que expliquen el comportamiento observado, dando así sentido, a la información obtenida. Todo ello dirigido a formular las conclusiones y recomendaciones para la toma de decisión en el caso. En el proceso de testificar el/la trabajador (a) social deberá proyectar este conocimiento al exponer los datos, integrando las teorías y el conocimiento especializado para explicar el comportamiento de las personas evaluadas. Esta exposición deberá ser hecha en forma clara, precisa y sencilla.

El uso de las teorías para explicar el comportamiento de la persona que se está evaluando es una tarea que requiere del profesional una actitud reflexiva y de continua búsqueda de conocimientos. Requiere asumir una actitud científica, estar alerta a nuestros prejuicios, creencias e ideas de contenido social y cultural para no afectar los resultados del proceso evaluativo. Como nos señala Ander- Egg (2001, p.23), asumir una actitud científica requiere una capacidad de admiración, asombro, interpelación ante la realidad, curiosidad... "Se trata de preguntarse y realizar el esfuerzo de resolver con el máximo rigor las cuestiones planteadas como problemas".

Al explicar el comportamiento del individuo o familia bajo la consideración debe hacerse a la luz de los conceptos teóricos y de la literatura que mejor apliquen a la situación evaluada. Es importante saber integrar este conocimiento teórico al explicar el comportamiento observado de manera que pueda ser fácilmente entendido por otros profesionales del área legal.

La tabla a continuación recoge las funciones y las destrezas que deben tener los/las trabajadores/as sociales en su rol de peritos en los tribunales.

Funciones	Proceso Sistemático, Basado en el Modelo Eco sistémico	**Destrezas:**	**Objetivos**
Evaluación: Actividad fundamental para entender la conducta del participante.	Se interpretan los datos, dando significado a los hechos o eventos, relaciones, sentimientos, comportamiento, influencias del ambiente; se buscan la relación de los eventos significativos, las fechas, y situaciones que puedan explicar el comportamiento observado. Diseño de metodología: • ¿Qué voy a hacer? • ¿Cómo lo voy a hacer? • ¿Dónde lo voy a hacer? • ¿Con qué lo voy a hacer?	Las destrezas del profesional descansan en su juicio profesional, guiado por la teoría y la aplicación de la misma. Destrezas en: • Relaciones Interpersonales, • Empatía, • Capacidad para interrogar, • Sensibilidad para escuchar, • Habilidad para observar e interpretar los hechos, • Destrezas en comunicación verbal y no verbal, • Capacidad para razonar, inferir y llegar a conclusiones basado en un razonamiento objetivo y científico.	Asesorar al juez, abogado de partes o fiscal (dependiendo de la situación) para que pueda tomar una decisión informada basada en conocimientos.
Redacción de Informe	Proceso reflexivo y analítico dirigido a seleccionar y redactar la información relevante que pueda explicar la conducta de la persona o familia evaluada de forma precisa y clara, integrando el conocimiento especializado en conducta humana. Proceso dirigido a formular las conclusiones y recomendaciones para la toma de decisión en el caso.	Destrezas para: • Razonar, organizar, clasificar/ordenar, comparar. • Seleccionar los datos relevantes • Identificar las incongruencias o contradicciones • Relacionar y asociar diferentes ideas y darle sentido a la información. • Identificar las teorías que aplican e integrarlas en el análisis. • Redactar de modo preciso y claro.	
Testigo Pericial Aquél que ha desarrollado mediante conocimientos, experiencias, adiestramiento, o educación, la habilidad para interpretar o explicar información compleja.	**En su función de asesor, una vez cualificado:** • Puede ser llamado para explicar conceptos que son básicos en la profesión y cualquier área de experiencia práctica • Puede pedírsele que llegue a conclusiones, ofrezca su opinión, basado en ejemplos hipotéticos o interprete los datos y hechos existentes en evidencia.	Proyectar conocimiento y seguridad al exponer los datos, integrando las teorías y el conocimiento especializado para explicar el comportamiento de las personas evaluadas. Esta exposición deberá ser hecha en forma clara, precisa y sencilla. Destrezas: • Facilidad de expresión oral, fluidez, coherencia, consistencia y claridad en su testimonio. • Capacidad para expresar adecuadamente sus conocimientos y resumir sus hallazgos de forma clara y sencilla. • Responsivo, asertivo en las contestaciones a las preguntas que se le formulan. • Ecuanimidad en la silla de los testigos. • Capacidad para escuchar las preguntas. • Demostrar conocimiento legal básico sobre el asunto sobre el que está declarando.	Asesorar al juez, abogado de partes o fiscal (dependiendo de la situación) para que pueda tomar una decisión informada basada en conocimientos.

En este libro hemos presentado varios ejemplos de casos donde se ilustra cómo realizamos el proceso analítico integrando la teoría para explicar en forma concisa y clara la conducta de las personas evaluadas. Ha sido nuestro interés fomentar en los colegas, trabajadores sociales, el respeto y orgullo por la profesión, manteniendo un trabajo social de calidad, haciendo uso de los conocimientos especializados en conducta humana y guiados por los postulados éticos. La responsabilidad que nos impone la profesión hacia las personas que reciben nuestros servicios, requiere una continua actualización de nuestros conocimientos, así como una actitud reflexiva sobre nosotros mismos, para no alterar con nuestros prejuicios y valores los resultados del proceso evaluativo.

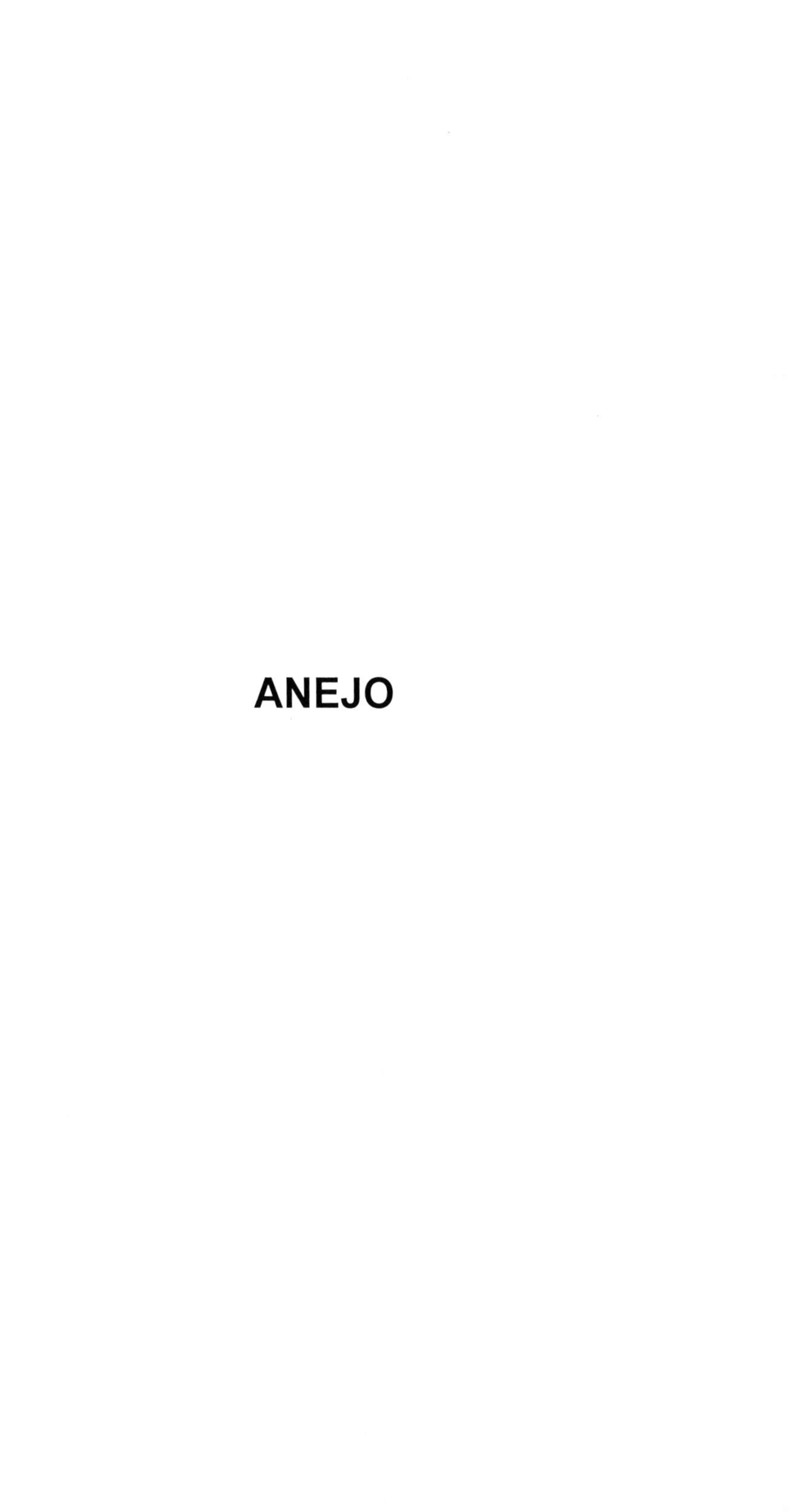

ANEJO

ANEJO

Bosquejo para Estudio Social Forense / Impugnación de Informe Social:

I. Datos de Identificación:

(Nombre de las partes y edad)

Demandante (Solicitante):
Dirección:

Demandado (Requerido/a):
Dirección:

Menor(es):
Edad:
Fecha de Nacimiento:

(En los casos de menores transgresores se incluirá nombre del menor, fecha de nacimiento, edad, nombre de los padres, dirección; si no vive con padres, nombre de la persona que tiene su custodia y dirección.

Fecha de Informe:
Sometido por:
Licencia:

II. Motivo de referido: (Indicar quién refiere, con qué objetivo)

III. Antecedentes Legales (Asuntos previos resueltos en el Tribunal como: divorcio, pensiones, querellas, mocio-

nes. En los casos de menores transgresores se incluirán querellas previas.)

IV. Metodología utilizada en el proceso de evaluación: (Indicar actividad y fecha)

Entrevistas con las partes:

Entrevistas con menor(es):

Entrevistas a Colaterales:

Instrumentos de Evaluación Utilizados:

Revisión de Documentos:

Revisión de literatura:

IV. Historial Bio-Sicosocial: Se seguirá esta guía en los casos de evaluación social forense e incluirá historial familiar, académico y ocupacional, vivienda, salud física y salud mental de las partes y menores.

En los casos donde se solicita evaluación para la impugnación del informe social rendido previamente por un trabajador social esta parte se sustituirá por: Resumen de los Aspectos Sociolegales. En éste se hará una síntesis de los datos ofrecidos en el informe social, y se analizará las incongruencias, falta de información, juicios valorativos que puedan reflejar parcialización o prejuicios hacia una de las partes y validez de la metodología utilizada en el proceso de evaluación.

V. Análisis de Hallazgos (se hará una ponderación de los hallazgos exponiendo con claridad en que fundamenta su opinión profesional y recomendaciones).

En los casos para impugnación del Informe Social Forense se deberá incluir en detalles la información obtenida en entrevistas con funcionarios escolares, menores objeto del Estudio y colaterales. Esta información se recogerá bajo el título de **Hallazgos** y se incluirá el análisis en un inciso aparte como sigue a continuación.

VI. Análisis

VII. Conclusiones y Recomendaciones:

Horas invertidas en la evaluación:

REFERENCIAS

Administración de los Tribunales, (1997). La función Judicial en el Concepto de "Drug Court". San Juan Puerto Rico: Estado Libre Asociado, Tribunal General de Justicia.

Administración de los Tribunales, (2010) Protocolo para la Atención, Orientación y Referido de las Personas sin Hogar que se presentan en el Tribunal de Primera Instancia. San Juan Puerto Rico: Estado Libre Asociado, Tribunal General de Justicia.

Administración de los Tribunales, (2007). Quinta Conferencia Trabajo Social Forense: La Ética en la Práctica del (la) Trabajador(a) Social. Directoria de Programas Judiciales, Oficina de Servicios Sociales. San Juan Puerto Rico.

Ágora Equipo Pedagógico. Neurociencia y comprensión del ser humano. [On line]. Disponible:www.equipoagora.es/Humanizar-la-salud/Neurociencia-y-comprension-del-ser-humano.htm (2013, julio 19).

Ander-Egg, E. (2009). La actitud científica como estilo de vida. Córdoba-Argentina: Brujas

Atienza, M. (2000). Tras la Justicia: Una introducción al Derecho y al razonamiento jurídico. Barcelona: Ariel.

Bandura, A. (1998). Self-Efficacy: The exercise of control. Cap. 3 y 4, pp. 79-161. New York: Freeman.

Bandura, A. (1999). Ejercicio de la eficacia personal y colectiva en sociedades cambiantes. Auto-Eficacia: Cómo afrontamos los cambios de la sociedad actual. pp. 19-54. Bilbao: Desclée De Brouwer.

Bandura, A. & Walters, R. (1974). Afianzan la problemática jurídico-social de hoy. Aprendizaje social y desarrollo de la personalidad. Madrid: Reus.

Banks, S. (1997). Ética y valores en el trabajo social. Barcelona, Buenos Aires México: Paidós.

Barker, R. (1999). The Social Work Dictionary, 4ta Ed. Washington, DC: NASW Press.

Beck, A., Rush, J., Shaw, B. & Emery, G. (1983). Terapia cognitiva de la depresión. Bilbao: Desclee.

Benjamín, A. (1980). Instructivo del entrevistador. México: Editorial Diana.

Burgos Ortiz, N. (2011). Investigación cualitiva; Miradas desde el Trabajo Social. Argentina: Ed. Espacios.

Burke, K. & Leben, S., (2007). Equidad Procesal: Elemento Principal en la Sistema de Información de Justicia Criminal, (2010). Petición para la Comparación de Records

Juezas de los Estados Unidos. La Voz de la Judicatura, 26 de sept. 2007.

Cassidy, J. & Shaver, P. (1999).Handbook of Attachment, Theory, Research, and Clinical Applications. New York, London: Guilford.

Castan Tobeñas, J. (1962). Los horizontes jurídicos del humanismo. Humanismo y derecho: El humanismo en la historia del pensamiento filosófico y en la problemática jurídico-social de hoy. pp. 77-100, Madrid: Reus.

Chase, D. & Hora, P. (2000). The Implications of Therapeutic Jurisprudence for Judicial Satisfaction. American Judges Association Court Review, 37, (1), 12-20.

Code of Ethics (1999). National Association of Social Workers. Washington, DC

Código de Ética Profesional (2011). Colegio de Profesionales del Trabajo Social de Puerto Rico. San Juan, Puerto Rico.

Coparías, E. (1998). ¿Qué heredamos de nuestros padres? Rev. Muy Interesante. Núm. 5. México, Televisa, págs. 22-30.

Corcoran, J. (2000). Evidence-Based Social Work Practice with Families. New York, Springer Publishing.

Departamento de Justicia, Sistema de Información de Justicia Criminal, (2010). Petición para la Comparación de Records de Sujetos que Completaron el Programa de Desvío. Estado Libre Asociado de Puerto Rico.

Diccionario Escolar de la Lengua Española (7ma.ed. 1996). Madrid: Santillana.

Dolgoff, R., Loewenberg, F., Harrington, D. (2009). Ethical Decisions for Social Work Practice. Eighth Ed. United States of America: Brooks/Cole.

Ekman, P. (2009). Telling Lies: Clues to Deceit in the Marketplace, Politics, and Marriage. New York- London: Norton.

Entrevista realizada a la Sra. Hayrines Calderón Fradera, Trabajadora Social, Especialista en Asuntos Éticos y Comisiones, Colegio de Profesionales del Trabajo Social de Puerto Rico. (Abril 25, 2013)

Entrevista realizada a la Sra. Josephine Vivoni Suarez, Coordinadora General del Programa Drug Court, Rama Judicial, y la Sra. Laura Arroyo, Trabajadora Social, Coordinadora de la Corte de Drogas Juvenil. (Noviembre 14, 2012).

Entrevista realizada a la Lda. Giriani Figueroa, Coordinadora Sala de Violencia Domestica, Rama Judicial y a la Lda. Yanet Sánchez

Erikson, Erik (2000). El ciclo vital completado, Barcelona: Ediciones Paidós Ibérica.

Flaxington, B. (2010). Understanding Other People: The Five Secrets to Human Behavior. Lexington, KY: ATA Press.

Foucault, M. (1980). Vigilar y castigar. México: Siglo XXI.

Franklin, C. & Nurius, P.(1998). Constructivism in Practice: Methods and Challenges. Milwaukee: Families International, Inc.

Fundación Paz Ciudadana (2012). Análisis delictual y metodología para la reducción del delito.[On line]. www.pazciudadana.cl/docs/pub_2012614144644.pdf

Gabelein, R. (2000). The Rebirth of Rehabilitation: Promise and Perils of Drug Courts Sentencing & Corrections, Issues for the 21st Century, 6, 1-7.

Gambrill, E. (1997). Social Work Practice: A critical Thinker's Guide. New York: Oxford University Press.

García, E. (2001). Mente y Cerebro. Madrid: Síntesis, S.A.

García, E. (2000). Desarrollo Cognitivo y Emocional. Modulo I y II

García Márquez, G. (2008). Vivir para Contarla. Pamplona- España: Ed. Leer-r

Greene, R. & Ephross, P. (1991). Human Behavior Theory and Social Work Practice. New York: Aldine de Gruyter.

Grych, J. & Fincham, F. (1999). The Scientific Basis of Child Custody Decisions. In R.M. Galatzer- Levy & Kraus (Ed). The Adjustment of Children from Divorced Families: Implications of Empirical Research for Clinical Intervention. Chapter 6, pp. 96-119. New York: John Wiley & Sons, Inc.

Hawthorne, N. (1850). La Letra Escarlata. Kindle fire Ed. Amazon.

Hora, P. Schma, W. & Rosenthal, J. (1999). Therapeutic Jurisprudence and the Drug Treatment Court Movement: Revolutionizing the Criminal Justice System's Response to Drug Abuse and Crime in America. Notre Dame Law Review, 74, (2), 439-537.

King, M. (2009). What Can Mainstream Courts Learn from Problem-Solving Courts? [On line], Disponible: htt://ssm.com/abstract=1349412, www.law.monash.edu.au

Laguerre, E. (1990). Por boca de caracoles. Rio Piedras Puerto Rico: Ed. Cultural.

Ley de Menores, Núm. 88, 9 de julio de 1986, según enmendada.

Ley Protectora de los Derechos de los Menores en el Proceso de Adjudicación de Custodia, Núm. 223, 21 de noviembre de 2011.

Lewis, H. (1982). The Intellectual Base Of Social Work Practice: Tools for Thought in a Helping Profession. New York: Haworth Press.

López, Beltrán, A. (2002). La Modularidad de la mente y sus implicaciones en el aprendizaje. Ensayo preparado como requisito del curso Programa de desarrollo cognitivo y emocional, del programa Doctoral Universidad Complutense de Madrid.

López, Beltrán, A. (2007). Transformación del Sistema Penal y sus Implicaciones Éticas: El Modelo Jurídico Terapéutico y las Cortes de Drogas. [On line]. Disponible: (http://www.therapeuticjurisprudence.org)

López, Beltrán, A. (2009). La práctica especializada en trabajo social forense. San Juan: Bibliográficas.

López Beltrán, A. (2004). Las Cortes de Drogas Bajo el Enfoque de Justicia Terapéutica: Evaluación de Programas en Puerto Rico. Tesis Doctoral: Universidad Complutense de Madrid.

López Beltrán, A. (14 de mayo 2009). La equidad en la práctica del trabajo social forense. Sexta Conferencia de Trabajo Social Forense, Oficina de Servicios Sociales, Administración de los Tribunales. Universidad de Puerto Rico, Humacao.

Maceiras, M. (1997) Entrevista con Paul Ricoeur. [On line]. Disponible http://www.anabasisdigital.com/revista/epoca/rico.htm

Marlatt, A. & Baer, J. (1999). La auto-eficacia y conducta adictiva. La auto-eficacia: Cómo afrontamos los cambios de la sociedad actual. Cap. 10, pp. 245-266. Bilbao: Desclée De Brouwer.

Marlowe, D. (2010). Research Update on Adult Drug Courts. National Association of Drug Court Professionals.

Mizrahi, T & Davis, L. (2008). Social Work Education: Human Behavior and Social Environment. (Ed. In Chief), Encyclopedia of Social Work (20th ed. Vol. 4, pp. 125 – 128). Washington DC: NASW Press.

Morales, J. (2001). La abogacía de la solidaridad social. Congreso Internacional de métodos alternos: Mediación, evaluación neutral y arbitraje. Revista del Colegio de Abogados de Puerto Rico. 62, 460-469.

Morales, J. (1983). La resolución integral de disputas: Redefinición de la tarea judicial. Revista de Derecho Puertorriqueño, Universidad Católica de Puerto Rico. 77-103.

Muñoz Garrido, V. & De Pedro Sotelo, F. (2005). Educar para la resiliencia. Un cambio de mirada en la prevención de situaciones de riesgo social. Revista Complutense de Educación Vol. 16 (1), pp. 107- 124

National Association of Social Workers (2010). Criminal Justice Social Work in the United States: Adapting to New Challenges, Center for Workforce Studies, Washington DC.

National Association of Social Workers (2004). Social Workers as Expert Witnesses. NASW Office of General Counsel Law Note.

National Institute of Justice. Do Drug Courts Work? Findings from Drug Court Research. [Online] Disponible http://www.nij.gov/topics/courts/drug-courts/work.htm

Negrón García, A. (1995). Nueva visión de la función del abogado. Revista Jurídica de la Universidad Interamericana. Vol. 30, (3), 333-339.

NOFSW (2012). Journal of Forensic Social Work. [On line]. Disponible www.nasw.org

Oyola, M. (2008). Estudio de: Opinión de los Estudiantes del Quinto al Duodécimo Grado del Sistema de Educación Pública del Estado Libre Asociado de Puerto Rico, sus Madres y Padres Divorciados o Separados en relación a la Custodia Monoparental y la Custodia Compartida. San Juan, NASW, Cap. PR.

Puertas de Klinkert, M. (2002). Resiliencia: La estimulación del niño para enfrentar desafíos. Buenos Aires - México: Lumen.

Puentes Ferreras, A. (1999). El cerebro creador. Madrid: Alianza.

Radbruch, G. (1959). Filosofía del Derecho. En: Revista de Derecho Privado. Hato Rey,

Reamer, F. (2006). Ethical Standards in Social Work: A Review of the NASW Code of Ethics. 2nd Ed. Washington, DC: NASW Press.

Resumil, O. Proceso Penal Garantista: Modelo adversativo, sistema acusatorio angloamericano y debido proceso de ley. [Online] Disponible http://centrointeramericano.org/tutoriales.htm (2003, septiembre 10).

Resumil, O. (1992). La Penología. Criminología General. Cap. II, (pp. 159 - 204) Río Piedras: Universidad de Puerto Rico.

Resumil, O. (1990). Las partes en la relación procesal penal. Práctica Jurídica de Puerto Rico: Derecho Penal. Tomo 1, Cap. 5, (pp. 62-103). Hato Rey, P.R.: Equity.

Ricoeur, P. (1999). Lo justo. Madrid: Caparrós.

Roberts, A. & Yeager, K. (2006). Foundations of Evidence Based Social Work Practice. New York: Oxford University Press.

Rogers, C. (1977). On Personal Power: Inner Strength And Its Revolutionary Impact. New York: Dell Publishing.

Rottman, D. (2000). Does Effective Therapeutic Jurisprudence Require Specialized Courts (and do Specialized Courts Imply Specialist Judges)? Court Review, 37, 22- 27.

Ruiz González, M. (2004). La Práctica del Trabajo Social: De lo Especifico a lo Genérico. Rio Piedras Puerto Rico: Edil.

Schma, W. (1998). Community Conferences: Reshaping Criminal Justice. Revista Jurídica Forum, U.P.R., 67, (3), 661.

Schma, W. (2000). Judging for the New Millennium, Court Rewiew, Spring 2000,. 5.

Scott Peck, M. (1998). People of The Lie: The Hope for Healing Human Evil. New York: Simon & Schuster.

Seligman, M. (1975). Indefensión, en la depresión, el desarrollo y la muerte. Madrid: Alonso Cano.

Seligman, M. (1998). Aprenda optimismo. Barcelona: Grijalbo.

Seligman, M. (2003). La auténtica felicidad. Barcelona: Vergara.

Slobogin, C. (1995). Therapeutic Jurisprudence: Five Dilemmas to Ponder Psychology, Public Policy and Law (1) 193-196.

Social Work Library Orientation Tutorial: Evidence Base Practice in Aging. University of Michigan. Cournoyer, (citado en www.lib.umich.edu/socwork/orientation/newaging3.html).

Stevenson, L. & Haberman, D. (1998 rd. Ed.). Ten Theories of Human Nature. Oxford New York: Oxford Press.

The Brain, Drugs, and Behavior: The New Science of Addiction. Social Work Today, Vol.8 (1), pp. 12-16.

Tribunal Supremo de Puerto Rico, García Santiago v. Acosta, 104 D.P.R. 321, 324, 1975. On line] Disponible: http://www.lexjuris.com/lexjuris/tsp.

Trinder, L. & Reynolds, S. (2000). Evidence Based Practice: A Critical Appraisal. Great Britain: Blackwell Science.

Vázquez, A. & Vázquez, L. (2010). Bases Neurobiológicas de la Conducta Psicológica. San Juan, Puerto Rico.

Vidal de la Rosa, G. (2008). La Teoría de la Elección Racional en las Ciencias Sociales. Rev. Sociológica 23 (67), pp.221-236.

Vygotsky, L. (1995). Pensamientos y Lenguajes. Barcelona: Editorial Paidós.

Vourlekis, B. (1991). Human Behavior Theory and Social Work Practice. In Greene & Ephross (Ed). Cognitive For Social Work Practice. Chapter 6, pp. 123-150. New York: Aldine de Gruyter.

Wexler, D., (2008). Complemento al Informe Oficial: Ya es hora de establecer una relación recíproca sólida entre la Equidad Procesal y la Justicia Terapéutica. [Online] Disponible http://www.law.arizona.edu/depts/upr-intj/pdf/trducido.pdf

Wexler, D. (2012). New Wine in New Bottles: The Need to Sketch a Theerapeutic Jurisprudence "Code" of Proposed Criminal Processes and Practices. Discussion Paper No. 12-16. Arizona Legal Studies: University of Arizona.

Wexler, D., (2008). Adding Color to the White Paper: Time for a Robust Reciprocal Relationship between Procedural Justice and Therapeutic Jurisprudence, 44 Court Rev. 78.

Wexler, D. & Winick, B. (1996). Law in a Therapeutic Key: Developments in Therapeutic Jurisprudence. North Carolina: Carolina Academic.

Wexler, D. (1998). Practicing Therapeutic Jurisprudence Psychological Soft Spots and

Strategies. Revista Juridica U.P.R. 67, (2), 317-342.

Wexler, D. (1999) The Development of Therapeutic Jurisprudence: From Theory to

Practice. Revista Jurídica Forum, U.P.R., 68, (3), 691-705.

Wexler, D. (2000). Relapse Prevention Planning Principles for Criminal Law Practice.

Practicing Therapeutic Jurisprudente: Law as a Helping Profession. (pp.237-243).

North Carolina: Carolina Academic.

Wexler, D. (2002). Teoría Jurídica Terapéutica (TJ), los jueces y la rehabilitación. [On line] Disponible http://centrointeramericano.org/tutoriales.htm {2003, septiembre 10}.

Wexler, D. (2003). Reflexiones sobre la Teoría Jurídica y la Práctica de Derecho Penal.

[Online] Disponible http://centrointeramericano.org/tutoriales.htm {2003 septiembre 10}.

Wiener, J. (2009). The Therapeutic Relationship: transference, countertransference and the making of meaning. Texas A & M University Press.

Wilson, L. (2004). The Social Styles Handbook: Adapt Your Style To Win Trust. Revised Ed. Wilson Learning Library.

Winick, B. & Wexler, D. (2003). Judging in a Therapeutic Key:Therapeutic Jurisprudence and the Courts. The New Judicial Approaches. North Carolina: Carolina Academic

Winick, B. & Wexler, D. (2001). Therapeutic Jurisprudence and Drug Treatment Court:

A Symbiotic Relationsship. [Online]. Disponible http://www.law.Arizona.edu/upr-intj-o.html {2003, septiembre 10}.

DATOS SOBRE LA AUTORA

La Dra. Ana M. López Beltrán estudió su bachillerato en trabajo social en la Universidad Católica de Ponce. Completó su maestría en Trabajo Social en la Escuela Beatriz Lasalle de la Universidad de Puerto Rico y obtuvo su grado doctoral en Filosofía, Ciencias de la Conducta y Sociedad de la Universidad Complutense de Madrid.

Ejerció la práctica profesional en el servicio público por treinta y tres años, veintinueve de éstos, como trabajadora social de la Rama Judicial. Se inició como evaluadora de casos de menores ofensores en la Sala de Menores de Arecibo, donde posteriormente ocupó el puesto de supervisora de la Unidad Social y entre el 1996 al 2005 pasó a dirigir la Oficina de los Servicios Sociales de la Rama Judicial.

Como profesional creativa y entusiasta propició el desarrollo de proyectos innovadores para la Rama Judicial tales como: los talleres Padres y Madres para Siempre y Manejo de Emociones, para parejas con hijos en proceso de divorcio; adoptó el modelo de Evaluación Social Forense para uniformar los procedimientos de evaluación en los casos de Menores y Relaciones de Familia; estableció la Conferencia de Trabajo Social Forense, así como el desarrollo de una planilla para identificar factores de riesgo y su intensidad en menores intervenidos por el Tribunal, para ser utilizada tanto como instrumento de evaluación como para fines estadísticos. .

Dentro de su quehacer profesional la doctora López también ha realizado funciones de educadora en trabajo social en la Universidad Interamericana Recinto Metropolitano y en el Recinto de Arecibo, y en la Universidad de Puerto Rico. Además participó como recurso en el Diplomado "Trabajo Social Jurídico-Forense, ofrecido por la Universidad UMECIT en la ciudad de Panamá (octubre 25 al 27/2007) y en el Diplomado en Trabajo Social ofrecido por la Universidad Católica Boliviana bajo el tema: Trabajo Social Forense y Violencia Social (abril 2013). También colaboró en la preparación de prontuarios para la certificación en Trabajo Social Forense, ofrecida por la Universidad del Turabo.

Ha sido recurso de talleres de Educación Continua para el Colegio de Profesionales del Trabajo Social, así como de la Asociación Nacional de Trabajo Social, Capítulo de Puerto Rico (NASW). También ha sido recurso en adiestramientos a personal de la Administración de Familias y Niños (ADFAN) sobre Legislación y Familia y Testimonio Pericial en Corte, coordinados por la Universidad Interamericana Recinto Metropolitano. Ha sido autora de diversos artículos sobre temas de interés social, publicados en la Revista Para Servirte del Colegio de Trabajadores Sociales, Boletín de la NASW, Revista Maternidad y Salud, Revista Law Review UPR y periódicos:

- El Cantante: De una vida de glamour y fama a la autodestrucción. Revista Para Servirte, Colegio de Trabajadores Sociales de Puerto Rico. Vol. VIII, 2007.

- Medicación: Una respuesta inteligente a la adicción a drogas. Revista Para Servirte, Colegio de

Trabajadores Sociales de Puerto Rico. Vol. IX, 2008.

• Medicación, una respuesta inteligente. El Nuevo Día, marzo/21/2009

• Aplicación de un modelo sistemático para propiciar la autoeficacia y modificación de conducta de los participantes en el proceso de cortes de drogas. UPR Law Review Special Terapeutic Jurisprudence. Vol.78 No. 1, 2009.

Dos de sus artículos: Abstracto de Tesis: Las cortes de drogas bajo el enfoque jurídico terapéutico: Evaluación de Programas en Puerto Rico; y Transformación del Sistema Penal y sus Implicaciones Éticas: El Modelo Jurídico Terapéutico y las Cortes de Drogas, están publicados en el website http://www.therapeuticjurisprudence.org:

En el 2009 publicó el libro: "La Práctica Especializada en Trabajo Social Forense". (Bibliográficas, Puerto Rico, 2009), el cual ha sido usado como recurso didáctico en currículos de trabajo social y por profesionales en el área legal y social.

Ha participado activamente en diferentes comités de trabajo como: el de Integración de Servicios para la Evaluación de Protocolos y la Prestación de Servicios en Casos de Menores y Comité Interagencial de Abuso Sexual a Menores, creado por el Departamento de la Familia (2006-2008), Comisión de lo Jurídico de la NASW para la evaluación de proyectos de Ley sobre Custodia Compartida (2006-2007), Miembro de la Comisión Especial para la Reforma del Sistema de Justicia Juvenil de Puerto Rico (1998-1999) y Comisión de Bienestar Social del Colegio de Trabajadores Sociales, entre otros.

Entre el 2004 al 2005 ocupó la posición de Primera Vice Presidenta del Colegio de Trabajadores Sociales de Puerto Rico. Presidió la Asociación Nacional de Trabajo Social (NASW), Capítulo de Puerto Rico entre el 2008-2010.

Por sus ejecutorias profesionales fue nominada para el Premio Manuel A. Pérez en agosto de 1996. En el año 1997 el Colegio de Trabajadores Sociales en su Asamblea Anual, le otorgó el Premio Celestina Zalduondo, por sus excelentes ejecutorias como profesional.